60.

Luisetta Elia Chomel

D'Annunzio.
Un teatro al femminile

L'interprete

Collana diretta da Aldo Scaglione
della New York University, New York

A mia madre
e a mio padre
lettori di D'Annunzio

Luisetta Elia Chomel

D'ANNUNZIO
Un teatro al femminile

LONGO EDITORE RAVENNA

ISBN 88-8063-127-6

Questo volume è stampato su carta Fabriano «Palatina»

© Copyright 1997 A. Longo Editore snc
Via Paolo Costa 33 - 48100 Ravenna
Tel. (0544) 217026 Fax 217554
e-mail: longo-ra@linknet.it

Ringraziamenti

Desidero innanzi tutto ringraziare l'Università di Houston per aver sostenuto il mio lavoro di ricerca in varie forme. Ricordo con particolare riconoscenza il Professor James Pipkin, Decano del nostro *College*, per la borsa di studio accordatami nell'estate 1994 e l'«Office of Sponsored Programs» per aver contribuito alla pubblicazione di questo volume.

I miei più vivi ringraziamenti vanno inoltre alla Fondazione del Vittoriale degli Italiani e specialmente alla Signora Mariangela Calubini per il suo cortese aiuto nella ricerca d'archivio.

Ringrazio infine le mie colleghe, Dora Pozzi e Sandra Celli Harris per il loro costante interesse e incoraggiamento.

Un grazie particolare va ad Anna Caflish, l'attenta «lettrice», che ha seguito le varie fasi del mio lavoro partecipando con preziosi consigli alla redazione del manoscritto.

Parte prima

VERSO IL TEATRO

1.

La donna nell'opera di D'Annunzio

Nel corpus dell'opera di D'Annunzio, così vasto da coprire cinquant'anni di storia letteraria europea e così vario da includere tutta la gamma dei generi letterari, dalla narrativa alla lirica, dal dramma alla prosa della memoria, la donna è largamente rappresentata, quale figura emblematica e complemento essenziale della sensualità che pervade la sua scrittura. Unendo l'erudizione classica e la tradizione letteraria italiana ai nuovi stimoli che gli vengono d'oltralpe, D'Annunzio, in una costante ricerca di nuovi moduli espressivi, sperimenta nuove tecniche e rinnova i temi della sua scrittura. La sua opera riflette infatti il rapido avvicendarsi di movimenti artistici e poetiche letterarie proposti dalla mutevole scena europea contemporanea: dal naturalismo al simbolismo, attraverso le suggestioni del romanzo russo, della scuola parnassiana e dei modelli preraffaelliti. In questa molteplicità di direzioni e proposte la rappresentazione della donna si configura variamente assumendo aspetti diversi ed a volte contrastanti.

Ad eccezione della prosa notturna, dove l'impegno eroico e la meditazione ascetica escludono l'elemento femminile, la donna è sempre presente; personaggio mutevole che assume valenze diverse a seconda delle varie fasi creative e dei generi letterari esplorati dall'autore. Ma, sia nelle liriche che nelle novelle e nei romanzi, il ruolo attivo di soggetto è sempre affidato a un personaggio maschile che agisce, sente e immagina, mentre il personaggio femminile è percepito come oggetto di desiderio erotico o di piacere estetico. Solamente nel teatro la donna si trasforma in soggetto attivo che, con le sue passioni e la sua volontà, determina lo sviluppo dell'azione drammatica.

Sin dagli inizi della critica dannunziana le peculiari caratteristiche dei personaggi drammatici femminili sono state notate e messe in rilievo sen-

za tuttavia ricondurre questa nuova gamma di attributi alla nuova funzione
che l'autore conferisce alla donna nel suo teatro, proprio in quanto dramatis persona [1].

Poiché l'assunto prende il suo particolare rilievo dal contesto del corpus dell'opera dannunziana sarà importante riconsiderare, per quanto in
modo necessariamente sommario, la funzione dell'immagine femminile
negli altri generi letterari: la lirica e la narrativa.

1. *L'immagine della donna nella lirica*

Nelle raccolte di versi la natura lirica della scrittura impone il punto di
vista soggettivo in quanto l'unico personaggio è l'io; non si potrà dunque
parlare di personaggi femminili ma soltanto di come l'immagine della
donna è percepita e rappresentata dall'io lirico. In generale, le figure femminili si configurano secondo il tema dominante della raccolta. In *Primo
Vere*, l'immagine della donna resta semplicemente l'elemento non meglio
identificato, ma necessario e complementare, della «libera baldanza» in
cui si riversano i contenuti gioiosamenti sensuali dell'immaginazione dannunziana [2]. In *Canto Novo* prevale il tema dell'identificazione panica;
mondo umano e mondo naturale vibrano degli stessi impulsi in un'atmosfera di pervadente sensualità. La donna è una driade, una ninfa, e una
sensualità gioiosa e vitale la fa partecipe della vita della natura mentre il
linguaggio la accomuna al «fresco rivo», «al respiro della foresta immensa», in una metafora universale. Ma l'«ospite» senza volto conosce una
sua breve vita in relazione al desiderio del «giovane», e la sua presenza

---

[1] La preminenza dei personaggi femminili, fatto di per sé evidente, è stata sottolineata da pressoché tutti gli studiosi che si sono occupati del teatro di D'Annunzio. E interessante notare il trapasso dall'uso del termine «superfemmina» (prima del 1960), a quello di «superdonna» che caratterizza la critica più recente. Su questo soggetto hanno scritto
pagine di grande rilievo Emilio Mariano *Il teatro di D'Annunzio*, in «Quaderni del Vittoriale», XI, 1987, p. 21; *La Francesca da Rimini*, «Quaderni del Vittoriale», XXIV, p. 112;
Pietro Gibellini, «Introduzione» a Gabriele D'Annunzio, *Fedra*, Milano, Mondadori, 1986,
pp. 18, 1986; Giorgio Bárberi Squarotti, «La fiamma e l'ombra: il teatro» in *La scrittura
verso il nulla*; D'Annunzio, Torino, Genesi, 1992; e in *Invito alla lettura di D'Annunzio*,
Milano, Mursia, 1982, p. 119; Paolo Valesio, *The Dark Flame*, Yale University Press,
1992; Andrea Bisicchia, *D'Annunzio e il teatro*, Milano, Mursia, 1991; Renato Barilli,
D'Annunzio in prosa, Milano, Mursia, 1993.

[2] Eurialo De Michelis, *Tutto D'Annunzio*, Milano, Feltrinelli, 1960, p. 23.

effimera si dissolve nella consapevolezza della brevità della stagione della giovinezza e dell'amore[3].

Nella seguente raccolta di versi, *Intermezzo di rime*, il tema sensuale si raffina e si complica nell'analisi di sensazioni tra il languido e il perverso. L'impeto vitalistico diviene spossatezza, il tono trionfale cede ad accenti di delusione. Lo scenario è mutato; il paesaggio naturale di *Canto Novo* è sostituito da giardini esotici ed eleganti interni dove l'Adolescente si consuma nella voluttà. L'Eros primitivo e prorompente di *Canto Novo* si è trasformato in erotismo e la donna ha assunto le connotazioni di Salomè, figura emblematica del Decadentismo europeo. La gioiosa compagna del Giovane è ora rappresentata come la femmina lussuriosa, la «nemica», che attraverso la seduzione dei sensi perverte la volontà dell'uomo e ne distrugge la creatività[4].

Seguendo la spirale del Decadentismo, D'Annunzio esplora i limiti dell'erotismo secondo i canoni dell'estetica parnassiana e della sensibilità preraffaellita. Delicate figure di donna, ispirate da famosi dipinti, si disegnano sul prezioso arazzo quattrocentesco tessuto dal poeta nell'*Isotteo*[5]. Emblemi stilizzati di un mondo scomparso, filtrati attraverso la doppia trascrizione pittorica e poetica, le immagini femminili sono concepite co-

---

[3] Con i nomi di «Giovane» e «Ospite» sono designati il protagonista e la sua compagna.

[4] L'emblematica immagine di Salomè appare in numerose creazioni artistiche di fine secolo: nella letteratura, nella pittura, nella musica. Tra le più celebri interpretazioni ricordiamo: il poema «Erodiade» di Stephane Mallarmé; il famoso dipinto di Gustave Moreau che eccitava la fantasia di Des Esseints, il protagonista di *A rebours*, il dramma *Salomè* di Oscar Wilde e l'opera di Richard Strauss sul testo di Wilde. È interessante notare a questo proposito l'interdipendenza di diverse sfere dell'arte che tendono in questo periodo a intrecciarsi e influenzarsi vicendevolmente. E questa d'altronde la tesi del Praz che spiega l'enorme diffusione di un'immagine tipica che diviene simbolo di tutta un'epoca e ne rappresenta le ossessioni. «Verso la fine del secolo l'incarnazione perfetta di questo tipo di donna sarà Erodiade. Ma non sarà la sola: Elena, Elena del Moreau, del Samain, del Pascoli (Anticlo), le è molto vicina. I miti antichi tali quelli della Sfinge, di Venere e Adone, di Diana e Endimione, saranno chiamati ad illustrare il rapporto, che si ripeterà con tanta insistenza nella seconda parte del secolo. Ripetiamolo ancora: la funzione della fiamma che attira e brucia, è esercitata dall'uomo fatale (l'eroe byronico) nella prima, dalla donna fatale nella seconda parte del secolo; la farfalla destinata al sacrificio è nel primo caso la donna, nel secondo l'uomo». Mario Praz, *La carne, la morte e il diavolo nella letteratura romantica*, Firenze, Sansoni, 1966, p. 188.

[5] Uso il termine Decadentismo per indicare quel periodo storico che iniziatosi tra gli anni Ottanta e Novanta si prolunga nel primo Novecento e ricopre genericamente vari movimenti letterari e artistici unificati da un comune spirito di rottura dei modelli tradizionali; le «avanguardie deboli», per usare una definizione di Renato Barilli.

me rappresentazioni bidimensionali, cristallizzate nel tempo immobile e lo spazio fittizio di una superficie dipinta. Dissociata dal piacere sensuale, la donna è ora concepita come oggetto di puro piacere estetico; Ginevra e Isotta vivono nel sogno della finzione poetica. I versi della *Chimera* elaborano gli stessi temi, ma in un'atmosfera ancora più rarefatta in cui la donna tende ad essere rappresentata dal solo potere evocativo di un nome. Nella seconda parte della raccolta la contemplazione estetica si colora di toni più cupi, tra il sadico e il sacrilego e tra le evanescenti silhouettes femminili «du temps d'antan» appare l'ambigua Chimera.

Anche il discorso poetico di *Elegie Romane*, che descrive la parabola di un amore dai primi trasporti alla stanchezza e al disamore, si incentra sul soggetto seguendone l'evoluzione sentimentale, mentre la donna amante, sempre uguale a se stessa resta un'immagine passiva ed inesplorata.

Nel *Poema Paradisiaco*, il poema dell'amore come rifiuto dell'amore, tra la pace dei sensi e la malinconia dei ricordi, la donna appare devitalizzata. La rinuncia del poeta alle passioni e al piacere, proiettata in dimensione onirica, riduce automaticamente l'immagine femminile a elemento decorativo, a pretesto per rievocare il passato e rimpiangere ciò che è stato, «le cose lontane che non sono più, che non sono più».

L'attività poetica di D'Annunzio si attua pienamente in *Le Laudi* che rappresentano il punto di confluenza e il superamento dei temi esplorati nelle precedenti raccolte di versi. Nella nuova prospettiva aperta dalla dimensione mitica abbracciata da D'Annunzio, l'immagine femminile assume nuovi significati e un nuovo ruolo. Se nello spazio poetico di *Maia* ed *Elettra*, patria dell'Ulisside e degli Eroi, la donna entra solamente di scorcio, la sua presenza esplode in *Alcyone*, il Terzo Libro delle *Laudi*, dove secondo la felice interpretazione di Pietro Gibellini si verifica la «caduta panica delle barriere tra l'io e il molteplice»[6].

L'affermazione della unità primigenia delle creature sottolineata dalle frequenti metafore, conduce all'interscambiabilità del soggetto e dell'oggetto, e il personaggio femminile, liberato dal suo essere «cosa», si espande in principio vitale. I fenomeni naturali assumono sembianze femminili mentre la donna si confonde con le forme della natura. L'archetipo femminile, manifestandosi a molteplici livelli: naturale, umano, divino e poetico,

---

[6] Pietro Gibellini, *La storia di «Alcyone»* in *Logos e Mythos*, Firenze, Olschki, 1985, p. 64 e seg.

informa di sé il «poema», e trionfa nella personificazione dell'estate, creazione mitopoietica che ne riassume tutti gli attributi[7].

2. *Il personaggio femminile nella narrativa*

I risultati degli studi sulla narratologia condotti negli ultimi vent'anni ci orientano verso una comprensione della funzione del personaggio in relazione al complesso sistema di rapporti che si stabilisce tra l'autore e la sua materia. Ora, nell'opera narrativa di D'Annunzio, sia nelle novelle che nei romanzi, i personaggi femminili abbondano, ma la portata del loro significato rappresenta una variabile che dovrà essere interpretata a seconda della struttura dell'opera e del rapporto stabilito dall'autore.

Un personaggio, infatti, non comunica direttamente con il lettore; le sue intenzioni e le sue azioni sono sempre mediate da un Io, narratore-anonimo, o da un Io, narratore-personaggio, che le narra in terza persona, ed è la scelta del tipo di mediazione che determina il punto di vista adottato dall'autore modificandolo secondo un'ottica più o meno soggettiva[8].

---

[7] Il «Ditirambo III» è un inno all'Estate, immagine divina che ispira il poeta e che è desiderata come donna:

> O Estate, Estate
> io ti dirò divina in mille nomi
> in mille laudi
> ti loderò se tu mi esaudi,
> se soffri che un mortal ti domi,
> che in carne io ti veda,
> ch'io mortal ti goda sul letto dell'immensa spiaggia
> tra l'alpe e il mar,
> nuda le fervide membra che riga il tuo sangue d'oro
> odorando di oliga, di resina e di alloro!

Tutte le citazioni delle opere liriche di D'Annunzio sono tratte da *Versi d'amore e di gloria*, ed. diretta da Luciano Anceschi a cura di A. Andreoli e N. Lorenzini, Milano, Mondadori, 1982 e 1984, voll. 2. Le citazioni dell'opera in prosa sono pure tratte da *Prose di romanzi*, ed. diretta da Ezio Raimondi a cura di A. Andreoli e N. Lorenzini, Milano, Mondadori, voll. 2, 1988 e 1989. Tutte le citazioni sono identificate come segue: *Versi d'amore e di gloria*, II, p. 547.

[8] Per adottare un classico schema di narratologia che analizza il rapporto autore, narratore, personaggio, scelgo quello proposto da C. Segre che condensa e semplifica gli studi precedenti. «Il soggetto dell'enunciazione si rivolge al destinatario, lettore o ascoltatore, attraverso l'eventuale mediazione di un Io narratore; il quale narra in terza persona le vicende dei personaggi (EGLI). Gli enunciati (discorsi) in prima persona dei personag-

Nelle novelle di D'Annunzio prevale l'impianto naturalistico che implica l'adozione di un punto di vista fotografico; gli avvenimenti sono comunicati senza nessi e spiegazioni e i personaggi, caratterizzati in senso puramente fisiologico, sono rappresentati soltanto dalle loro azioni. Il tema paesano, svolto in *Terra Vergine* attraverso lievi bozzetti, si incupisce nelle *Novelle della Pescara*, dove l'autore mette in scena un'umanità brutale e miserabile, sospinta da impulsi di violenza e di lussuria bestiale. In questa ottica, i personaggi femminili, come quelli maschili, non controllano il loro destino; vittime ignare di una forma di vita degradata, quasi animale, sono creature prive di coscienza e di ragione, la cui breve esistenza esplode in un'atto di cieco istinto e si conclude tragicamente[9].

Nei romanzi invece D'Annunzio abbandona il punto di vista semiobiettivo della tranche-de-vie, per assumerne altri fortemente soggettivi: «l'onniscienza selettiva», in cui il punto di vista adottato è quello di un solo personaggio, e «l'io come protagonista», in cui il narratore in prima persona è il protagonista della vicenda[10]. In *Giovanni Episcopo*, il protagonista parla di sé in prima persona, nell'*Innocente* Tullio Hermil racconta la sua storia sotto forma di confessione, Claudio Cantelmo narra il suo vagheggiamento incantato delle tre principesse, *La Leda senza Cigno* è la trascrizione in prima persona di un racconto di Desiderio Moriar. Quanto agli altri romanzi, il punto di vista adottato è quello di un solo personaggio, il protagonista, secondo una prospettiva unica indiretta. I personaggi femminili pur esprimendosi in prima persona risultano filtrati dalla mediazione di un io-narratore che, rappresentandoli secondo un'ottica personalizzata, li riduce a proiezioni delle sue ossessioni, aspirazioni e vagheggiamenti.

gi sono riferiti all'interno della diegesi di terza persona gestita dal soggetto dell'enunciazione, o emittente». Cesare Segre, *Teatro e romanzo*, Torino, Einaudi, 1984, p. 16.

[9] Un commento di Renato Barilli rettifica questa analisi schematica e superficiale. Lo studioso nota come nella novella «La vergine Orsola» la donna occupi una posizione autonoma rispetto all'uomo, in quanto sorgente essa stessa di desiderio erotico. In sintonia con l'insegnamento di Freud, ancorché inconsapevole, D'Annunzio riconosce che «le donne, in tale ambito [quello sessuale], hanno gli stessi diritti degli uomini, anche se i tabù sociali per secoli si sono posti contro di loro». R. Barilli, *Op. cit.*, p. 34.

[10] Secondo l'analisi di B.V. Tomasevsckij, «Una situazione tipica [della narrativa] è quella che vede rapporti *contrastanti*: i diversi personaggi in questo caso desiderano trasformarla [la situazione] in modo diverso [...]. Possiamo dunque definire lo svolgimento della *fabula* come il passaggio da una situazione all'altra, mentre ogni situazione è caratterizzata da un contrasto d'interessi, da una *collisione* e lotta tra i personaggi». Citato da Cesare Segre, *L'analisi del racconto*, in *Le strutture e il tempo*, Torino, Einaudi, 1974, p. 68, (nota 170).

Rompendo con la tradizione ottocentesca, la struttura narrativa del romanzo dannunziano non prevede uno sviluppo e una soluzione organica dei problemi posti. Il conflitto, incentrato sul protagonista, gli appartiene totalmente mentre gli altri personaggi assumono una funzione secondaria rispetto alla vicenda interiore dell'eroe. Non si verifica dunque una situazione che si trasforma in ragione di rapporti conflittuali tra i vari personaggi, la conclusione infatti non coincide con il trionfo del protagonista o con la sua disfatta secondo i canoni del récit tradizionale[11]. Solamente nel *Trionfo della morte* la parabola dell'avventura raggiunge una conclusione; negli altri romanzi l'intreccio, tenue e generalmente privo di nodi drammatici, conduce a soluzioni non conclusive che aprono, se mai, nuovi spazi sulla malinconia, l'utopia, la problematicità o semplicemente la possibilità del vivere. La «fabula» stessa si affievolisce tra le riflessoni, divagazioni, descrizioni che rappresentano il vero tessuto di queste «prose di romanzo».

In questa situazione narrativa i personaggi femminili perdono la loro autonomia e rappresentano in generale due tendenze divergenti del protagonista maschile: la spinta verso l'appagamento sessuale, anche se complicata da altre e più complesse motivazioni, e l'aspirazione verso la purezza che ne rappresenta il superamento. In senso lato, questo schema rudimentale, che corrisponde alla tradizionale visione manicheistica della natura femminile, pare includere tutto il mondo femminile dei romanzi: da un lato c'è Salomè, l'ambigua seduttrice con il suo potere di femmina castrante, dall'altro la vergine, immagine di purezza e spiritualità, custode di leggi ancestrali, devota agli affetti e ai doveri famigliari. Elena Muti e Maria Ferres sono le prime di una serie di figurazioni femminili che, pur nelle loro varianti, ripropongono lo stesso tema: Foscarina-Donatella Arvale, Violante-Massimilla, Isabella-Vana. In altri romanzi, *Il trionfo della morte*, *Giovanni Episcopo*, *L'innocente*, e *La Leda senza cigno*, una sola delle due figurazioni è presente, ma sempre con connotazioni che riconducono ad una funzione passiva del personaggio nei confronti del protagonista.

Questa breve rassegna della funzione dell'immagine e del personaggio femminile nel corpus dell'opera dannunziana, per quanto approssimativa e schematica, è importante per apprezzare il brusco mutamento di prospettiva che D'Annunzio inaugura con il teatro.

---

[11] Ogni schematizzazione è un'approssimazione: tra tante vergini e peccatrici Foscarina ed Isabella Inghirami sono certamente due personaggi ricchi e sfumati che meritano una lettura attenta e approfondita.

3. *Il personaggio femminile nel teatro*

Sarà sufficiente elencare i titoli delle opere drammatiche per avvertire la presenza emblematica del genere femminile: *La città morta, Sogno di un mattino di primavera, Sogno di un tramonto d'autunno, La Gioconda, La Gloria, Francesca da Rimini, Parisina, La figlia di Iorio, La fiaccola sotto il moggio, Più che l'amore, La nave, Fedra, Le Martyre de Saint Sébastien, La Pisanelle, Il ferro*[12]. Dei quindici titoli, sei sono chiaramente dedicati ad un nome di donna; nei due *Sogni* il personaggio maschile è cospicuamente assente; per gli altri drammi un rapido inventario delle dramatis personae evocherà alla memoria tutta una schiera di «eroine»: Anna, Silvia, Elena Comnèna, Gigliola, Basiliola, Maria Vesta, Mortella, cui fanno riscontro antagonisti (o deuteragonisti) di scarso rilievo. Nelle intenzioni dell'autore Corrado Brando è senza dubbio il protagonista di *Più che l'amore*, e Saint Sébastien occupa largamente lo spazio scenico del *Martyre*, ma Ruggero Flamma, Marco Gratico o Gherardo Ismera non hanno la tempra di eroi tragici; nella loro disfatta o nella loro vittoria, sono travolti dall'impeto drammatico del personaggio femminile.

La donna è la protagonista, l'eroina dei drammi dannunziani. Benché il termine «eroina» usato in un contesto drammatico non connoti di per sé superiori qualità spirituali, ma indichi semplicemente il ruolo del personaggio principale dalle cui azioni evolve il conflitto, l'attributo «eroico» si addice particolarmente alle protagoniste dannunziane che, anche nelle vicende più atroci, sono illuminate da una sinistra grandezza. Tuttavia, adeguandosi ai moduli dell'immagine femminile così come si è conformata nei romanzi, le donne nei loro tratti caratteriali non sembrano differenziarsi dalla «belle dame sans merci» o dalla vergine spiritualizzata della narrativa dannunziana. Sono creature feroci, spesso «nemiche» dell'uomo, spinte da passioni elementari, amore, vendetta, potere; immagini prodotte dalla stessa matrice da cui sono nate Elena Muti e Maria Ferres ma elevate ora ad una dignità trascendentale dall'intensità della loro passione. Il segno che le contraddistingue è la nuova carica di volontà e determinazione che l'autore conferisce loro; animate da un impeto che non conosce né ostacoli né compromessi, le eroine drammatiche sono pronte a trasgredire i limiti di ogni legge e convenzione in nome della loro passione.

---

[12] Non includo nell'elenco *Le chevrefeuille*, in quanto nella versione francese, vicenda e protagonisti corrispondono a quelli del *Ferro* e un esame comparato dei due testi esula dal presente studio. Cfr. Pierre de Montera, *Du «Ferro» au «Chevrefeuille»*, «Quaderni del Vittoriale», 1977, pp. 287-300.

Il ruolo conferito alla donna da D'Annunzio nel suo teatro non implica necessariamente un'evoluzione del suo pensiero sulla polarità maschile-femminile. L'opera teatrale non si iscrive infatti in un periodo particolare della vita dell'autore tale da poter sostenere a questo proposito un mutamento della sua ottica personale; la produzione drammatica si estende per un lungo arco di anni ed è intercalata dalla scrittura di importanti opere narrative e poetiche in cui l'immagine femminile non assume la stessa carica significante. Le immagini femminili sono apparentemente le stesse, tuttavia la loro funzione nel passaggio dalla narrativa al dramma subisce un drastico mutamento. L'adesione dell'autore a un diverso codice espressivo determina una nuova configurazione di forze attanziali che conduce necessariamente a una revisione della funzione dei personaggi.

Il personaggio è dunque trasformato dall'uso creativo che D'Annunzio si trova a farne nel teatro senza che questo fatto implichi un cambiamento di prospettiva concernente il referente donna, segno plurivalente il cui senso varia a seconda del codice in cui è iscritto.

Definiti i termini della ricerca e delle sue premesse, resta ora da esplorare perché il teatro di D'Annunzio è nato e si è sviluppato sotto il segno del principio femminile e verificare l'ipotesi nel contesto dei vari drammi.

In questo studio mi propongo di stabilire la genesi e lo scopo del teatro di D'Annunzio restituendo il complesso quadro di spinte esistenziali e letterarie che hanno diretto lo scrittore verso il genere drammatico. Dai risultati di questa ricerca, che postulano l'esigenza del protagonismo femminile nell'opera drammatica, scaturisce l'ipotesi che, proposta inizialmente su basi teoriche, viene in seguito verificata attraverso un'analisi testuale delle varie opere drammatiche.

L'approccio interpretativo seguito in questo studio si basa sulle conclusioni raggiunte da Peter Szondi nella sua teorizzazione del dramma moderno mentre l'analisi delle opere viene condotta sulla scorta dei risultati conseguiti da Cesare Segre ed altri studiosi nell'area della ricerca semiotica. Questa impostazione generale non esclude tuttavia altri metodi di ricerca in quanto la varietà e le variazioni dell'opera teatrale richiedono, volta a volta, strumenti critici specifici particolarmente atti ad illuminare l'assunto iniziale di questa indagine: il protagonismo al femminile nel teatro di D'Annunzio.

Dalle conclusioni finali emerge un aspetto inedito dell'autore che mi auguro possa rappresentare un valido contributo alla comprensione totale della sua opera.

2.

La decade 1890-1900

L'attività teatrale di D'Annunzio occupa un periodo cronologicamente ben definito che non da adito a supposizioni circa un interesse giovanile per il genere drammatico ed esclude precedenti sperimentazioni in questa area. Un primo vago progetto circa una serie di drammi risale al marzo del 1894 ma il primo accenno a un interesse concreto dello scrittore per il teatro porta una data precisa: il 6 settembre 1895. In una lettera all'editore Emilio Treves, D'Annunzio annuncia: «Vi confido anche un segreto. Il mio lungo e vago sogno di drama fluttuante – s'è al fine cristallizzato. A Micene ho riletto Sofocle ed Eschilo, sotto la porta dei Leoni. La forma del mio drama è già chiara e ferma. Il titolo: La città morta»[1].

La stesura di questa prima tragedia si realizza soltanto alla fine del 1896; in seguito l'attività drammaturgica di D'Annunzio si intensifica e si prolunga fino al 1914 concludendosi con la produzione dell'ultimo dramma, *Il Ferro*[2]. L'incontro con il teatro avviene dunque quando D'Annunzio aveva oltrepassato la trentina e si era già affermato come poeta e prosatore; incontro esplosivo, in quanto nulla nei suoi scritti precedenti lascia supporre una predisposizione o un interesse per la drammaturgia[3].

---

[1] «Archivio del Vittoriale», *Lettere a E. Treves*, Dattiloscritto, p. 236.

[2] Prendo come data iniziale la conclusione del testo della *Città morta* nel novembre del 1896, annunciata da D'Annunzio ad Angelo Conti, citata da Ruggero Jacobbi, *Il teatro di D'Annunzio oggi*, «Quaderni del Vittoriale», nov. dic. 1980, p. 15. Come data finale cito la prima rappresentazione di *Il Ferro*, il 27 gennaio 1914. Questa data è tuttavia approssimativa poiché *Le Chévrefeuille*, il riadattamento in francese di *Il ferro*, è stato rappresentato il 10 dicembre del 1913, a Parigi.

[3] Un primo tentativo teatrale è il dramma incompiuto *La nemica*, di cui la prima sce-

Senza tentare di districare il complesso nodo del binomio arte-vita in D'Annunzio, sarà utile ricollocare l'insorgere della vocazione drammatica nel quadro della decade 1890-1900, ed analizzarla secondo i documenti che ci sono pervenuti, per rintracciare gli stimoli letterari e gli avvenimenti biografici che possano illuminarci in proposito[4]. Il periodo è particolarmente ricco di eventi e di esperienze significanti che si sviluppano in aree separate, senza coerenza causale. Soltanto una prospettiva sincronica della decade rivela come varie vicende influenzandosi e potenziandosi reciprocamente convergano per determinare una svolta decisiva nell'itinerario intellettuale di D'Annunzio.

Anche un breve riepilogo ci fornisce una lunga lista di componenti:

– La lettura di Nietzsche.

– Il viaggio in Grecia nell'estate del 1895, sul panfilo di Edoardo Scarfoglio.

– Il sodalizio d'amore e di lavoro con Eleonora Duse.

– Il discorso *L'allegoria dell'autunno*, pronunciato a Venezia l'8 novembre 1895 per la chiusura della Prima esposizione internazionale d'arte moderna, e che sarà poi trascritto nelle pagine del *Fuoco*.

– L'iniziativa dei Félibres che inizia a Orange un ciclo di rappresentazioni, le *Chorégies*, nell'antico teatro romano.

– *Il Discorso della Siepe*, pronunciato a Pescara il 21 agosto 1897, e pubblicato sulla «Tribuna» del 23 agosto, nel corso della campagna elettorale che lo porterà alla Camera dei deputati alla fine dello stesso anno[5].

La varietà e molteplicità delle spinte intellettuali, emotive e pratiche che conducono D'Annunzio al teatro non deve stupire, considerando la straordinaria apertura della sua attività letteraria a tutte le suggestioni proposte dall'avventura biografica e intellettuale.

---

na soltanto è stata pubblicata da Gentili di Giuseppe nel 1938. Citato da E. De Michelis, *Tutto D'Annunzio*, Milano, Feltrinelli, 1960, p. 140, (nota n. 50).

[4] Per l'intricato rapporto arte e vita rimando al saggio di Giorgio Bárberi Squarotti, *Biografia e scrittura*, in *La scrittura verso il nulla*, cit., pp. 25-32. Cito le sue parole conclusive che coincidono con la mia percezione del problema: «Il miglior biografo, per D'Annunzio, non può che essere anche il migliore critico. Il discorso sulla vita è, infatti, per D'Annunzio, sempre un discorso sulla scrittura, sulla relazione con la scrittura. Raccontare la scrittura dannunziana significa raccontare anche la vita di D'Annunzio: e, naturalmente, l'affermazione vale anche per l'inverso».

[5] Emilio Mariano ha già delineato le componenti della drammaturgia di D'Annunzio, senza però includervi le esperienze che conducono alla scoperta della potenza della parola, che nella prospettiva di questo studio risulta un elemento di notevole importanza. E. Mariano, *Il teatro di D'Annunzio*, in «Quaderni del Vittoriale», sett.-ott. 1978, p. 6.

Evidentemente la vocazione teatrale di D'Annunzio non è univoca; è piuttosto il risultato di un insieme di cause e di circostanze apparentemente eterogenee che confluiscono coerentemente nella spinta che lo conduce alla drammaturgia. La stessa varietà tematica e stilistica dei risultati conferma la complessità delle tensioni che la originano. I due volumi di *Tragedie, sogni e misteri*, il titolo sotto cui D'Annunzio ha riunito le sue opere teatrali, includono tutta una gamma di testi fortemente differenziati tra di loro per lo stile, l'uso della prosa e della poesia, i metri, il linguaggio, che richiedono infatti definizioni diverse: tragedia, poema tragico, tragedia pastorale, tragedia moderna, dramma, mistero.

Partendo da queste considerazioni risulta evidente che l'opera teatrale di D'Annunzio non può essere ricondotta ad un'influenza particolare e nemmeno concepita attraverso un'unica prospettiva. Si tratta di stimoli multipli che seguendo un gioco di influenze incrociate convergono e si realizzano nella produzione drammatica percepita come genere letterario distinto e unico. Sarà l'adesione ad un nuovo codice espressivo, quello dello spettacolo, che determinerà una nuova configurazione di forze attanziali nell'universo letterario di D'Annunzio conducendo ad una revisione della funzione dei personaggi nel genere teatrale.

1. *La decade 1890-1900*

L'ultima decade dell'Ottocento segna una svolta decisiva nel programma intellettuale di D'Annunzio. Vecchi ideali tramontano e nuovi sorgono; alla fase «discendente» segue la fase «ascendente», secondo la definizione di D'Annunzio. Nascono in questi anni l'ideale del superuomo, la concezione del mito come immagine concentrata del mondo, ed infine la nuova percezione della «moltitudine» non più intesa come una massa amorfa ma come un'entità potenzialmente capace di ricevere un messaggio[6].

---

[6] In una lettera a Sarah Bernhardt in cui si dice ansioso di leggere i commenti dell'attrice a proposito della *Città morta* che le ha recentemente inviato, D'Annunzio indica lo scopo della sua opera: annullare «*l'erreur du temps*» e affermare quindi la forza operante del mito dietro l'apparenza delle immagini. «Archivio del Vittoriale», ms. 685. Il significato che D'Annunzio attribuisce al tema dell'eterno ritorno e del mito è stato variamente interpretato. Riporto a questo proposito alcune ipotesi particolarmente interessanti. Secondo Renée Lelièvre: «La force superieure à l'homme qui doit remplacer le Destin, D'Annunzio la demande aux puissances irrationnelles qui sont en lui, à de sombres puis-

Nel 1891 D'Annunzio si trasferisce a Napoli per un soggiorno che, contrariamente ai progetti iniziali, si protrae fino alla fine del 1893. Periodo burrascoso, di «splendida miseria», ma marcato da una intensa attività letteraria[7]. Completate *Le elegie romane*, lo scrittore porta a termine diverse altre opere: *Giovanni Episcopo*, *L'innocente*, il *Poema paradisiaco*, le *Odi navali*, oltre all'edizione definitiva di *Intermezzo* ampliato da nuove poesie.

La varietà di indirizzi e di stimoli che convivono e si alternano senza escludersi in una stagione creativa relativamente breve, rivela uno stato di irrequietezza, di ricerca, che è confermato dal contenuto dei numerosi articoli pubblicati in questo periodo. In una serie di contributi giornalistici D'Annunzio precisa la sua posizione critica nei confronti della letteratura contemporanea e, prendendo le distanze sia dalla poetica naturalistica che dallo psicologismo slavo, annuncia la necessità di un rinnovamento.

Sin dal gennaio del 1892, in un articolo intitolato *Il romanzo futuro*, l'autore auspica l'avvento di una nuova morale capace di risolvere l'impasse negativa creata dal pessimismo occidentale e dallo spirito di rinun-

---

sances qu'il prête aux choses, aux élements, à la nature». R. Lelièvre, *Gabriele D'Annunzio et la tragedie*, «Atti del Convegno Internazionale di Studio», Venezia-Gardone-Pescara, 1983, p. 303. Emilio Mariano si riallaccia invece alla teorie di Mircea Eliade: «Nel suo mito dell'eterno ritorno Eliade osserva che "nella natura le cose si ripetono all'infinito" e "non vi è nulla di nuovo sotto il sole [...] gli avvenimenti si ripetono perché imitano un archetipo: l'avvenimento esemplare". Ed è proprio la ripetizione che conferisce una *realtà* agli avvenimenti». E. Mariano, *Op. cit.*, p. 19. Peter Carravetta è attualmente il critico che più ha approfondito il rapporto D'Annunzio-Nietzsche, sopratutto per il poema *Maia*, pubblicato nel 1903 e dunque di alcuni anni posteriore alla *Città morta*, quando l'autore aveva acquistato una vasta conoscenza delle opere del filosofo tedesco. Secondo Carravetta: «D'Annunzio's recurrence is ultimately anchored to the experience (and not to the 'theory') of the global giving of the presence in the moment, that immense moment (ungeheures Augenblick) in which one "feels" that "all things are so entwined one to another, that this moment pulls behind it all things to come. Therefore, it pulls itself also"». (Z. *book III, Of the Vision and the Enigma*). P. Carravetta, *Prefaces to the Diaphora*, Purdue University Press, 1991, p. 118. Se paragoniamo a questo concetto un passaggio del *Fuoco*, l'intuizione iniziale di D'Annunzio non pare scostarsi dall'elaborazione posteriore: «La vita! – disse Stelio Effrena... – In un attimo solo, ecco, tutto quello che trema piange spera anela delira nell'immensità della vita, si aduna nel tuo spirito e si condensa con una sublimazione così rapida che ti credi di poterla manifestare in una sola parola. Quale? Quale? La sai tu? Chi la dirà mai?». *Prose di Romanzi II*, p. 364.

[7] «Splendida miseria»; sarà D'Annunzio stesso a rievocare in questi termini il periodo napoletano in *Contemplazione della morte*. A questo proposito sono da segnalare le complicazioni economiche e legali provocate dalla nuova *liaison* di D'Annunzio con la contessa Maria Gravina Cruyllas.

cia evangelico concludendo: «Una semplice e virile giustizia venga dopo tanta severità e tanta pietà»[8]. Benché questa nuova «giustizia» non sia definita, le parole restano sintomatiche e rivelano la crisi dei vecchi ideali e la ricerca di una nuova ideologia; «D'Annunzio est à la recherche d'une nouvelle éthique», commenta Guy Tosi[9].

2. *L'incontro con Nietzsche*

In queste condizioni di disponibilità agisce l'incontro con Nietzsche che, permettendo a D'Annunzio di superare l'impasse di spossatezza morale, la «malattia della volontà», cui è approdato il pensiero del Decadentismo, gli apre un nuovo orizzonte ideologico, vivificato dall'energia del pensatore tedesco. Un nuovo articolo, sempre del 1892, *La bestia elettiva*, identifica la nuova morale con «il sentimento della potenza», prerogativa della nuova aristocrazia che lo eserciterà secondo la suprema legge della forza[10]. In tre articoli su *La morale di Emilio Zola*, D'Annunzio contrappone «la parola semplice e virile», la morale dei forti, al compromesso tra pessimismo scientifico e ottimismo relativo, a quel senso di soddisfazione che nasce dal lavoro compiuto, proposto dallo scrittore francese[11].

Finalmente nel *Caso Wagner*, pur prendendo partito per l'artista contro il filosofo, D'Annunzio prepara la sua adesione alle teorie di Nietzsche. L'articolo può leggersi infatti come una giustificazione del caso di Giorgio Aurispa, il protagonista del romanzo che l'autore sta completando; tenendo conto tuttavia che lo stesso personaggio sarà condannato dallo scrittore nella dedica del libro a Michetti[12].

[8] *Il romanzo futuro*, in «La domenica di Don Marzio», 31 gennaio 1892. Cfr. Guy Tosi, *D'Annunzio decouvre Nietzsche [1892-1894]*, in «Annali di Italianistica», II, 1973, p. 481.

[9] Guy Tosi, *Ibid.*, p. 481.

[10] L'articolo *La bestia elettiva* è apparso sul quotidiano napoletano «Il mattino», il 25-26 settembre 1892. Ora pubblicato in Appendice a *Le parole del silenzio* di Jeffrey Schnapp, in «Quaderni dannunziani», marzo-aprile 1988.

[11] I tre articoli *La morale di E. Zola*, che segnano in certo modo la liquidazione del pessimismo di Schopenhauer e dell'evangelismo russo, sono apparsi sulla «Tribuna» nel luglio del 1893. Ora in *Pagine disperse di G. D'Annunzio, coordinate e annotate da Alighiero Castelli*, Roma, Lux, 1913, pp. 555-572.

[12] *Il caso Wagner*, «La Tribuna», 23 luglio, 3 e 9 agosto 1893. Ora in *Pagine disperse*, cit. Nella dedica a Michetti D'Annunzio conclude «[...] il tragico erede di Demetrio Aurispa si spegne qui ne' suoi brandelli di porpora straniero ed esule e prigione. Pace a lui nell'ombra della montagna, ultimamemte! Noi tendiamo l'orecchio alla voce del ma-

Il ciclo degli articoli ci da la misura della crescente influenza degli scritti del filosofo tedesco sul pensiero di D'Annunzio; la sua insoddisfazione, la ricerca di una nuova morale sfociano in certezze dopo la scoperta di Nietzsche. «Scoperta», come suggerisce Guy Tosi, piuttosto che lettura in quanto, come lo studioso ha sostanzialmente provato, l'incontro con il filosofo tedesco è stato fortemente mediato da articoli, recensioni e raccolte antologiche concernenti il pensiero del filosofo più che da una lettura diretta dei testi, almeno per gli anni cruciali di gestazione del teatro[13]. Scoperta comunque determinante che indirizza e plasma le componenti della creazione dannunziana del decennio successivo.

Tutta la creazione letteraria di questo periodo porta l'impronta di Nietzsche; dal *Trionfo della Morte*, realizzazione finale a cui sotto la spinta di Nietzsche approda il romanzo *L'invincibile*, alle *Vergini delle Roccie*, al *Fuoco*, al teatro.

Ai fini del presente studio lo scritto di Nietzsche che più conta è *La nascita della tragedia* perché proprio da quest'opera D'Annunzio trae l'ispirazione per la sua rivitalizzazione del mito tragico. Sulla scorta degli studi di Tosi sappiamo che almeno fino al 1893 D'Annunzio non conosceva questa opera, come conferma l'articolo *Il caso Wagner* in cui, tra le opere più significative di Nietzsche, D'Annunzio non cita questo titolo. E possibile che ne abbia assimilato le linee essenziali attraverso l'antologia del Lauterbach e Wagnon, pubblicata nel 1893[14]. Certo, durante il viaggio in Grecia nel 1895, aveva ben presente quest'opera. Nella sua lettera a Treves in cui annuncia il titolo della sua prima tragedia nomina infatti Sofocle e Eschilo ignorando Euripide, il terzo nome della classica triade della drammaturgia greca. Ora, proprio nella *Nascita della tragedia* Niet-

---

gnanimo Zarathustra, o Cenobiarca; e prepariamo nell'arte con sicura fede l'avvento dell'Übermensch, del Superuomo». *Prose di romanzi*, vol. I, p. 644.

[13] Dall'analisi di testi condotta da Tosi risulta che il primo scritto dannunziano in cui la critica ha ravvisato un'influenza del pensiero di Nietzsche, *La bestia elettiva*, non è che una parafrasi dell'articolo di Jean de Néthy, *Nietzsche-Zarathoustra*, pubblicato dalla «Revue Blanche» nell'aprile del 1892. Quanto alle altre opere di Nietzsche, inclusa *La nascita della tragedia* di cui nel 1894 non esisteva ancora alcuna traduzione, D'Annunzio ne avrebbe potuto avere conoscenza attraverso l'antologia di Lautterbach e Adolphe Wagnon *A travèrs l'oeuvre de Frédérique Nietzsche. Extraits de tous ses ouvrages*. Rinvio per un'analisi dettagliata all'articolo di Guy Tosi, *D'Annunzio découvre Nietzsche [1892-1894]*, cit. Al Vittoriale esistono copie delle opere del filosofo nella traduzione di Henri Albert.

[14] P. Lauterbach e A. Wagnon, *A travers l'oeuvre de Frédérique Nietzsche. Extraits de tous ses ouvrages*, Florence, Loescher et Seeber, 1893. Citato da G. Tosi, *Ibid.*, p. 500.

zsche muove una violenta critica contro Euripide, l'«empio» drammaturgo, che avrebbe provocato la morte del mito tragico esorcizzando la presenza di Dioniso dalla tragedia in favore del «socratismo estetico, la cui legge suprema suona a un dipresso: Tutto deve essere razionale per essere bello» [15].

Il sottotitolo della *Nascita della tragedia, Grecità e pessimismo*, indica il tema centrale del libro. Contro la classica interpretazione del mondo greco come l'esempio più luminoso di armonia e di sereno equilibrio, Nietzsche solleva la domanda: Da dove discende «il desiderio *di brutto*, la buona e dura volontà del greco antico di pessimismo, di mito tragico, dell'immagine di tutto il terribile, il malvagio, l'enigmatico, il distruttivo e il fatale che si cela in fondo all'esistenza, – da che cosa discende allora la tragedia?» [16]. La sua risposta si articola sull'intuizione di due grandi categorie, il dionisiaco e l'apollineo, poli opposti e complementari su cui si fonda l'arte greca. Apollo è l'immagine del *principium individuationis* attraverso cui si estrinsecano gli impulsi artistici liberandosi nella sfera della bellezza in stato di gioiosa illusione; Dioniso è il principio della vita eterna, al di là di ogni apparenza e di ogni annientamento, in cui l'esistenza individuale si cancella nell'ebbrezza dell'unità originaria.

Le due divinità presiedono le differenti manifestazioni artistiche: la scultura è ispirata da Apollo, la musica da Dioniso; ma i due impulsi coesistono nel mito tragico, suprema espressione dell'arte greca. Nella tragedia l'azione drammatica si presenta infatti a un duplice livello: il coro e l'azione scenica, entrambi necessari e complementari. Il coro dei satiri, che danzano e cantano, rappresenta l'impulso dionisiaco che si estrinseca nell'ebbrezza, nell'esaltazione dell'unità primigenia, che celebra la gioia originaria della vita percepita anche nel dolore. L'impulso apollineo si traduce invece nella rappresentazione scenica che è sogno, illusione, mondo di immagini. Il vero spettacolo che si propone allo spettatore è il coro dei satiri, mentre l'azione scenica è la visione, il sogno apollineo del coro, e quindi apparenza in assoluto.

> [...] nel ditirambo ci sta innanzi una comunità di attori inconsci, che si considerano tra loro come trasformati. [...] Secondo questa conoscenza dobbiamo intendere la tragedia greca in quanto coro dionisiaco, che sempre di nuovo si scarica in un mondo apollineo di immagini. Quelle parti corali di cui la tragedia è intrecciata sono dunque in certo modo la matrice di tutto il cosidetto

---

[15] Friedrich Nietzsche, *La nascita della tragedia*, Milano, Adelphi, 1988, p. 85.
[16] *Ibid.*, p. 8.

dialogo, cioè dell'intero mondo scenico, del vero e proprio dramma. Questo originario fondamento della tragedia diffonde, attraverso varie irradiazioni successive, quella visione del dramma, la quale è in tutto e per tutto apparenza di sogno e perciò di natura epica, ma che d'altra parte, come oggettivazione di uno stato dionisiaco, non rappresenta la liberazione apollinea nell'illusione, ma al contrario lo spezzarsi dell'individuo e il suo unificarsi con l'essere originario.

Pertanto il dramma è la rappresentazione apollinea sensibile di conoscenze e moti dionisiaci, ed è quindi separato dall'*epos* come da un immenso abisso [17].

Identificato con il coro, strappato momentaneamente al quotidiano, dimentico della sua persona, lo spettatore contempla «l'immagine terribile del mondo»; ma allo stesso tempo e con lo stesso movimento, l'estasi dionisiaca lo fa partecipe dell'eterna gioia dell'esistenza [18]. La lotta, la sofferenza, l'annientamento della vita individuale gli «sembrano ora necessari, data la sovrabbondanza delle innumerevoli forme dell'esistenza che si urtano e si incalzano nella vita, data la strabocchevole fecondità della volontà del mondo» [19].

Nel mito tragico l'essere primigenio trionfa celebrando l'indistruttibilità della vita che si rigenera nelle innumerevoli forme dell'esistenza.

Nell'arte dionisiaca e nel suo simbolismo tragico la stessa natura ci parla con la sua voce vera e aperta: «Siate come sono io! Nell'incessante mutamento delle apparenze, la madre primigenia, eternamente creatrice, che eternamente costringe all'esistenza, che eternamente si appaga di questo mutamento dell'apparenza!» [20].

Il progetto drammatico che Stelio Effrena sviluppa nelle pagine del *Fuoco*, riecheggia puntualmente il tema nietzschiano:

Io mostro insomma le imagini dipinte sul velo e ciò che accade al di là del velo. Intendi? E per mezzo della musica, della danza e del canto lirico creo intorno ai miei eroi un'atmosfera ideale in cui vibra tutta la vita della Natura nel gran cerchio tragico...; vorrei che, come le creature di Eschilo portano in

---

[17] *Ibid.*, p. 61.

[18] Secondo Nietzsche durante le rappresentazioni «non c'era nessun contrasto tra pubblico e coro: giacché il tutto è solo un grande e sublime coro di Satiri danzanti e cantanti o di uomini che si fanno rappresentare da questi Satiri». *Ibid.*, p. 58.

[19] *Ibid.*, pp. 111-112.

[20] *Ibid.*, p. 111.

loro qualcosa dei miti naturali ond'escirono, le mie creature fossero sentite palpitare nel torrente delle forze selvagge, dolorare al contatto della terra, accomunarsi con l'aria, con l'acqua, col fuoco, con le montagne, con le nubi nella lotta patetica contro il Fato che deve essere vinto, e la Natura fosse intorno a loro come fu veduta dagli antichissimi padri: l'attrice appassionata di un eterno dramma[21].

Ciò che deve rivivere, o meglio rinnovarsi in una nuova forma secondo le parole di Stelio, è il mito che annulla «l'erreur du temps», e ricostituisce l'unità di passato e presente nell'incessante accadere della vita[22]. Saranno dunque miti antichi e nuovi, fabulazioni leggendarie e archetipi profondi che si configureranno nel teatro di D'Annunzio secondo questa opposizione senza sintesi, in questo rinnovato tentativo di equilibrio tra sublime dionisiaco e sogno apollineo[23].

Tuttavia il teatro totale di Stelio, basato su un connubbio di musica, danza, canto lirico e parola, non sarà realizzato da D'Annunzio.

Rapidamente eliminate la danza e la lirica, anche la musica, prevista soltanto come ouverture e conclusione sinfonica che avrebbero dovuto inquadrare la rappresentazione, resta un elemento precario difficilmente assimilabile allo spettacolo. Resta la «Parola... fondamento di ogni opera d'arte che tenda alla perfezione», per costruire il nuovo teatro che, come l'antico (ma non uguale all'antico), dovrà assurgere ad un significato di esperienza collettiva, di partecipazione rituale alla celebrazione della vita e dell'arte[24].

L'incontro con Nietzsche per quanto decisivo nell'itinerario intellettuale di D'Annunzio, non avrebbe forse condotto lo scrittore alla sua ricca stagione teatrale senza l'apporto di altre esperienze concomitanti che contribuiscono alla realizzazione del progetto.

---

[21] G. D'Annunzio, *Prose di romanzi*, vol. II, p. 361.

[22] «Io non voglio risuscitare una forma antica; voglio inventare una forma nuova, obbedendo soltanto al mio istinto e al genio della mia stirpe,...», *Ibid.*, p. 356.

[23] Il fenomeno dionisiaco si manifesta nel suo potere di mantenere in un equilibrio senza sintesi l'opposizione tra gioia e sofferenza, costruzione e decostruzione. «Quell'aspirazione all'infinito, il colpo d'ala dell'anelito, insieme alla suprema gioia per la realtà chiaramente percepita, ricordano che in entrambi gli stati dobbiamo riconoscere un fenomeno dionisiaco, il quale ci rivela ogni volta di nuovo il gioco di costruzione e di distribuzione del mondo individuale come l'efflusso di una gioia primordiale, similmente come la forza formatrice del mondo viene paragonata da Eraclito l'oscuro a un fanciullo che giocando disponga pietre qua e là, innalzi mucchi di sabbia e poi li disperda». Friederich Nietzsche, *Op. cit.*, pp. 159-160.

[24] *Prose di romanzi*, vol. I, p. 356.

3. *Il viaggio in Grecia*

Nell'estate del 1895, il viaggio in Grecia sul panfilo «Fantasia» dell'amico Scarfoglio si presenta infatti per D'Annunzio come la prova concreta e sensibile di un nucleo di intuizioni intellettuali ispirato dalla lettura di Nietzsche. Viaggio interiorizzato dunque, il cui itinerario riporta verso il mito; ricerca spirituale di una «raison de vivre» [25].

Le relazioni che di questa crociera hanno fatto Scarfoglio, Boggiani e Hérelle, compagni di avventura nei mari della Grecia, ci hanno trasmesso l'immagine di un D'Annunzio superficiale, preoccupato di inezie come l'abbigliamento e la soddisfazione di appetiti sessuali, tutto affatto in contrasto con l'immagine del poeta teso verso la rivelazione. Anche i *Taccuini* rendono in modo approssimativo l'impatto spirituale di questo primo contatto con la Grecia. Poche righe commentano l'impressione suscitata da Micene che pure avrà tanta parte nella *Città morta* [26].

Resta il fatto, tuttavia, che lo spunto della prima opera teatrale e del primo libro delle *Laudi, Maia*, è stato offerto proprio da questo viaggio. Nella scrittura di D'Annunzio, ricupero, rielaborazione e trasfigurazione, quel processo creativo che Anceschi ha definito «di seconda istanza», valgono non soltanto per gli antecedenti letterari ma anche per le esperienze vissute.

Il primo segno concreto dell'impegno di D'Annunzio a realizzare il progetto di un nuovo teatro è l'annuncio a Treves del titolo della sua prossima opera teatrale *La città morta*, datato 6 settembre 1895 [27]. Il 26 dello stesso mese la nota «Amori et dolori sacra» consacra l'inizio del sodalizio Duse/D'Annunzio che darà nuovo impeto alla nascente vocazione teatrale dello scrittore [28]. Nel 1895 Eleonora Duse aveva già raggiunto una fama

[25] Secondo Guy Tosi lo scopo di questo viaggio non era la scoperta della cultura greca ma la ricerca vitale di una ragione per vivere/scrivere. «D'Annunzio, Taine et Paul de Saint Victor», «Studi francesi», Torino, 1968, p. 37. Oltre alla nota di Tosi commenti e riflessioni contrastanti non mancano a proposito di questo viaggio. Interessante mi pare tra tutte una nota di Hérelle riportata in *Versi d'Amore e di Gloria*, vol. II, a cura di Annamaria Andreoli, p. 881: «Peut-être les poètes ne sont-ils que des miroirs où se reflètent passègèrement n'importe quelles images». Le accuratissime note delle nuove edizioni Mondadori sono un aiuto prezioso per qualsiasi tipo di studio su D'Annunzio.

[26] Emilio Mariano avanza l'ipotesi di un taccuino perduto per giustificare questa lacuna. *In D'Annunzio e la Grecia*, «Il Verri», marzo-giugno, 1985, p. 63.

[27] *Lettere di G. D'Annunzio a E. Treves*, cit., p. 236.

[28] Incipit della relazione con Eleonora Duse da un'annotazione dei *Taccuini*: «Amori et dolori sacra. - 26 settembre 1895 - Hotel Danieli - Venezia».

internazionale; il suo appoggio incondizionato, la sua devozione alla causa dannunziana non potevano che potenziare al massimo il nuovo impegno artistico dello scrittore[29].

4. *Il sodalizio d'amore e di lavoro con Eleonora Duse*

La portata dell'influenza di Eleonora Duse sull'attività teatrale di D'Annunzio resta tuttora da definire e le opinioni dei critici sono contrastanti. Una gamma di epigrafi e testimonianze predisposte dallo stesso D'Annunzio tendono ad identificare l'attrice con la musa ispiratrice. La dedica della *Gioconda*, «Per Eleonora Duse dalle belle mani»; la canzone «Alla divina Eleonora Duse», frontespizio del testo della *Francesca da Rimini*, in cui il suo ruolo di ispiratrice è enunciato: «Questa è colei che all'arco mio sonoro / pose la nuova corda», sono chiare testimonianze del rispetto e dell'ammirazione che certamente D'Annunzio nutriva per lei. E il gesso del volto della Duse nell'Officina, «testimone velata» che presiede al lavoro dell'artista è una prova tangibile del culto di cui il poeta l'aveva fatta oggetto negli ultimi anni della sua vita.

Tuttavia queste «prove» potrebbero anche far parte di quel processo di mitizzazione in cui l'artista avvolgeva le sue esperienze di vita. Un'altra serie di indicazioni sembra infatti ridurre l'importanza del ruolo della Duse nell'attività teatrale di D'Annunzio. In una lettera a Treves del 5 dicembre 1895, quando già era avvenuto il fatidico incontro con la Duse, D'Annunzio indica le sue intenzioni circa la rappresentazione della *Città morta*, ancora allo stato di progetto: «E molto probabile ch'io non faccia rappresentare la *Città morta* in Italia... per le condizioni attuali della scena italiana bisogna ch'io separi i miei interessi interni per così dire, da quelli esterni. ...Tu comprenderai facilmente che questa Città morta è per me una Città... di vita...»[30]. Affiderà infatti la sua nuova opera teatrale a Sarah Bernhardt che la rappresenterà per la prima volta in francese, nel 1898. Ritenendo il pubblico francese più aperto alle innovazioni teatrali,

---

[29] William Weaver riporta i commenti di Bernard Shaw, allora critico teatrale per «The Saturday Review», sull'arte di E. Duse che recitava al Theatre Royal: «The furthest extremes of Duse's range as an artist must always, even in this greatest art center in the world, remain a secret between herself and a few fine observers. I should say without qualification that it is the best modern acting I have ever seen». William Weaver, *Duse*, New York, HBJ, 1984, p. 125.

[30] *Lettere di G. D'Annunzio a E. Treves*, cit., pp. 235-236.

D'Annunzio non esita a sacrificare la sua vita sentimentale, ed eventual-
mente Eleonora Duse, al successo dell'opera.

Questa linea d'azione, che guida costantemente D'Annunzio nei suoi
rapporti personali, non si smentisce neanche per la «divina Duse»; e sarà
proprio il ripetersi della stessa delusione artistica che spingerà l'attrice a
porre fine al famoso sodalizio di amore e di arte. La mancata partecipazione al trionfo della *Figlia di Iorio* che D'annunzio aveva affidato alla
compagnia Talli-Grammatica-Calabresi, la convinceranno a dire la parola
finale: «Basta». In una lettera ad Arrigo Boito del 29 ottobre 1904 Eleonora Duse, pur senza nominare né Mila né D'Annunzio, dice tutta la sua disperazione per quello che considerava, ed era, il tradimento vero del sodalizio, quello sul piano artistico[31].

Le due serie di dichiarazioni e di avvenimenti apparentemente contrastanti rientrano tuttavia coerentemente nell'ottica dannunziana, sempre fo-
calizzata innanzi tutto sulla creazione e il successo della sua opera al di là
e al di sopra dell'avventura biografica. In questa prospettiva il ruolo di
Eleonora Duse si iscrive come un elemento, senza dubbio importante ma
non determinante, nella costellazione di fattori concomitanti che spingono
D'Annunzio verso il teatro.

Dall'incontro Duse/D'Annunzio nascono tuttavia molte realizzazioni
nell'ambito teatrale; la creazione e rappresentazione di diverse opere, oltre
al sogno del «Teatro d'Albano», un grandioso teatro all'aperto nelle vici-
nanze del lago Albano che rinnovando lo spirito del teatro classico avrebbe riunito un vasto pubblico, formato da tutte le classi sociali, per celebrare la vita e l'arte[32]. Il progetto annunciato nel 1897 non sarà mai realizza-

---

[31] «Questo stupido core vuole ridire questo: qualunque PROGETTO di Lavoro, leggiate,
né il mio nome, né la mia volontà, non vi sono legati *per niente*, − Per sei anni ho lavora-
to, per una sola idea di lavoro, che credevo, e credo, degna di vittoria. [...] quando mi av-
vidi che l'opera d'arte domandava altre e più forze che non solamente la mia, allora, fui
io che spinsi l'opera d'arte in altro ambiente. − Offersi e pregai, io stessa, che me ne ac-
cordassero il battesimo, a Milano, per poche sere... e durante i due mesi di attesa a questo
progetto − ammalai. − E questo è quanto. [...] chi comprende la magia e la dignità del
Sempre − sa anche la forza di quell'altra parola: Basta». Sono queste le parole che Eleonora indirizza ad Arrigo Boito. La sua pena non nascerebbe dunque da un'infelice storia
di amore ma da una frustrazione sul piano del lavoro. Resta tuttavia il dubbio; è il destinatario che determina queste parole, oppure sono l'espressione delle vere motivazioni della Duse? *Eleonora Duse e Arrigo Boito. Lettere d'amore*, ed. da Raul Radice, Milano, «Il
saggiatore», 1979. Citato da Raul Radice, *La Duse di Boito*, «Quaderni del Vittoriale»,
nov.-dic. 1980, p. 54.

[32] «[...] in ottobre-novembre D'Annunzio [è] a Venezia dove viene annunciato alla
stampa il progetto di edificazione del grande teatro di Albano, secondo la concezione ba-

to, ma testimonia del grandioso programma di rinnovamento teatrale nutrito da D'Annunzio in questo periodo. L'anno 1895 si conclude con un'altra esperienza fondamentale. D'Annunzio pronuncia a Venezia il discorso di chiusura della «Prima esposizione d'arte moderna»[33].

5. Il discorso «L'allegoria dell'autunno»

L'importanza dell'avvenimento può desumersi dal fatto che *Il Fuoco* si apre proprio su questo episodio, commentandolo ampiamente per circa ventisei pagine. Il testo del discorso vi è puntualmente trascritto; ma è soprattutto l'analisi delle emozioni analizzate da Stelio Effrena a darci la misura dell'impatto di questo primo incontro con la folla. È evidente che, come Effrena, D'Annunzio ha provato l'ebrezza dell'oratore che affronta «la moltitudine» con la sola forza della parola e la vince alla sua causa. La razza inferiore «a cui nulla o ben poco sarà permesso», «il gregge servile», «la canaglia» dell'articolo del 1892 si è metamorfizzato nella «smisurata chimera occhiuta», mostro formidabile ma capace di essere elettrizzato, vivificato dalla parola dell'uomo superiore[34]. La moltitudine ha ora un oscuro fascino che attira l'artista; quasi un mostro da domare, una materia grezza da modellare, e il contatto, la comunicazione non è soltanto possibile, ma quasi inevitabile.

È pur vero che Stelio, nel Palazzo dei Dogi, si rivolge ad un pubblico d'élite, di discepoli e di raffinati aristocratici, ma le sensazioni dell'oratore non sono provocate dalla qualità ma dalla quantità del pubblico. È il dominio esercitato dalla parola orale che Stelio descrive. D'altro canto è proprio Stelio, cui ripugna l'idea di «trovare qualche metafora per commuovere mille petti inamidati», a proporre: «Torniamo indietro! Andiamo a sentire l'odore della folla, della folla vera!»[35]. E sarà la scherzosa insinuazione di un amico che lo accusa di voler «arringare il popolo» a provocare la precisazione di Stelio circa la differenza tra la parola scritta e la parola orale:

---

yreuthiana [...]». *Prose di romanzi*, «Cronologia» a cura di Annamaria Andreoli e Niva Lorenzini, p. LIX.

[33] Il discorso *Allegoria dell'Autunno*, pronunciato l'8 settembre 1895 a Venezia è stato pubblicato in volume insieme al frammento di un poema obliato che porta appunto lo stesso titolo, Firenze, Paggi, 1895.

[34] L'articolo del 1892 è quello della *Bestia elettiva*, cit. Per il discorso di Stelio Effrena, cfr. *Prose di romanzi*, vol. II, pp. 231-259.

[35] *Ibid.*, p. 223.

Io comprendo che la parola scritta sia adoperata a creare una pura forma di
bellezza che il libro intonso contiene e chiude come un tabernacolo a cui non
si accede se non per elezione con quella stessa determinata volontà che è necessaria a infrangere un suggello; ma mi sembra che la parola orale, rivolta in
modo diretto alla moltitudine, non debba avere per fine se non l'azione, e sia
pure un'azione violenta. A questo solo patto uno spirito un po' fiero può, senza diminuirsi, comunicare con la folla per le virtù sensuali della voce e del
gesto [36].

È qui chiara l'intuizione della forza attiva della parola pronunciata. La
differenza tra il ricevente «eletto» a cui la parola scritta si indirizza e il
«vasto» pubblico, che la parola orale raggiunge, provoca una differenza
nel messaggio stesso; la parola diretta alla moltitudine non è più «evoca-
trice», ma diventa impulso ad agire, azione essa stessa. La moltitudine
partecipa, reagisce, agisce sotto la spinta della comunicazione orale e la
comunicazione si fa dialogo, partecipazione totale come Stelio sperimenta: «Nella unione tra la sua anima e l'anima della folla un mistero sop-
pravveniva, quasi divino. Qualche cosa di più grande e di più forte ag-
giungevasi al sentimento ch'egli aveva della sua persona consueto» [37]. La
prima impressione si precisa in un riconoscimento: «V'era dunque nella
moltitudine una bellezza riposta, donde il poeta e l'eroe soltanto potevano
trarre baleni» che conduce ad un'affermazione: «Le parole del poeta co-
municate alla folla erano dunque un atto, come il gesto dell'eroe» [38].
Altre notazioni sulle virtù sensuali dell'arte oratoria, «la parola e il gesto», che già implicano la molteplicità dei codici teatrali, suggeriscono anche considerazioni sulla similarità tra il teatro e l'attività tribunizia; il binomio poeta/eroe sembra infatti annunciare i futuri interessi di D'Annunzio. Stelio Effrena non è soltanto il poeta, l'artista; è «l'animatore», quello
che dà anima, che infonde lo spirito.
Lo scenario delle attività di D'Annunzio, finora contenuto in un ambito artistico che già presuppone un ulteriore sviluppo nell'area teatrale, si
apre insensibilmente sull'orizzonte politico.
Come il discorso di Stelio è la trasposizione di un discorso realmente
tenuto dall'autore, così le sue considerazioni sul teatro sono la parafrasi di
un suo articolo, *Nell'Arte e nella Vita*, apparso sulla «Tribuna» il 3 agosto
del 1897. L'occasione è offerta dall'iniziativa dei Félibres che avevano or-

---

[36] *Ibid.*, pp. 223-224.
[37] *Ibid.*, p. 239.
[38] *Ibid.*, pp. 297-298.

ganizzato ad Orange, proprio in quell'inizio di agosto, una serie di spettacoli classici nel teatro romano di Augusto, recentemente restaurato[39]. La forma dell'articolo simula una partecipazione vissuta, quasi l'autore avesse personalmente assistito allo spettacolo di inaugarazione, il che gli permette una vivace descrizione dei luoghi e del pubblico oltre a un'appassionata diatriba sulla funzione del teatro.

Secondo la descrizione, sugli antichi gradini di pietra siede un popolo nuovo di contadini ed artigiani, muti ed intenti al miracolo teatrale: «Nelle loro anime nude ed ignare – ov'è un oscuro bisogno di elevarsi, per mezzo della Finzione, fuor della carcere cotidiana in cui elle servono e soffrono – la parola del poeta, pur non compresa, per il potere misterioso del ritmo reca un turbamento profondo che somiglia a quello del prigioniero il quale sia sul punto di essere liberato dai duri vincoli»[40].

Seguendo il crescendo dell'oratoria, la grandiosa visione iniziale si trasmuta in satira e termina in invocazione. Dopo avere stigmatizzato la condizione del teatro contemporaneo, sia per i suoi fini ignobilmente utilitari, sia per il suo pubblico composto di «crapuloni e meretrici», D'Annunzio esalta la vera funzione dell'opera drammatica:

...l'opera dramatica resta tuttavia la sola forma vitale con cui i poeti possano manifestarsi alla folla e darle la rivelazione della Bellezza, comunicarle i sogni virili ed eroici che trasfigurano subitamente la vita.
Sarà gloria dei poeti risollevare quella forma alla dignità primitiva, infondendole l'antico spirito religioso. La grande metamorfosi del rito dionisiaco – la frenesia della festa sacra convertita nel creatore entusiasmo del tragedo – sia sempre raffigurata come simbolo nella loro anima votiva. Il drama non può essere se non un rito o un messaggio. La persona vivente in cui si incarna sulla scena il verbo di un Rivelatore, la presenza della moltitudine muta come nei templi non dànno forse anche oggi alla rappresentazione della tragedia sofoclea nel teatro antico di Orange il carattere di un culto, di una cerimonia, di un mistero?[41]

---

[39] Félibres: gruppo di poeti che, nel 1854, avevano fondato ad Avignone una scuola poetica con l'intento di preservare l'idioma provenzale e gli altri dialetti occitanici. L'iniziativa del teatro di Orange rientra nel quadro di un rinnovato culto per il classicismo. L'entusiasmo per l'antichità greca è pervasivo in questa fine di secolo. Il progetto di de Coubertin di far rivivere le Olimpiadi, è approvato da un congresso internazionale riunitosi a Parigi il 23 giugno, 1894, e il 6 aprile, 1896 si apre ad Atene, la prima Olimpiade moderna.

[40] «Archivio del Vittoriale», ms. 118.

[41] *Ibid.*

L'articolo si chiude su una nota di speranza e di augurio per un rinnovamento del teatro. Speranza ed augurio che alludono chiaramente al teatro di Albano il cui progetto verrà comunicato alla stampa dal binomio
Duse/D'Annunzio nell'autunno dello stesso anno.

6. *L'iniziativa dei Félibres*

L'occasione offerta dall'inaugurazione del teatro di Orange è importante, e D'Annunzio, seguendo una strategia che non perde mai d'occhio
il rapporto con il pubblico, la coglie per preparare l'udienza agli sviluppi
del teatro futuro ed esporne il programma[42].

La seconda parte dell'articolo si presenta infatti come un conciso manifesto in cui D'Annunzio chiarisce la sostanza dell'esperienza teatrale
sentita come cerimonia rituale; precisa il contenuto profondo delle opere
del passato e del presente percepito come rivelazione della Bellezza che
emerge tra dionisiaco ed apollineo; identifica il pubblico ideale del teatro
futuro nella folla; e indica il mezzo espressivo per comunicare con la moltitudine nel potere misterioso del ritmo. Perché poco importa se il pubblico non comprende la parola del poeta, la musica delle parole toccherà la
sua sensibilità e raggiungerà il suo animo. Ed è questa, in sostanza, la
poetica drammatica a cui in forma più o meno efficace aderirà il teatro di
D'Annunzio. Tuttavia l'articolo, sia per il tono altamente celebrativo, sia
per il momento particolare in cui è stato scritto e pubblicato, assume un
significato più vasto che comprende e illumina le altre attività di D'Annunzio durante la seconda metà del 1897.

L'atmosfera intellettuale di questa *fin de siècle* aveva favorito, soprattutto
in Francia, un movimento di reazione contro il preponderante ruolo occupato
da Wagner sulla scena artistica europea. Un nutrito gruppo di intellettuali fo-
mentava l'opposizione alla cultura tedesca sostenendo la superiorità incontrastata dello spirito latino di cui auspicava «une nouvelle renaissance».

---

[42] Per i rapporti tra D'Annunzio e il pubblico rimando al saggio di Ezio Raimondi,
D'Annunzio: una vita come opera d'arte, in *Il silenzio della Gorgone*, Bologna, Zanichelli, 1980. A proposito di una dichiarazione di D'Annunzio circa l'opportunità di scrivere
dei romanzi per le lettrici, che rappresentavano ormai la maggior parte del pubblico, Raimondi commenta: «Se si guardi bene è la logica di un grande produttore di letteratura, di
uno scrittore che sta alle regole del mercato e non perde mai il contatto col pubblico, accettando la propria parte di personaggio come una specie di mito che va insieme vissuto e
amministrato secondo il canone industriale della domanda e dell'offerta», p. 42.

La prima *Chorégie* di Orange era stata infatti accompagnata da un pronunciamento antiwagneriano, in cui si esprimeva «le desir d'opposer à l'obscurité nordique la clarté mediterranéenne»[43]. Il progetto coincideva con le aspirazioni di D'Annunzio che, incoraggiato dal successo ottenuto presso il pubblico francese, aveva abbracciato la causa della *renaissance latine* e se ne era fatto il campione in Italia[44].

In una nota intervista a Ojetti lo scrittore aveva ampiamente illustrato la sua visione di una prossima era di rinnovamento e di gloria. Il «nuovo Rinascimento», animato dalla stessa energia e ispirato dagli stessi grandi ideali che avevano prodotto l'Ellade e il Rinascimento, avrebbe oltrepassato in splendore le due epoche precedenti. «Oggi [...] è da noi saputo con certezza inoppugnabile quel che dai greci era sentito e dagli italiani contemporanei di Leonardo era intuito»[45]. Roma diveniva così l'epicentro della riscossa della stirpe latina contro la funesta influenza dei barbari.

Come nota Annamaria Andreoli, l'adesione di D'Annunzio al disegno di rinnovamento, alla fede nel primato della «modernità» che ora lo anima, impronta di sé tutti gli scritti del periodo[46]. L'elogio di Orange ne è una testimonianza particolarmente significativa perché è facile indovinare tra le righe la tensione verso la realizzazione del teatro di Albano, «contraltare» di Bayreuth, espressione totale del rinascimento latino, coronamento infine della vasta impresa artistica, civile e nazionale che D'Annunzio si proponeva.

In questo nuovo scenario, impegno artistico e civile coincidono. Come già aveva annunciato sin dal 1895 nel «Proemio del Convivio», «Non è più il tempo del sogno solitario all'ombra del lauro e del mirto [...] Gli intellettuali raccogliendo tutte le loro energie debbono sostenere militarmente la causa dell'Intelligenza contro i Barbari, se in loro non è addormentato pure l'istinto profondo della vita»[47].

---

[43] *Versi d'Amore e di Gloria*, vol. II, p. 883.

[44] D'Annunzio, a quest'epoca, aveva conquistato fama internazionale. Fama tuttavia attraversata da violente polemiche. Nel 1896 era infatti scoppiata la questione dei «plagi» provocata dagli interventi di Enrico Thovez sulla «Gazzetta letteraria» poi raccolti *Il pastore, il gregge e la zampogna*, Napoli, 1910. Per il ruolo di D'Annunzio campione della «Renaissance latine», consultare l'esauriente bibliografia di *Versi d'amore e di gloria*, vol. II. Le ottime note (soprattutto pp. 886-887) sono particolarmente illuminanti per questo periodo.

[45] Ugo Ojetti, *Alla scoperta dei letterati*, Firenze, 1895. Citato da Annamaria Andreoli, *Op. cit.*, p. 887.

[46] *Ibid.*, p. 883.

[47] Cfr. Giorgio Fabre, *D'Annunzio esteta per l'informazione, (1880-1890)*, Napoli, Li-

Scaduto il periodo di sdegnoso isolamento nella torre d'avorio dell'artista, D'Annunzio, forte di una nuova sicurezza nelle sue capacità di animatore/ispiratore, cerca un contatto vivo con la moltitudine; scrive infatti l'articolo, *Nell'Arte e nella Vita*, nel bel mezzo della campagna elettorale che lo porterà deputato alla Camera.

7. *La campagna elettorale*

La vicenda parlamentare inizia nel 1897 quando D'Annunzio accetta di presentarsi come candidato nel collegio di Ortona, in Abruzzo. Sostenuto ufficialmente dalla destra, si affretta però a proclamarsi in privato « ...al di là della destra e della sinistra come al di là del bene e del male... Io farò parte di me stesso», mantenendo quindi una posizione politica piuttosto vaga[48].

Durante la campagna elettorale D'Annunzio pronuncia il *Discorso della siepe*, che deve il suo nome alla ripetizione della parola «siepe», allusiva del diritto di proprietà che, poiché accresce «dignità» e «potenza» alla persona umana, deve essere difeso contro le idee comunitarie del socialismo. Ma anche questo messaggio resta ambivalente, perché «sotto il manto delle belle parole, la difesa si volge non veramente alla proprietà, ma all'inventività personale del lavoro umano in contrasto con lo snervato obbedire senz'anima degli antichi schiavi»[49].

Se il programma politico è nebuloso la volontà di azione e di partecipazione alla vita della nazione sono evidenti. D'Annunzio prevede ora una funzione civile per il poeta come ispiratore di alti ideali e difensore della Bellezza e dei valori della stirpe; e il mezzo per conseguire il suo scopo è il potere della parola. Oratoria e teatro sono due aspetti della stessa funzione di poeta/vate a cui D'Annunzio aspira[50]. Non a caso proprio durante

---

guori, p. 150. Il titolo originale del *Discorso della siepe* è *Laude dell'illodato*, pronunciato a Pescara il 21 agosto 1897 e pubblicato sulla «Tribuna» di Roma il 23 agosto dello stesso mese. Cfr. E. De Michelis, *Op. cit.*, p. 198.

[48] Lettera a Luigi Lodi, 15 luglio 1897. Citata da E. De Michelis, *Op. cit.*, p. 198.

[49] E. De Michelis, *Op. cit.*, p. 198. Commentando le parole di D'Annunzio: «Non v'è salute e non v'è bellezza fuor dello sforzo che l'uomo compie in sua piena libertà sprigionando dalla sua sostanza tutte le sue energie», De Michelis nota «Che è un concetto altrettanto buono a sostenere le parti di chi ha, e vuol conservare, e di chi non ha, e vuol conquistare quell'emancipazione interiore».

[50] Cfr. *Introduzione* di Luciano Anceschi a *Versi d'amore e di gloria*, cit., p. LXXXVI.

questo discorso cita la sua «recente impresa d'arte: il tentativo del drama» come una prova del suo «desiderio di azione virile da opporre alla ruina della patria»[51]. La frase estrapolata dal contesto del programma totale può sembrare assurda, ma ricollocata nella temperie del periodo ci illumina sulla funzione civile che D'Annunzio auspicava per il teatro.

La quasi coincidenza delle maggiori esperienze, che si verificano infatti tra il 1895 e il 1897, unifica ulteriormente le varie componenti dell'ispirazione teatrale di D'Annunzio, proiettate come sono in un progetto non soltanto coerente ma congruente con la premessa iniziale che resta tuttavia la «scoperta» di Nietzsche. Non incoraggia forse il filosofo «a riflettere con serietà su quanto necessariamente e strettamente l'arte e il popolo, il mito e il costume, la tragedia e lo Stato siano uniti nei loro fondamenti»?[52]

È ben questo l'ambizioso programma di D'Annunzio. Accogliendo l'insegnamento di Nietzsche, non in senso pedissequo, ma rinnovandone le istanze per attuarlo nella realtà contemporanea, D'Annunzio vuole ridare all'Italia, e all'Europa, un grande teatro tragico in cui devono rivivere gli antichi miti, espressione atemporale dello spirito di un popolo.

Da queste considerazioni appare che il progetto teatrale di D'Annunzio è stato mediato da spinte eterogenee e filtrato attraverso esperienze varie e in certo modo casuali; ma che non è casuale esso stesso, poiché le diverse componenti si sono attualizzate nella scoperta dello spazio privilegiato ed unico, occupato dalla parola orale[53].

---

[51] «Proemio» al *Convito*, citato da E. De Michelis, *Op. cit.*, p. 197.

[52] F. Nietzsche, *Op. cit.*, p. 153.

[53] Per sottolineare l'importanza della scoperta della parola orale cito un passaggio di P. Carravetta: «In this novel [*Fire*] allegory is once again theorized with explicit references to images of decline, autumn, caducity, the unperturbed dominance of the eternal, finally the growing awareness that language and being meet on the terrain of the living utterance». Peter Carravetta, *Prefaces to the Diaphora*, Purdue University Press, 1991, p. 98.

3.

Il personaggio drammatico

Il progetto teatrale di D'Annunzio, proprio per i termini in cui è formulato e per lo scopo che si prefigge, postula la preminenza del protagonismo femminile e questo sia a livello di funzione attanziale, sia a livello di personaggio con il suo bagaglio di attributi, motivazioni e scopi.

Tuttavia nell'ambito della critica dannunziana, pur riconoscendo la particolare vitalità dei personaggi femminili, si è sempre parlato e si continua a parlare del teatro del Superuomo, accanendosi ad indagare le cause che determinano l'intrinseca debolezza dei cosidetti superuomini dannunziani: eroi impotenti, velleitari, sempre preordinati a un fallimento di ordine oggettivo, psicologico o etico. In realtà il teatro di D'Annunzio è imperniato sull'azione di una protagonista femminile, un'«eroina», sempre sconfitta, mai vinta, nella cui vicenda si realizza l'azione drammatica.

Si tratta evidentemente di un rovesciamento di ruoli clamoroso rispetto agli altri generi letterari che costituiscono il corpus dell'opera dannunziana, e tale che merita di essere indagato e analizzato.

Per formulare un'ipotesi interpretativa di questo fenomeno occorre definire le componenti essenziali del codice teatrale, inserendo in questo quadro generale l'opera di D'Annunzio, e rinunciare al costante tentativo di leggere l'opera dannunziana secondo un'ottica biografica che tende ad identificare i personaggi delle varie opere con il personaggio D'Annunzio.

A questo proposito mi propongo di esaminare i seguenti punti:
– Il teatro come genere letterario.
– La scelta di generi teatrali specifici ad esclusione di altri.
– Il rapporto autore/personaggio nell'opera teatrale.

1. *Il teatro come genere*

L'esperienza teatrale di D'Annunzio è stata costantemente assimilata alla totalità dell'opera e considerata semplicemente come una variante del discorso letterario dell'autore. Cito ad esempio un'affermazione di E. Mariano, un noto studioso di D'Annunzio, che si è molto interessato al teatro: «La differenza del teatro rispetto al romanzo e alla poesia è solo di genere letterario, del tutto esterna; e però sarà sufficiente parlare della poetica del D'Annunzio per includervi la possibilità di un discorso sul teatro» [1]. Ritengo invece che la differenza non sia «esterna» ma «interna» ed inerente al genere.

Anche limitando l'analisi al testo senza proiettarlo nella performance, esistono differenze fondamentali tra testi narrativi e testi teatrali che, seguendo la traccia indicata da Cesare Segre, nel suo studio *Teatro e romanzo*, possono essere riassunte nei seguenti termini [2]:

– Nel testo teatrale viene eliminata la mediazione dell'io/narratore, come pure l'esposizione diegetica.

– Il tempo del discorso e quello dell'enunciazione sono identici, sicché il decorso del tempo nel dramma è una successione assoluta di presenti.

– Nel testo diegetico i rapporti tra azione e motivazione sono totalmente o parzialmente elaborati dallo scrittore, mentre nel testo teatrale si può conoscere solo ciò che i personaggi affermano di pensare o di volere.

– Altri sistemi significanti, come la gestualità e la messinscena, integrano il sistema verbale.

– Il testo teatrale postula la compresenza di attori e pubblico in un luogo determinato.

Il teatro è dunque un sistema di comunicazione diverso dal testo narrativo; prevede infatti un linguaggio di comunicazione eterogeneo in cui si sommano molti sistemi significanti. L'assenza dell'esposizione diegetica gestita dall'io/narratore, che parzialmente o totalmente elabora i rapporti tra azione e motivazione, è sostituita dai dialoghi che gli attori si scambiano e da una molteplicità di messaggi simultanei: messa in scena, dizione, musica, linguaggio gestuale, illuminazione, posizione degli attori, elementi che contribuiscono al significato totale dell'opera. Inoltre, mentre il

---

[1] Emilio Mariano, *Il teatro di D'Annunzio*, «Quaderni del Vittoriale», sett.-ott. 1978, p. 5.

[2] Cesare Segre, *Teatro e romanzo*, Torino, Einaudi, 1984.

tempo dominante della narrativa è il passato, e il presente è solo un modo di evocarlo, nel teatro domina il presente nel suo divenire; il passato è alluso e la non coincidenza tra la durata dello spettacolo e la durata dei fatti rappresentati viene ottenuta attraverso inserti che ricuperano blocchi del passato.

Tutti questi fattori che costituiscono l'immanenza dello spettacolo in seno al testo incidono sulla struttura dell'opera poiché la performance vi è già iscritta; secondo Barthes «[...] il testo scritto è in anticipo trascinato dall'esteriorità dei corpi, degli oggetti, delle situazioni; la parola fonde subito in sostanze»[3].

Oltre a queste considerazioni di natura puramente teorica, altri elementi che riguardano le motivazioni dell'autore e lo scopo dell'opera agiscono sulla scrittura di un testo teatrale. Il progetto implica infatti un drastico mutamento di prospettiva da parte dell'autore che abbandonando lo spazio privato e relativamente solitario della narrativa, il libro, abbraccia il campo pubblico della rappresentazione. Fatto determinante, in quanto il messaggio formulato dall'autore cambia di destinatario.

I principi di differenziazione indicati richiedono un diverso approccio critico e pertanto l'opera teatrale di D'Annunzio deve essere identificata ed analizzata nella sua specificità, secondo le esigenze imposte dal genere[4].

Resta da notare che D'Annunzio è perfettamente conscio delle novità del genere che sperimenta. Da un punto di vista teorico, attraverso il discorso del suo personaggio Stelio Effrena, proietta «le virtù sensuali della parola e del gesto» dell'arte oratoria in una sintesi che già implica sia la molteplicità dei codici teatrali sia la fisicità della performance. Da un punto di vista pratico, l'impegno creativo ed organizzativo che dedica all'impresa e l'attenzione estrema con cui cura ogni dettaglio della rappresentazione testimoniano della sua consapevolezza del fatto teatrale. Per D'annunzio, fin dall'inizio, è evidente che il messaggio del testo teatrale

---

[3] Roland Barthes, citato da Durand Régis, *Problemi dell'analisi strutturale e semiotica della forma teatrale*, in *Semiologia della rappresentazione* a cura di André Helbo, Napoli, Liguori, 1979, p. 124.

[4] Ciò non significa che l'attività teatrale debba essere separata dal contesto totale dell'opera di D'Annunzio, ma indica semplicemente una fase preliminare da seguire prima di per poter giungere ad una lettura complessiva. Lucia Re propone un approccio più radicale: «[...] per D'Annunzio non esiste una metafisica del testo: ci sono dei significanti soggettivamente fruibili e ricomponibili dalla critica in figurazioni diverse». *Per una lettura testualistica del testo dannunziano*, in *Annali di Italianistica*, vol. 5, 1987, p. 52.

diretto al pubblico è necessariamente mediato dalla performance. Basterà ricordare a questo proposito una serie di provvedimenti diretti ad assicurare la qualità della rappresentazione: la scelta di interpreti d'eccezione come Sarah Bernhardt, Eleonora Duse, Emma Grammatica, Ida Rubinstein; la decisione di affidare la produzione della *Figlia di Iorio* alla compagnia di Talli, un capocomico conosciuto per le sue eccellenti qualità organizzative; la concezione del teatro come spazio di interazione tra scena e pubblico, come attesta il suo progetto del grande teatro di Albano; le accuratissime didascalie in cui stabilisce la messa in scena; il sogno di un teatro totale che avrebbe dovuto includere la musica e la danza[5]. Se non bastassero le opere e i vari progetti concomitanti, da tutto un complesso di informazioni risulta che D'Annunzio aveva perfettamente intuito la specificità del genere in cui si provava[6].

2. *La scelta di generi teatrali specifici*

Il titolo generale sotto cui l'autore raggruppa le sue opere teatrali: *Tragedie, sogni e misteri.* è già di per sé un manifesto del progetto teatrale di D'Annunzio[7].

Il titolo ci offre una proiezione «en abyme» del contenuto dell'opera che possiamo così interpretare: *tragedie*, ossia decisione programmatica di rinnovare il teatro tragico secondo le regole classiche; *sogni*, cioè apertura verso la dimensione lirico-onirica del teatro simbolista; *misteri*, in quanto inclusione della rappresentazione religiosa. Ma il titolo è importante *anche e soprattutto* per ciò che omette: il dramma borghese che dominava le scene teatrali dell'epoca. Il titolo stesso è dunque una dichiarazione polemica che investe tutto il significato del teatro di D'Annunzio.

La portata e le implicazioni del progetto teatrale di D'Annunzio pren-

---

[5] Lo spettatore oltre a essere partecipe dello spettacolo teatrale in quanto testimone e giudice, ne fa anche parte fisicamente. «Non diverso dalle altre arti nel presentarsi come un sistema di modellizzazione, il teatro ne differisce per il suo immettere il fruitore all'interno del sistema, sia pure con il diaframma, diversamente graduato nel tempo, della quarta parete mancante, del gradino tra palcoscenico e platea, dello stacco tra luci e oscurità». Cesare Segre, *Op. cit.*, p. 9.

[6] L'ottimo studio di A. Bisicchia è particolarmente ricco di notizie concernenti le rappresentazioni teatrali delle opere di D'Annunzio. Andrea Bisicchia, *D'Annunzio e il teatro*, Milano, Mursia, 1991. Il sottotitolo, *Tra cronaca e letteratura drammatica*, ne annuncia l'interessante contenuto.

[7] La suggestione di decodificare il titolo mi viene da Paolo Valesio, *Op. cit.*

dono particolare rilievo alla luce degli importanti studi sul teatro di Peter Szondi[8].

Nel proporre una teoria del dramma moderno, Szondi considera lo sviluppo del genere letterario a partire dal rinascimento. Il dramma rinascimentale, sopprimendo il prologo e l'epilogo, forme attraverso cui il dramma era rappresentato come tale, formule di mediazione tra la finzione scenica e il pubblico, aveva costituito il dramma in termini assoluti senza alcun riferimento alla realtà esterna. L'assolutezza del dramma, concepito nella sua realtà convenzionale ma totale ed autonoma, postula un tempo assoluto, in quanto presenza pura non riferita a un prima o a un dopo; un rapporto interumano assoluto, in quanto non ci sono rapporti al di fuori del dialogo; un accadere assoluto, perché l'azione è fondata soltanto sulla propria tensione, senza interferenze psicologiche o attinenti al mondo esterno[9]. Anche il luogo teatrale, il tipico teatro all'italiana, con la sua netta divisione tra il palcoscenico, destinato alla rappresentazione, e la platea, i palchi e le gallerie, destinati al pubblico, corrisponde a questa concezione del teatro[10].

Secondo Szondi, il fenomeno che contraddistingue l'epoca moderna e che si verifica a partire dal 1860 è l'epicizzazione del dramma che ne relativizza tutti i momenti di assolutezza aprendosi verso il passato e verso il futuro. Rinnovando i temi della tragedia tradizionale, il dramma moderno sostituisce all'accadere assoluto e al presente assoluto la varietà delle situazioni e la relatività del tempo, e ai rapporti intersoggettivi tra i personaggi l'interiorità soggettiva[11].

---

[8] Peter Szondi, *Teoria del dramma moderno*, Torino, Einaudi, 1962.

[9] Le unità di spazio, di tempo e di azione sono indispensabili per lo svolgimento di un'azione su cui nessuno può intervenire.

[10] Nelle tragedie di Racine, che sono il più compiuto esempio di questa concezione del dramma, tutto è scontato e l'azione precipita verso la catastrofe seguendo una traiettoria inevitabile.

[11] Peter Szondi percorre le fasi della «crisi» del dramma nelle opere di Ibsen, Cechov, Maeterlinck, Strinberg e Hauptmann che rinnovano i temi del dramma senza tuttavia rinnovarne le forme. Nel teatro di Ibsen i personaggi rievocano il passato che li ha condotti alla presente situazione; in quello di Cechov rinnegano il presente e vivono di rimpianti; nel teatro di Maeterlinck e Strindberg non c'è rapporto interumano, i personaggi parlano incessantemente senza intendersi, perfino senza ascoltarsi. I personaggi di Hauptmann sono vittime impotenti di un destino che si identifica con la situazione politico-sociale. Szondi vede attuarsi un vero rinnovamento nel «teatro epico» in cui si rompe la forma chiusa ed assoluta del dramma e torna a comparire la figura dell'io narrativo. La teoria di Szondi è incentrata sulla distinzione tra elementi formali ed elementi tematici. Secondo la sua analisi la crisi del dramma si rivela nell'inserirsi nella forma tradizionale

Mentre nella tragedia classica il dialogo e l'azione sono valori assoluti definitivi e il principio di causalità regge e condiziona l'intreccio, nel dramma moderno il dialogo e l'azione non conducono ad azioni definitive. Di conseguenza i valori diventano relativi e il principio di «causalità», valido soltanto per la sequenza temporale degli eventi, si mescola a situazioni di «casualità» che, in ultima analisi, determinano la soluzione dell'intreccio. Il dramma è dunque una forma ibrida in cui la forma classica è minata dall'interno da una tematica che non ne rispetta più la struttura formale.

Su queste basi, nell'esplicito rifiuto di D'Annunzio del dramma borghese possiamo leggere il suo programma: 1) riportare il teatro alla sua funzione di cerimonia civile nel seno della comunità, 2) presentare un teatro di forme e situazioni assolute nel tempo e nello spazio, 3) riformulare miti antichi e proporne di nuovi, presentandoli come avvenimenti immutabili nel loro accadere, uguali a se stessi in epoche e luoghi diversi. Concludendo la sua prima tragedia, *La città morta*, D'Annunzio scrive: «Sono riuscito ad abolire il tempo e a chiudere nello stesso cerchio le anime che vivono e le anime che vissero nei millenni remoti»[12]. Dove, «abolire il tempo» significa proporre nel suo teatro vicende atemporali che accadono con la stessa intensità in una serie di presenti.

Nel suo saggio introduttivo all'opera di Szondi, Cesare Cases commenta: «L'avvento della tematica epica è un fenomeno derivato che tenta di rimediare a quella che è la vera causa della crisi del dramma: la perdita della collisione come urto di due potenze "universali", e la sua sostituzione con conflitti puramente psicologici che non si nutrono di quelle potenze o che le toccano in modo solamente tangenziale»[13].

È in questa prospettiva che possiamo iscrivere l'esigenza del personaggio femminile come portatrice di valori assoluti. La tragedia auspicata da D'Annunzio non può incentrarsi su un protagonista prono al relativismo, incapace di agire, un eroe drammatico che «capisce, là dove l'eroe

di elementi per loro natura non drammatici. Ad esempio una canzone, che è elemento tematico in una commedia, in quanto i personaggi prendono coscienza del fatto che cantano, diviene elemento formale in un'opera in cui i personaggi non prendono coscienza del fatto. La contraddizione esplodendo la vecchia forma tende a precipitare in una forma nuova. Nel periodo di transizione Pirandello occupa una posizione di grande rilievo in quanto è il primo che, consapevolmente, si confronta con le convenzioni del dramma tradizionale e le mette in discussione dall'interno. Per le interessanti pagine su *Sei personaggi in cerca di autore*, cfr. Peter Szondi, *Op. cit.*, pp. 107-112.

[12] «Archivio del Vittoriale», ms. 685.

[13] *Ibid.*, p. XXV.

tragico agisce»[14]. Il personaggio maschile dannunziano quale lo conosciamo attraverso le sue opere narrative è tormentato dal dubbio, concentrato in riflessioni sul proprio io, negato all'azione. È insomma un anti-eroe che non possiede più verità assolute e non può dunque proporre soluzioni definitive. Per poter creare delle vicende esemplari e restituire alla tragedia l'urto e la collisione che caratterizzano il genere, D'Annunzio ricorre al personaggio femminile. La donna, concepita come creatura alogica totalmente immersa nella vita istintiva, posseduta da fedi ancestrali o da passioni incandescenti, è l'unica dunque nell'orizzonte dannunziano a poter assumere le caratteristiche dell'eroe mitico[15].

La resistenza della critica ad accogliere un fatto di per sé evidente e che cioè protagonista del teatro di D'Annunzio è sostanzialmente il personaggio femminile, nasce da una situazione considerata paradossale. Partendo dal presupposto che l'autore necessariamente si esprima attraverso *un* protagonista, la critica è rimasta sconcertata dall'insufficienza dei personaggi drammatici maschili. Come mai, proprio quando il personaggio D'Annunzio «decide di proiettarsi sulla scena, sul teatro, anzi proprio quando identifica il teatro con la scoperta di un suo desiderio d'azione, di una vocazione tribunizia, quando si fa aggressivo verso il pubblico, più consapevole e quindi più bisognoso di quel contatto diretto che dà il teatro, ebbene *questo ritratto di sé che egli dà*, non sembra né facilmente né sempre accettabile?»[16]. Come mai, proprio allora, gli eroi proposti dal suo teatro non sono convincenti? Perché i personaggi maschili appaiono costantemente esitanti, sopraffatti dalle loro debolezze, incapaci di raggiungere la dimensione tragica? Perché non possiedono né i grandi vizi né le grandi virtù che il ruolo di eroe tragico richiede? È questa la domanda che

---

[14] «In Brecht *(Santa Giovanna dei Macelli)*, la saggezza è il surrogato epico della libertà dell'eroe tragico: là dove quello agisce, il personaggio del teatro epico capisce. E un "eroe bastonato", un "eroe non tragico" come diceva Benjamin [...] il quale ne vedeva giustamente il prototipo nel Cristo delle passioni medievali». Cesare Cases, *Introduzione* a Peter Szondi, *Op. cit.*, p. XXX.

[15] Nel «discorso» che precede *Più che l'amore*, D'Annunzio definisce le caratteristiche dell'eroe: «L'eroe (e qui possiamo leggere l'eroina) votato all'amore e al dolore, soffre non per purificarsi d'una passione criminosa e per riacquistare la sua innocenza ma per essere al di là del timore e della pietà [...]». G. D'Annunzio, *Tragedie sogni e misteri*, con un avvertimento di Renato Simoni, Milano, Mondadori, vol. I, p. 1072.

[16] Intervento di M. Baratto, in *Le discussioni e le conclusioni*, Il corsivo è mio. Cito le parole conclusive, pronunciate da uno dei partecipanti del «Convegno su *Il teatro di D'Annunzio oggi*», che si è svolto a Gardone nel 1980 in cui l'identificazione dell'autore con il protagonista scatta automaticamente. «Quaderni del Vittoriale», vol. 24. nov.-dic. 1980, p. 147.

la critica si è costantemente posta nel tentare di decodificare il personaggio drammatico dannunziano.

Il paradosso nasce da un equivoco iniziale, l'identificazione dell'autore con il personaggio; si è tentato cioè di applicare al teatro lo stesso tipo di esegesi valida per la narrativa senza tener conto del nuovo rapporto narratore/personaggio che il genere teatrale implica, secondo la scelta modellante di D'Annunzio.

È ancora lo studio di Szondi sul passaggio dalla tragedia tradizionale al dramma borghese a illuminare questo diverso rapporto e sottolinearne le caratteristiche. Nella tragedia, dramma assoluto sia nel tempo sia nello spazio, non ci sono rapporti al di fuori del dialogo che si svolge sulla scena. Si verifica quindi una netta separazione tra il narratore/soggetto, e i personaggi/oggetto. Per contro, questa separazione si dissolve nella relativizzazione epica del dramma. Uno dei personaggi diviene la proiezione dell'io/autore e gli altri personaggi diventano l'oggetto di questo io. Il passato rimemorato si mescola al presente drammatico, mentre sulla scena appare la figura del narratore[17]. Soltanto il teatro lirico, secondo Szondi, sfugge a queste definizioni perché qui i temi si fondono e il passato è anche il presente. La lirica è in sé un linguaggio che non ha bisogno di motivazioni e perciò nel dramma lirico linguaggio ed azione non coincidono necessariamente[18].

Ora i generi teatrali prescelti da D'Annunzio, tragedie, sogni e misteri, sono proprio quelli che per definizione rifiutano l'intervento diretto dell'io/narratore. Nella tragedia l'io/narratore deve assimilarsi a una situazione in cui nessuno dei personaggi assume una posizione privilegiata; nel teatro lirico, deve entrare in simbiosi con il personaggio; nel mistero infine, l'io/narratore è annullato dalla esemplarità della rappresentazione che pur svolgen-

---

[17] «Questa relativizzazione epica dipende dalla scisssione della sintesi tra soggetto e oggetto, che è tipica del dramma; i due termini entrano in opposizione, uno dei personaggi diviene la proiezione dell'io dell'autore e gli altri diventano l'oggetto di questo io, cioè al rapporto drammatico si sostituisce un rapporto squisitamente epico e sulla scena appare, a poco a poco,la figura del narratore». Peter Szondi, *Op. cit.*, p. XIV.

[18] Per illustrare le sue teorie sul teatro lirico, Szondi sceglie l'opera giovanile di Hofmannsthall e commenta: «Il linguaggio drammatico è strettamente riferito all'azione, che si svolge in un presente continuo; e perciò l'analisi del passato è in contraddizione con la forma drammatica. Nella lirica invece i temi si fondono, il passato è anche il presente e il linguaggio è anche un fatto tematico che può essere interrotto dal silenzio. La lirica è in sé stessa un linguaggio, e perciò nel dramma lirico linguaggio e azione non coincidono necessariamente». Peter Szondi, *Op. cit.*, p. 67.

dosi nel tempo si situa fuori del tempo per il suo carattere sacrale[19].

3. *Il rapporto autore/personaggio nell'opera teatrale*

Da questa breve analisi delle forme teatrali scelte da D'Annunzio, risulta evidente che l'autore non intende né può esprimersi né attraverso il personaggio maschile, né attraverso qualsiasi altro personaggio.

Per meglio approfondire questo concetto possiamo fare ricorso al modello attanziale ispirato dalle teorie di Greimas[20]. Secondo questa ipotesi interpretativa, il personaggio è il luogo neutrale in cui si manifestano le azioni umane ridotte a categorie eterne (Eros, Popolo, Desiderio, Morte ecc.) e come tale si spoglia di attributi, motivazioni e scopi per assumere un ruolo funzionale astratto. Il termine *attante* lega infatti il personaggio all'atto e lo subordina alla funzione che compie[21].

Per quanto l'applicazione rigida di questo schema sia riduttiva e in ultima analisi insoddisfacente, può tuttavia contribuire, in modo strumentale, a illuminare il ruolo dei personaggi nel sistema drammatico di D'Annunzio. I personaggi, sia femminili che maschili, non sono necessariamente proiezioni dell'io/narratore, ma funzioni che rappresentano collettivamente il suo messaggio. Mentre nelle opere narrative il soggetto dell'enunciazione si rivolge direttamente al destinatario attraverso l'eventuale mediazione di un io personaggio/narratore, nel teatro si stabiliscono due circuiti comunicativi creati dalla compresenza di attori e di udienza. Gli attori comunicano tra di loro attraverso un tipo di comunicazione interpersonale e diretta ma, contemporaneamente, l'assieme di questi dialoghi costituisce un testo letterario che va dall'«io» emittente (autore) al «tu» ricevente (il pubblico). Sarà dunque la somma totale dei dialoghi e degli eventi a costituire il messaggio e non un personaggio privilegiato.

Lo schema attanziale di Greimas, estremamente astratto, per quanto utile nel distanziare l'opera teatrale dall'opera narrativa e nel ridimensionare il rapporto autore/personaggio, non è tuttavia sufficiente per giustifi-

---

[19] La differenza tra racconto dialogico e racconto non dialogico può essere ricondotta al problema del punto di vista dell'identificazione degli enunciati. La mancanza di un io/narrante, che è anche un'istanza giudicante sulle affermazioni dei personaggi, moltiplica i livelli di ambiguità. «Di qui la natura fascinosamente enigmatica dell'atto teatrale, e di qui il fervente conflitto delle interpretazioni». Cesare Segre, *Op. cit.*, p. 7.

[20] A.J. Greimas, *Sul senso*, Milano, Bompiani, 1974.

[21] Cfr. Aristotele, *Poetica*, VI, 7.

care la costante funzione protagonistica del personaggio femminile, né per apprezzarne la carica drammatica. A questo proposito, condivido pienamente l'opinione di C. Segre che restituisce al personaggio uno ruolo significante: «[...] il personaggio costituisce un fascio di attitudini e di tratti caratteriali (in inglese si chiama appunto *character*) che, sia egli un individuo atipico oppure un tipo tradizionale o una "maschera" – a seconda delle poetiche o dei generi letterari –, costituisce ipso facto la spiegazione dei suoi moventi e contiene la possibilità di sviluppi interiori. Il personaggio, infine, attua l'unificazione delle funzioni, che hanno senso perché attuate da lui, diramantisi da lui. "Un procedimento usuale per raggruppare e collegare in serie i motivi è l'introduzione dei personaggi che ne costituiscono i portatori viventi"»[22].

In quanto «portatrice vivente» delle motivazioni e dei tratti caratteriali che D'Annunzio richiede al/alla protagonista del suo teatro, la donna si offre come modello esemplare. Sia la tradizione giudeo-cristiana che l'eredità classica, da Lilith a Medea, hanno contribuito a identificare la donna con il principio irrazionale associato al caos e alla trasgressione che minaccia l'ordine e l'armonia creati dall'uomo. Se ciò non bastasse, la figurazione di Salomè che domina l'immaginario di fine secolo aggiunge al personaggio una nota di eccitante attualità. D'Annunzio si vale dunque di un'immagine, trasmessa dalla tradizione e potenziata dalla moda, quale simbolo della trasgressione di tutti i sistemi divini e umani, ma la trasforma nel suo mondo drammatico in modo significativo e personale attribuendole un ruolo attivo di sfida perenne.

Come ho già notato, la donna occupa un grande spazio nell'opera di D'Annunzio e, considerando il costante interesse per «l'altra», questo sviluppo del personaggio femminile nel suo teatro non è sorprendente. Cito a questo proposito un passaggio di *D'Annunzio in prosa* di R. Barilli che chiarisce ulteriormente il rapporto dell'autore con i suoi personaggi: «In fondo, D'Annunzio conferisce un grado massimo nell'acutezza di analisi a un solo maschio privilegiato, a sé stesso, nelle diverse proiezioni che non si stanca di emettere; ma se si tratta di passare a personaggi estrinsecati e

---

[22] Cesare Segre, *Le strutture e il tempo*, Torino, Einaudi, 1974, p. 46. La citazione di Segre si riferisce a *La costruzione dell'intreccio* di B.V. Tomasevskij, in *I formalisti russi*. Anche P. Pavis nota quanto di riduttivo lo schema di Greimas comporti: «[...] the *actantial models* inspired by Propp, Souriau and Greimas have been applied, often in far too schematic and indifferentiated a manner, so that the universes of meaning of the plays seem oddy similar». Patrice Pavis, *Languages of the Stage*, ed. by M. Carlston, Indiana University Press, 1990, p. 16.

in qualche misura oggettivati, preferisce decisamente rivolgersi alle donne, sia perché gli appaiono più bisognose di una liberazione del genere, sia perché, viceversa, sono più pronte al punto di fusione, ovvero più pronte a cogliere la chiamata sconfinata che viene dal regno dell'eros»[23].

A tutti i livelli esaminati, l'analisi del teatro di D'Annunzio indica la quasi inevitabilità del protagonismo al femminile. Il personaggio maschile, elaborato attraverso i romanzi, calato nella realtà storica, codificato, non poteva proporre a D'Annunzio che il dramma borghese, non il conflitto totale tra spinte di passioni assolute, necessario alla tragedia. Per questo ci voleva la donna, concepita come un essere di animalità divina; divina proprio perché animale, perché si realizza nella sintesi di due opposti che escludono l'umanità deteriore, viziata dal dubbio, dallo psicologismo, dal velleitarismo che caratterizzano l'uomo. Il personaggio femminile è il luogo in cui l'autore manifesta la sua aspirazione verso una realtà mitica, eroica e assoluta in cui si somma la sua critica della società contemporanea.

> E però non amo le donne se non per quel che vi è di animale in esse; voglio dire l'istinto. Talora so renderle divine, nel senso che la bestia è una forma del divino, anzi il più misterioso aspetto del divino[24].

---

[23] Renato Barilli, *Op. cit.*, p. 34. Tra gli studiosi che si sono particolarmente interessati ai personaggi femminili nel teatro di D'Annunzio, R. Barilli ne attribuisce la preminenza a un certo «femminismo» dell'autore, a una sua «sintonia» con l'universo femminile, *Ibid.*, pp. 145-191: G. Bárberi Squarotti indica come comune denominatore delle «eroine» il loro appartenere «alla parte dei vinti, degli oppressi, dei perseguitati», cfr. *L'eroina intrepida: Gigliola*, in *La scrittura verso il nulla*, cit.; A. Bisicchia, accomunando le eroine dannunziane a una tendenza generale, nota che «il personaggio femminile nel teatro, tra la fine dell'Ottocento e l'inizio del Novecento, è un personaggio patologico che vive sulla carne il conflitto del sesso», *Op. cit.*, p. 12. Interpretazioni divergenti che arricchiscono il significato del personaggio.

[24] Gabriele D'Annunzio, *Cento e cento e cento pagine del libro segreto di Gabriele D'Annunzio tentato di morire*, Milano, Mondadori, 1959, p. 220. Riporto la citazione completa. D'Annunzio prosegue ricollegando questa intuizione a una scissione tra donna fisica e donna ideale: «Il loro potere su me tuttavia – di là da tutti i miei esperimenti e inganni interiori – è soltanto corporale, è soltanto carnale. / Amo l'Ombra che incede sul prato asfodelo ritenendo sotto le palpebre violette la guerra d'Ilio».

Parte seconda

IL TEATRO

1.

«La città morta»

La città morta è stata rappresentata per la prima volta, in francese, nel gennaio del 1898 da Sarah Bernhardt a Parigi[1]. Il primo accenno a quest'opera porta una data precisa: il 6 settembre 1895, ma il progetto si trascina per circa un anno senza definirsi nella immaginazione dello scrittore; la sua stesura finale risale infatti al settembre-ottobre del 1896[2]. I dati cronologici assumono in questo caso un rilievo particolare in quanto indicano un'esitazione da parte dell'autore circa la composizione della sua

---

[1] *La ville morte* è stata rappresentata per la prima volta al Théâtre de la Renaissance, il 21 gennaio, 1898. La tragedia, tradotta da George Hérelle, è apparsa senza il nome del traduttore, «tanto da far pensare che fosse stata scritta in francese da D'Annunzio», nota De Michelis, ed aggiunge: «Proprio nel 1896 Sarah Bernhardt recitava a Parigi *Salomè* di Oscar Wilde, scritta direttamente in francese dall'autore». Eurialo De Michelis, *Tutto D'Annunzio*, Milano, Feltrinelli, 1960, p. 208. La tragedia sarà rappresentata in italiano da Eleonore Duse soltanto nel marzo del 1901, al Teatro Lirico di Milano.

[2] La lettera a Treves del 1895 annuncia il progetto di un'opera già ben definita nelle sue linee essenziali: «Il mio lungo e vago sogno di drama fluttuante – s'è alfine cristallizzato. A Micene ho riletto Sofocle ed Eschilo, sotto la porta dei Leoni. La forma del mio drama è già chiara e ferma. Il titolo: "La città morta"». «Archivio del Vittoriale», *Lettere di G. D'Annunzio a E. Treves*, Dattiloscritto, n. 236. Tuttavia una nota ad Hérelle, di poco posteriore, smentisce tale affermazione: «Non ho scritto nulla del mio viaggio in Grecia. Le sensazioni sono troppo recenti. D'altra parte sento che prima o poi il materiale raccolto prenderà vita dentro di me e passerà in qualche opera. Bisogna dunque attendere». *D'Annunzio a George Hérelle. Correspondence*, Paris, Denoël, 1946, pp. 271-272. La tragedia è finalmente terminata il 22 novembre del 1896 come D'Annunzio stesso annuncia a Angelo Conti: «Per San Martino terminai la tragedia. Era una giornata cinerea, verso sera; e lungo il mare passavano vaste mandre di buoi come ecatombi». Citato da Ruggero Jacobbi, *Il teatro di D'Annunzio oggi*, «Quaderni del Vittoriale», nov.-dic. 1980, p. 15.

prima opera teatrale, e la funzione dei vari personaggi.

L'opera in cinque atti rispetta rigorosamente le tre unità ed è definita dall'autore una «tragedia moderna». È evidente, fin dalla sua presentazione formale, l'intenzione di prendere le distanze dal dramma borghese contemporaneo; *La città morta* sarà una tragedia secondo i canoni del teatro classico ma ambientata in tempi moderni[3]. Si tratta infatti di una trasposizione di antichi miti in epoca contemporanea.

Lo spunto narrativo dell'opera è fornito dalla leggenda di Umbelino e Pantea narrata nelle *Vergini delle Rocce*, «... un drama di passione e di morte, intimo e segreto...»[4]. Secondo la didascalia iniziale l'azione si svolge «Nell'Argolide "sitibonda" presso le rovine di Micene "ricca d'oro"», in un periodo imprecisato verso la fine del secolo. Tutte le didascalie che riguardano la scenografia sottolineano l'aspetto nudo, austero della casa in cui si svolge gran parte dell'azione, la luce chiara, l'immobilità e il silenzio della natura circostante.

Da due anni Leonardo dirige con accanimento degli scavi archeologici per ritrovare le tombe degli Atridi. Lo accompagnano la sorella Bianca Maria e il poeta Alessandro, suo amico e ispiratore, con la moglie Anna, cieca, e la nutrice di lei[5]. In un'atmosfera carica di tensioni sotterranee, sullo sfondo dell'Argolide arsa e infuocata, dove solo la fonte Perseia continua a zampillare, i quattro personaggi principali tentano di mascherare le passioni che li possiedono nell'attesa di un avvenimento liberatorio. Alessandro ama Bianca Maria ma ha pietà della moglie Anna; Bianca Maria ama Alessandro ma non osa confessarselo; Leonardo è preda di una passione incestuosa per la sorella Bianca Maria che tenta di reprimere; quanto ad Anna, la moglie cieca, consapevole dell'attrazione che spinge Alessandro e Bianca Maria l'uno verso l'altra, intende sacrificarsi per la loro felicità.

Dopo mesi di attesa infruttuosa gli scavi riportano alla luce le tombe degli Atridi: Agamennone, e Cassandra, e tutta la scorta, con le maschere d'oro sui volti ancora intatti, e intorno una profusione d'oro. Dalla terra risorge la tragedia antica, «eterno drama», che ora rivive nell'animo dei personaggi moderni. Al fatto oggettivo della necropoli sepolta sotto strati di terra e di oblio, e che ora riemerge affermando la sua realtà, corrispon-

---

[3] *La ville morte* sarà «résolument classique, régulière, en cinq acts». *Correspondence*, cit., p. 302.

[4] Gabriele D'Annunzio, *Prose di romanzi*, II, p. 92.

[5] Per la comprensione dell'opera sarà interessante notare che sin dall'inizio l'origine traumatica della cecità di Anna risulta evidente.

de lo scatenamento delle passioni sepolte sotto strati di convenienza sociale e di comportamenti razionali. Alessandro dice a Bianca Maria il suo amore, Leonardo confessa ad Alessandro la sua passione incestuosa per la sorella, ed Anna rivela a Leonardo l'amore che lega Alessandro e Bianca Maria. Ma le tre rivelazioni sono unilaterali, in quanto l'interlocutore non svela a sua volta il suo segreto, e i monologhi non si risolvono in dialoghi. La verità sta venendo alla superficie, ma per vicoli ciechi, canali senza sbocco, i cui argini saranno travolti dall'impeto delle passioni. Pazzo d'orrore per i suoi sentimenti, in cui la gelosia per Alessandro si mescola ora al desiderio incestuoso, Leonardo sacrifica Bianca Maria uccidendola nella fonte Perseia. Alla fonte sopraggiungono prima Alessandro, poi Anna, che toccando il cadavere di Bianca Maria grida: «Vedo, vedo!».

Con l'opera teatrale di D'Annunzio il mito, bandito dallo psicologismo e dal soggettivismo del dramma borghese, ritorna sulla scena. Non la mitologia nei suoi aspetti figurativi ed esteriori, ma il mito come forza oscura e primordiale che raffigura comprendendoli tutti gli aspetti della vita. In una lettera a Sarah Bernhardt D'Annunzio accenna alla sua interpretazione del termine «mito» citando un passaggio della *Città morta*: «Vous trouverez encore, dans la première scène du deuxième acte, lucidement indiqué – sous le language de la poésie – le but de mon effort: "L'erreur du temps n'a-t-elle donc pas disparu? Les lointains des siècles, ne sont donc pas abolis?"»[6]. La figurazione dell'eterno ritorno del tempo «nasce per D'Annunzio nell'intuizione che eternità e tempo non sono dimensioni giustapposte, perché eterno è il tempo» e dunque il passato mitico è immanente nell'eterno divenire delle cose e degli esseri[7].

Allusioni a miti diversi si intrecciano lungo tutta l'opera; Bianca Maria, secondo il valore emblematico del nome, è l'archetipo di tutte le vergini «morte senza nozze»; è Antigone, la vittima che si sacrifica per il fratello, ma è anche Ifigenia, la vittima sacrificata[8]. E Cassandra si sdoppia nelle sue due valenze per prestare ad Anna i suoi doni profetici e a Bianca

---

[6] «Archivio del Vittoriale», ms. 685. Questa citazione rimanda direttamente ai testi di Nietzsche di cui tuttavia, a quest'epoca, D'Annunzio non aveva ancora una conoscenza approfondita. Vedi l'articolo di Guy Tosi, *D'Annunzio decouvre Nietzsche* in «Italianistica», sett.-dic. 1973, pp. 481-513.

[7] Giuseppe Mazzotta, *Nietzsche e la poetica del «Fuoco»* in «Quaderni dannunziani», 3-4, 1988, p. 301.

[8] Questa troppo rapida caratterizzazione di Bianca Maria non rende giustizia al personaggio in verità molto più complesso e completo. Bianca Maria, palpitante di vita come «un'allodola selvaggia» è il doppio di Donatella Arvale, ma più dolce e convincente.

Maria il suo rifiuto al dio che la ama. Centrale poi, è il mito degli Atridi e della maledizone dell'incesto che colpisce Leonardo. Ma nessuna delle storie mitiche a cui le parole dei personaggi alludono o richiamano direttamente pare prevalere. Una fitta trama di intrecci mitici propone direzioni diverse per poi confondersi ed assimilarsi nel significato totale di mito: forza oscura della vita profonda, sempre uguale a se stessa, che vive ed opera nell'incessante accadere delle esistenze individuali. Ma dietro l'intreccio di richiami ed allusioni si disegna la traccia del mito di Edipo, come ricerca di una verità nascosta, *hybris* conoscitiva che conducendo alla verità provoca la catastrofe.

Benché nel testo della *Città morta* non vi sia nessuna allusione esplicita ad Edipo, la caratterizzazione dei personaggi e la sequenza degli eventi rimandano al suo mito tragico; come Paolo Valesio ha acutamente notato il personaggio di Anna «... è il rovesciamento dell'Edipo»[9]. Sin dal Primo atto, la cecità di Anna, il suo sogno di vecchiezza e destituzione, che prefigura la sorte di Edipo a Colono, indicano un'affinità che si precisa e si definisce nello sviluppo dell'azione tragica.

Nelle intenzioni di D'Annunzio, secondo la sintesi esposta da Stelio Effrena in un passaggio del *Fuoco*, la vicenda segue uno sviluppo lineare il cui nodo tragico si incentra sull'eroe, un giovane archeologo, che scoprendo la tomba degli Atridi è contaminato dallo stesso Destino e vede il suo amore puro per la sorella trasformarsi in passione incestuosa. Il conflitto, che si svolge tra il giovane e la maledizione antica, si conclude con la vittoria dell'eroe. Il sacrificio della sorella nelle acque della fonte Perseia, in un atto di purificazione totale, spezzando la catena di avvenimenti considerati ineluttabili, afferma il trionfo dell'uomo sul Destino. «Così l'atto di morte cui egli è stato trascinato dal suo delirio lucido è un atto di purificazione e di liberazione e segna la sconfitta dell'antico destino»[10].

---

[9] Cito dal saggio di Paolo Valesio, *Il coro degli Agrigentini* apparso in «Quaderni del Vittoriale», nov.-dic. 1982, ora in *The Dark Flame*, Yale University Press, 1992. Secondo la lettura di Paolo Valesio, l'interpretazione nietzschiana del coro della tragedia greca, si traduce nei «sogni», che costellano l'opera teatrale di D'Annunzio. «Insomma, lo spettatore contempla la contemplazione del coro. Dunque, il coro è il mediatore essenziale. Ecco allora che la parola "sogni" che D'Annunzio affianca a "tragedia" per designare il complesso della sua drammaturgia (tragedie, sogni e misteri) comincia a rivelarsi come ben più di una vaporante immagine; essa mostra in effetti la sua importanza epistemologica». *Op. cit.*, p. 66. Il saggio critico di Valesio illustra la fitta rete di relazioni intertestuali che percorrono il teatro di D'Annunzio senza tuttavia esplorare le implicazioni che questa particolare risonanza comporta per la struttura drammatica della *Città morta*.

[10] *Prose di romanzi*, II, p. 368.

Tuttavia questo tema chiaramente enunciato nella sequenza narrativa perde la sua centralità nella trasposizione drammatica che si articola invece secondo una linea nuova e quasi imprevista. Nella versione narrativa il discorso di Stelio si incentra sulla scoperta della necropoli e sulla rievocazione dei personaggi dell'antica tragedia, «enormi e sanguinosi»[11]. Se pure accenna ad una veggente cieca, che sarà interpretata dalla Foscarina, il personaggio rimane avvolto nell'ombra, quasi una presenza superiore che «vedrà quel che gli altri non vedranno... e saprà come sia duro il sapere quando il sapere è inutile»[12].

Ma la versione drammatica è modificata dall'introduzione di un nuovo personaggio, Alessandro, la cui funzione può essere stata determinata dalle esigenze del codice teatrale.

Secondo Tomasevskij, «... una unica linea di fabula rallenterebbe il tempo, affievolendo l'interesse. Per riempire la scena con l'azione, si introduce un filone, o più filoni paralleli. Mentre all'interno di un filone narrativo viene "approntata" la peripezia successiva, l'azione si completa con le vicende di un altro intrigo. Così, invece che allo sviluppo consecutivo dei motivi, la struttura drammatica fa spesso ricorso all'elaborazione parallela di una fabula complessa»[13]. Nella tragedia, accanto alla lotta di Leonardo contro il Destino, l'autore introduce effettivamente un nuovo intrigo per cui la fabula narrativa lineare si trasforma in una fabula drammatica complessa. Tuttavia la proposta di Tomasevskij è soltanto parzialmente soddisfacente in quanto non giustifica l'emergere di una nuova figura di protagonista, Anna, e l'affermarsi di un nuovo tema tragico. Dapprima il conflitto pare incentrarsi su un triangolo formato da un uomo e due donne (Alessandro amato da Anna, la moglie, e da Bianca Maria) ma, a partire dalla confessione di Leonardo, si configura un nuovo triangolo conflittuale costituito da una donna e due uomini (Bianca Maria amata da Leonardo e da Alessandro)[14]. Sarà Anna a rappresentare il filo conduttore che unifica le due situazioni assurgendo in tal modo al ruolo di protagonista.

---

[11] *Ibid.*, p. 363.

[12] *Ibid.*, p. 369.

[13] Citato da Cesare Segre, *Teatro e romanzo*, cit., p. 22.

[14] L'ambiguità dei ruoli e la complessità delle allusioni mitiche nella *Città morta*, è stata messa in rilievo da Paolo Puppa: «...le *dramatis personae* procedono a fatica nel gioco delle parti, incerte sulla direzione figurale da prendere, quasi che i troppi complessi mitici disponibili, ossia la serie delle Antigoni, delle Cassandre, degli Edipi e dei Tiresia, creassero una sovradeterminazione tra le tante maschere antiche,...». *D'Annunzio: teatro e mito* in «Quaderni del Vittoriale», 1982, p. 129.

La mia interpretazione si basa fondamentalmente sulle implicazioni
che il codice teatrale attribuisce al ruolo di protagonista; se l'azione drammatica procede da tale ruolo, ne consegue che la vicenda del protagonista
rappresenta il tema centrale della tragedia, a cui gli intrighi secondari fanno da corollario[15].

La lettura della tragedia secondo l'ottica superomistica indicata da
D'Annunzio stesso nel *Fuoco*, attribuirebbe a Leonardo, l'eroe dell'«Atto
puro», il ruolo di protagonista, sottomettendo così l'interpretazione dello
sviluppo drammatico all'azione dell'eroe e circoscrivendo il significato
complessivo dell'opera alla sua lotta contro il Destino. Ma se leggiamo i
personaggi non per quello che sono nelle intenzioni dell'autore, ma per
quello che fanno, in ragione delle azioni a cui partecipano e delle modificazioni che apportano allo sviluppo dell'azione, risulta che Leonardo non
è la forza determinante da cui origina l'azione drammatica. La crisi provocata dalla scoperta delle tombe non si riferisce all'amore incestuoso di
Leonardo, che già ne è consapevole, ma allo scatenarsi delle passioni, alla
violenza del desiderio e del possesso fino allora nascoste dietro il velo dei
comportamenti razionali[16]. Il tesoro degli Atridi e il loro mito funesto che
riemergono dalle viscere della terra segnalano l'insorgere degli istinti profondi dagli abissi dell'inconscio. D'altro lato, neppure gli attributi del personaggio giustificano il ruolo di protagonista che gli è stato attribuito[17].
Leonardo, sconvolto e delirante, è un vinto del Destino più che un vincitore, ed anche il suo Atto, intorbidato dalla gelosia, perde la sua purezza
originaria[18]. Chi è dunque il protagonista? Non certo Alessandro, altro ti-

---

[15] Cfr. Patrice Pavis, *A Possible Definition of Theatre Semiology* in *Languages of the
Stage*, cit., p. 16.

[16] L'azione si svolge in piena estate e Leonardo accenna ben due volte al fatale «giorno d'inverno» in cui si è reso conto della sua passione incestuosa. *Tragedie, sogni e misteri*, vol. I, p. 167 e p. 228. Tutte le citazioni delle opere teatrali di D'Annunzio si riferiscono a *Tragedie, sogni e misteri*, Milano, Mondadori, con un avvertimento di R. Simoni,
1939-1940, voll. 2, e saranno d'ora in poi indicate con il numero del volume e della pagina, tra parentesi, inserite nel testo.

[17] La discrepanza tra la concezione eroica di Leonardo e la sua patetica realizzazione
in quanto personaggio drammatico, è stata notata da Giovanni Getto. I due personaggi
maschili che vogliono ribellarsi al Destino ne sono in realtà le vittime. *La città morta* in
Tre studi sul teatro, Caltanisetta, Sciascia, 1976.

[18] Leonardo è sconvolto dalle rivelazioni di Anna; le sue mani sono gelide, «la sua
voce spenta e rotta. ...Con un ultimo sussulto di speranza» interroga ancora Anna: «Voi
siete certa, è vero?, voi siete certa ch'egli la ama, ch'ella lo ama... Voi siete certa, Anna,
del loro amore... Voi non vi ingannate, è vero? Non è il dubbio, non è il sospetto... Voi
siete sicura... siete sicura...» (I, 188).

po di superuomo pronto a «forzare» il Destino per ottenere Bianca Maria, ma in realtà completamente travolto dagli avvenimenti. E neppure Bianca Maria, lacerata tra l'amore per Alessandro, la devozione al fratello e il rispetto per Anna; vittima sacrificale che subisce gli avvenimenti senza quasi comprenderli. Eliminando la nutrice, il cui ruolo secondario di confidente le permette soltanto di presentare gli antecedenti dell'azione, resta Anna che, per quanto esclusa dalla vicenda esteriore ed apparentemente estranea al tumulto delle passioni, si definisce come la protagonista dell'azione drammatica, secondo il registro teatrale, scenico e linguistico.

Registro teatrale - L'intreccio

Ognuno dei personaggi, chiuso nella sua ossessione personale, è incapace di agire o di dirigere il corso delle azioni. Tutti sono paralizzati dai loro sentimenti contrastanti (amore/rispetto = Bianca Maria - amore/pietà = Alessandro - amore/orrore = Leonardo) e tutti esistono in un tempo fermo, in un paesaggio immobile, in uno stato di attesa. Soltanto Anna, con la sua sensibilità esasperata dalla cecità, sente la tensione crescere e cerca di liberare la verità che preme dietro le apparenze. Sin dall'inizio, con le sue parole persuasive, Anna forza quasi Bianca Maria a riconoscere il suo amore per Alessandro e ad accettarlo: «Tu segui devota tuo fratello che abita le rovine e fruga i sepolcri; ma tu non puoi rinunciare alla tua ora. Una forza imperiosa s'è levata in te, a un tratto; e non ti è più possibile reprimerla. Se pure tu riuscissi a troncarla, rimetterebbe mille germogli dalle radici. E necessario che tu le ceda» (I, 113). Ma Anna conosce solo una parte della verità. Interpretando erroneamente l'angoscia di Leonardo e la sua reticenza verso Bianca Maria come un segno di consapevolezza, Anna, certa che il giovane sia a conoscenza dell'amore che si è sviluppato tra sua sorella ed Alessandro, si rivolge a lui apertamente perorando la causa di Bianca Maria:

Quale è dunque la sua colpa s'ella ama? Non credete, Leonardo, non credete che la sua giovinezza sia troppo lungamente sacrificata, al vostro fianco? Potrebbe il vostro amore fraterno chiederle il sacrificio intero della vita? Ella si sentiva morire, in quel mattino, leggendo la lamentazione di Antigone ... Non è possibile che tutta quella forza si consumi nel sacrificio. Ella ha bisogno di gioire; ella è fatta per dare ed avere la gioia. E vorreste voi, Leonardo, vorreste ch'ella rinunziasse alla sua parte legittima di gioia? (I, 186)

Quanto a lei, Anna, è pronta a sacrificarsi:

> Io sono semiviva, ho già un piede nell'ombra: non debbo fare se non un passo, un piccolo passo, per scomparire ... oh un ben piccolo passo! (I, 186)

È questo intervento che precipita la catastrofe. Leonardo, accecato dalla propria passione, ignorava le passioni degli altri. Ora non ha più scelta; in un delirio in cui si mescolano desiderio, gelosia, orrore di se stesso decide di sopprimere Bianca Maria, l'origine di tutte le ossessioni.

È ancora Anna che, ignorando il segreto di Leonardo, rivela ad Alessandro la sua conversazione con lui. Segue una serie di equivoci verbali in cui ognuno parla di un segreto, ma non dello stesso segreto. Intanto Leonardo e Bianca Maria si sono allontanati nella notte. Quando finalmente Alessandro comprende che ora Leonardo è a conoscenza dell'altro segreto, il suo amore per Bianca Maria, avverte il pericolo e corre alla loro ricerca. Anche Anna intuisce confusamente la situazione e lo segue brancolando; alla fonte Perseia, dove l'accoglie il silenzio straziante dei due uomini, toccando il corpo gelido di Bianca Maria Anna scopre la verità.

La sequenza degli avvenimenti è controllata dall'intervento di Anna che di volta in volta provoca l'incidente successivo. I suoi discorsi sono dunque una forma d'azione significante ed essenziale per lo sviluppo del dramma [19].

Registro scenico - Configurazioni

Secondo Salomon Marcus, le scene sono costituite da configurazioni di personaggi il cui ruolo è determinato dalle azioni a cui partecipano. Per definire la portata e l'importanza di un personaggio è necessario stabilirne la frequenza sulla scena [20]. Considerando i cinque personaggi di questa tragedia, su un totale di 17 scene, l'analisi indica le seguenti cifre: Nutrice = 5 - Bianca Maria = 8 - Alessandro = 8 - Leonardo = 9 - Anna = 14 volte.

---

[19] Commentando la funzione del linguaggio nell'opera teatrale, C. Segre cita una dichiarazione di R. Ingarden: «...in tutti i conflitti drammatici che si sviluppano nel mondo dello spettacolo teatrale, il discorso rivolto a qualcuno è una forma d'azione di colui che parla, ed ha un significato per gli avvenimenti indicati nell'opera, *solo* quando fa veramente procedere l'azione». Cesare Segre, *Teatro e romanzo*, cit., p. 8.

[20] Salomon Marcus, *Strategia dei personaggi* in *Semiologia della rappresentazione*, a cura di A. Helbo, Napoli, Liguori, 1979, pp. 81-102.

Soltanto in tre scene Anna non è presente. Secondo lo schema, la sua presenza scenica indica la centralità del suo ruolo.

Registro linguistico - Recursività

Un'analisi del linguaggio dei vari personaggi indica tre assi linguistici costituiti dall'iterazione di vocaboli collegati tra loro da affinità semiche o lessemiche. Le tre catene di analogie segrete polarizzano l'attività induttiva del lettore/spettatore in quanto la recursività ha una doppia funzione: denotativa e connotativa. «È denotativa nel suo individuare delle catene, nel suo precisare progressivamente delle motivazioni; è connotativa nella misura in cui l'insistenza produce, più che un incremento di notizie, un incremento di effetti espressivi»[21]. Nella *Citta morta*, le catene di recursività si organizzano intorno a tre motivi chiaramente identificabili:
- acqua/sete/arsura/aridità/fonte
- vista/cecità/occhi/luce/vedere
- svelare/confessare/rivelare/verità

Questa ultima serie è rinforzata da una catena di termini opposti: segreto/nascosto/nascondere/nodi inestricabili/nodo orrendo.

I tre motivi di recursività convergono per indicare nelle parole pronunciate da Anna: «Ah!... Vedo! Vedo!», che concludono il dramma, il tema centrale dell'opera. Alla fonte Perseia, dove giace il corpo di Bianca Maria, la sete si estingue e Anna «vede» la verità. La cecità di Anna, cecità di origine traumatica poiché la nutrice vive nella costante speranza che Anna recuperi la vista, è il segno di un «non voler vedere», di un rifiuto della verità: il non-amore di Alessandro per lei. Ma «il rifiuto di vedere» comporta il movimento contrario: «il voler vedere». Cecità e capacità di vedere sono il segno capovolto di uno stesso itinerario verso la rivelazione finale. La *hybris* conoscitiva di Anna, come quella di Edipo, la spinge a scoprire una verità di cui istintivamente ha orrore. L'arsura che tormenta gli uomini e la natura, la cecità di Anna, il suo ostinato tentativo di sciogliere «la trama di cose segrete tessute in silenzio» (I, 184) che la oppri-

---

[21] Cesare Sagre, *Le strutture e il tempo*, Torino, Einaudi, 1974, pp. 30-31. Per il linguaggio della *Città morta* è particolarmente interessante la nozione di *immagine trascorrente* usata da Sklovskij per indicare il fenomeno che si produce nel lettore: «Leggendo un brano noi lo percepiamo continuamente sullo sfondo di un altro. C'è stato dato un orientamento verso un nesso, noi cerchiamo di interpretarlo e ciò modifica la percezione del brano». Citato da Segre, *Ibid.*, p. 31.

me, rimandano allo stesso significato: desiderio di luce, sete di verità; verità tragica, come quella edipea, in cui si fondono i due motivi di incesto e di morte.

Lo scarto tra la sintesi narrativa della vicenda e la sua realizzazione drammatica, lo spostamento del ruolo di protagonista da un personaggio maschile a un personaggio femminile, indicano un mutamento di prospettiva da parte dell'autore che deve essere attribuito al genere letterario sperimentato da D'Annunzio per la prima volta. L'eroe dell'«Atto puro», che mantiene una sua logica interna nella narrativa dannunziana, non può sostenere l'impatto della fisicità teatrale[22]. Nel teatro, eliminata la mediazione dell'«io» narratore, che può elaborare e quindi esplicitare i rapporti tra azione e motivazione, l'esposizione dei fatti è affidata al personaggio[23].

Nel *Fuoco* il gesto di Leonardo assume un'impronta di necessità fatale, perché è presentato dall'acceso lirismo del linguaggio di Stelio, preparato dalla evocazione degli eroi eschilei, e sostenuto dal tono visionario del lungo discorso. Ma lo stesso atto appare poco convincente nella sequenza teatrale. La logica superomistica attribuita a Leonardo, è un'astrazione che stenta a tradursi in azione, non perché l'azione è crudele ma perché la purezza e la nobiltà del personaggio mal si adattano al gesto brutale che rischia di apparire incoerente e gratuito. Il personaggio drammatico è condizionato dalla durata degli eventi rappresentati che coincide con quella della rappresentazione e, per giustificare la sua azione, non può disporre della dilatazione del tempo che il testo letterario permette. Una lettura del testo teatrale, libera dagli schemi tradizionali che la legano (e la restringono) a un'interpretazione totale del corpus dell'opera dannunziana, conduce a considerare il crimine di Leonardo non un gesto eroico contro il Destino ma un accesso di follia[24]. Interpretazione che è sostenuta inoltre dai suoi discorsi deliranti dopo il delitto e da un'attenta lettura delle didascalie che accompagnano il Quinto atto[25].

---

[22] Per la fisicità degli attori, del palcoscenico, del suo apparato, della durata dello spettacolo, cfr. Cesare Segre, *Teatro e romanzo*, cit., p. 31.

[23] *Ibid.*, p. 4.

[24] Circa l'importanza di un approccio diretto e autonomo ai testi di D'Annunzio rimando all'articolo di Lucia Re, *Per una lettura testualistica del corpus dannunziano* in «Annali d'Italianistica», vol. 5, 1987, pp. 42-59.

[25] Nell'articolo *Strutture sceniche e strutture narrative nei due «Sogni» dannunziani*, «Rivista italiana di drammaturgia», 7, aprile 1978, Angela Guidotti esamina la funzione delle didascalie che definisce un elemento tra testo ed extratesto in quanto sostituiscono le strutture narrative e producono un certo livello di sensibilità scenica. Non sono quindi un modo banale ed esemplificativo di porgere un aiuto all'attore ma una significazione

La scena unica che costituisce il Quinto atto rappresenta la fonte Perseia. Presso la fonte è il cadavere di Bianca Maria; Leonardo siede immobile su un masso poco distante; dalla parte opposta è Leonardo addossato a un macigno «...a cui le sue dita si aggrappano di tratto in tratto, convulse e disperate come le dita del naufrago allo scoglio che emerge dal gorgo»[26]. Leonardo si avvicina al cadavere ma Alessandro gli ingiunge di non toccarla. Leonardo indietreggia: «No, no, non la tocco... Ella è tua, ella è tua...». Segue la didascalia: «... Egli guarda il cadavere con un'intensità di dolore e di amore sovrumana. Sembra che il delirio lo assalga. La sua voce è a volta a volta rauca e lacerante, quasi irriconoscibile». E poco oltre: «La sua voce s'inalza, impetuosa e ardente, come un delirio che cresca...». Qui inizia il suo discorso di giustificazone, di difesa: «Chi, chi avrebbe fatto per lei quel che io ho fatto? Avresti tu avuto il coraggio di compiere questa cosa atroce per salvare la sua anima dall'orrore che stava per afferrarla?». Leonardo ripete questa frase come un leit-motiv, ma trema e aggiunge: «Vuoto, vuoto e cieco ero quando mi sono abbattuto su di lei...», poi, come liberato dalla confessione, accomuna il suo amore per Bianca Maria, ridivenuta ora l'oggetto di un amore puro, all'amore di Alessandro per lei: «Se noi potessimo riaccendere con tutto il nostro sangue la tua faccia pallida, per un solo istante, perché tu ci vedessi, perché tu udissi il grido del nostro amore e del nostro dolore... Sorella! Sorella!». Segue la didascalia: «Egli si curva sopra la morta, chiamandola con un grido iterato e straziante... Non potendo più resistere a quel grido, Alessandro si leva,... va presso l'amico, s'inclina, gli mette una mano sulla fronte per sentire quella febbre, per calmare quel delirio che sembra il principio della follia». Alessandro e Leonardo sono ora entrambi inginocchiati accanto al cadavere, Leonardo divaga in ricordi teneri e soavi, poi, colpito da un altro ricordo, quello del giorno in cui si è reso conto della sua passione per la sorella, prorompe: «Ah quel giorno maledetto, dinanzi al fuoco... Perdono! Perdono!» Sentono dei passi, ora il pensiero di Anna li assale; Alessandro propone di ritornare alla casa ma Leonardo «stretto da un terrore invincibile» lo supplica di rimanere: «No, no, non andare, non mi lasciare...». Quando Anna sopraggiunge «i due sono incapaci di fare un gesto, di proferire una parola».

Nulla in questo Quinto atto indica l'esaltazione, anzi «l'estasi» libera-

---

morale e stilistica dell'autore stesso. Tutte le citazioni che seguono si riferiscono al Quinto atto, (I, 224-230).

[26] Tutte le citazioni del testo che seguono, fino alla fine del capitolo, si riferiscono al Quinto atto (I, 224-230).

toria annunciata nel *Fuoco*. Leonardo vaneggia, è invaso dalla follia, distrutto dal suo gesto; il presunto superuomo è solamente un uomo dolorante, tremante, atterrito, e la pietà fraterna di Alessandro conferma questa interpretazione.

Il conflitto tragico non può basarsi su idee astratte ma soltanto su passioni che nascono dagli istinti profondi della natura umana[27]. D'Annunzio ha compreso perfettamente le esigenze del genere tragico ed è per questo che durante la stesura dell'opera ha operato delle modificazioni, tanto da spostare il perno del nucleo tragico da un personaggio ad un altro[28].

Il personaggio di Anna, nella sua volontà di verità, è convincente e coerente sin dall'inizio con la sua sofferenza di donna non amata, che si sente responsabile dell'infelicità delle persone che ama. Anna vuole la verità, vuole vedere, far luce sulla trama di non-verità che l'avvolge. «Ah, non posso più vivere così; non posso più vivere, omai, se non nella verità giacché il lume degli occhi mi si è spento. Ebbene, diciamo la verità» (I, 185). Anna non è Tiresia, e vede soltanto una parte della verità, quella che la concerne personalmente, l'amore di Alessandro per Bianca Maria; ed è questa la verità che vuole svelare. Ma la verità non sa essere parziale, travolge le difese, scava negli abissi, scopre segreti mostruosi ed imprevedibili. Ciò che Anna non ha visto/previsto è la passione incestuosa di Leonardo. La rivelazione dell'amore tra Alessandro e Bianca Maria suscita nuove e irresistibili angoscie in Leonardo: la gelosia, il terrore di perdere la sorella, l'orrore di immaginarla tra le braccia di un altro uomo. Nella tragedia la sua decisione di sopprimere Bianca Maria nasce da questo nuovo nodo di verità che ora l'opprime, e non da una astratta lotta contro il destino.

In certo modo il crimine di Leonardo è un incidente che precede la catarsi. Come la tragedia di Sofocle non si conclude con il suicidio di Giocasta, strumento e vittima innocente di una serie di avvenimenti che la travolgono, ma con la cecità di Edipo, così la tragedia dannunziana non si risolve con la morte di Bianca Maria ma con il grido di Anna: «Ah, vedo, vedo!»[29].

---

[27] Mi riferisco alla tragedia e non al dramma borghese. «La tragicità immanente al mondo borghese non ha le sue radici nella morte, ma nella vita stessa». Peter Szondi, *Teoria del dramma moderno*, cit., p. 24.

[28] La centralità del personaggio di Anna è ancora confermata dalla decisione di D'Annunzio di affidarne l'interpretazione prima a Sarah Bernhardt e poi ad Eleonora Duse.

[29] Il personaggio di Anna inizia la serie di «eroine» che D'Annunzio svilupperà nel suo teatro.

2.

«*I sogni*»

I «Sogni» fanno parte di uno dei tanti progetti di D'Annunzio rimasti incompiuti[1]. Delle quattro opere previste per il ciclo «I sogni delle stagioni» soltanto due sono state completate: il *Sogno di un mattino di primavera* e il *Sogno di un tramonto d'autunno*.

I due testi presentano caratteristiche comuni, nella struttura e nella concezione, che li differenziano dal resto dell'opera teatrale[2]. Sono atti unici in cui l'azione drammatica è ridotta ad un'esile intreccio che si incentra su una donna, protagonista in assoluto, mentre gli altri personaggi sono ridotti a pure funzioni[3]. Manca la componente maschile, sottintesa ma cospicuamente assente dalla scena[4]. «Poemi tragici», li definisce D'Annunzio, per la loro insistita liricità che tende verso il tragico senza risolversi in azione. Il dramma, scenicamente inesistente, è presentato come un sogno e di un sogno ha tutte le caratteristiche. Gli avvenimenti,

---

[1] Dopo *I romanzi della rosa* che comprendono *Il piacere*, *L'innocente* e il *Trionfo della morte*, D'Annunzio intendeva completare altre due trilogie: *I romanzi del giglio* e *I romanzi del melograno*. Del secondo ciclo fa parte soltanto *Le vergini delle rocce* e del terzo *Il fuoco*. Nel ms. 766 dell'«Archivio del Vittoriale», si trova infatti la stesura del progetto che avrebbe dovuto comprendere: «Sogno di un mattino di primavera», «Sogno di un meriggio d'estate», «Sogno d'un tramonto d'autunno», «Sogno di una notte d'inverno».

[2] In questo saggio, la presentazione dei drammi di D'Annunzio segue un criterio cronologico ad eccezione dei *Sogni* per l'affinità teatrale di queste due opere.

[3] Come nota A. Guidotti, sul finire del secolo la misura dell'atto unico affascina la maggior parte dei drammaturghi europei e sembra «il mezzo scenico più adatto per le nuove sperimentazioni post-naturaliste», *Strutture sceniche e strutture narrative nei due «Sogni» dannunziani*, «Rivista italiana di drammaturgia» 1978, p. 17.

[4] Cfr. l'ottimo capitolo di R. Barilli: *I temi del teatro*, *Op. cit.*, pp. 145-192.

narrati o rievocati dai personaggi, affiorano frammentari attraverso un linguaggio spezzato, allusivo e visionario, senza continuità causale. Nulla
accade sulla scena; l'avvenimento o è già accaduto, e ce ne giunge soltanto l'eco attraverso la memoria, o avviene altrove, in un altro luogo ed è riportato da voci interposte. In entrambi i casi l'impatto dell'azione è registrato dalla protagonista come emozione totale, in un presente assoluto
che annulla i limiti spazio/temporali. L'avvenimento, allontanato nel tempo o nello spazio, è sottratto al pubblico e l'illusione scenica, sogno dello
spettatore, si raddoppia nel sogno drammatizzato della protagonista produ-
cendo un doppio sogno. Come osserva Valesio: «The object of this dream
is a completely displaced action, an action that does not take place before
the eyes of the chorus. It is the myth, or more precisely the dream of an
action»[5].

La critica tradizionale, ligia ai principi dell'estetica naturalista, ha inevitabilmente stroncato queste due opere per i ben noti motivi: mancanza di
intreccio, personaggi senza spessore psicologico, staticità, teatro di parole
e non d'azione. Ma già De Michelis aveva afferrato tutta l'importanza del
teatro di poesia di D'Annunzio che, novità in assoluto nel teatro italiano
dell'epoca, si innesta sulla più vasta esperienza della scena europea[6].

La critica contemporanea ha rivalutato i due «Sogni» che, per l'intensità lirica del linguaggio e l'atmosfera onirica ed allusiva, sono assimilati
al movimento simbolista o addirittura espressionista[7]. L'estetica predomi-
nante può essere discutibile, ma senza dubbio le due opere rappresentano
una punta estrema del rifiuto di D'Annunzio del naturalismo e dello psicologismo imperante in quella fine di secolo.

Sogno di un mattino di primavera

Composto in soli dieci giorni ad Albano Laziale nell'aprile del 1897 e
pubblicato sul «Convito» nello stesso anno, il *Sogno di un mattino di primavera* è stato rappresentato dalla Duse a Parigi il 16 giugno 1897[8]. La

[5] P. Valesio, *The Dark Flame*, Yale University Press, 1992, p. 49.

[6] E. De Michelis, *Op. cit.*, p. 185.

[7] A. Bisicchia, *Op. cit.*, p. 13. Per una rivalutazione delle due opere cfr. Angela Guidotti, *Strutture sceniche e strutture narrative nei due «Sogni» dannunziani*, «Rivista italiana di drammaturgia», 1978, pp. 17-31: R. Barilli, *Op. cit.*, pp. 147-152; P. Valesio, *Op.
cit.*, pp. 47-50; A. Bisicchia, *Op. cit.*, pp. 3-15.

[8] Sarà pubblicato da Treves nel 1899.

performance del *Sogno* precede infatti quella della *Ville morte* di qualche mese[9]. È dunque con questa opera che D'Annunzio stabilisce il suo primo contatto con il pubblico.

L'atto unico, diviso in cinque scene, si svolge «in un loggiato vasto, in un'antica villa toscana, detta l'Armiranda...» (I, 3) di cui le didascalie danno precisi dettagli: tutto è accuratamente specificato: l'architettura, il pozzo, le statue, i vasi e fiori che adornano il loggiato.

Le indicazioni escludono qualsiasi notazione che possa suggerire un'epoca storica; il loggiato descritto nelle didascalie potrebbe appartenere all'epoca medioevale o moderna in modo che gli avvenimenti, sganciati da ogni riferimento cronologico, sembrano fluttuare tra realtà e leggenda.

Il giardino si apre su un vasto sfondo boscoso: «A traverso un cancello di fondo si scorge un bosco selvaggio ove il sole gioca al mattino: visione di forze e gioie senza limiti» (I, 3). Si stabiliscono così sulla scena due piani distinti, il loggiato chiuso e il bosco aperto, che tuttavia non sono realmente separati e permettono quindi all'autore «di far muovere i personaggi in una dimensione ora reale e ora onirica»[10].

La vicenda rappresentata evolve da un antefatto cruento. Donna Isabella ha amato un uomo, Giuliano, che è stato ucciso dal marito tra le sue

---

[9] *La ville morte* è stata rappresentata a Parigi da Sarah Bernhardt il 16 gennaio 1897. La stesura di questo primo *Sogno* merita qualche riferimento biografico. Sono noti la delusione e il risentimento di Eleonora Duse per la mancata «Prima» della *Città morta* che D'Annunzio aveva affidato a Sarah Bernhardt. La riconciliazione tra l'attrice e il poeta era avvenuta grazie all'intervento del comune amico, conte Primoli, nella primavera del 1897. Eleonora Duse, che nel frattempo era stata invitata dall'attrice francese a recitare nel suo stesso teatro, la Renaissance, esitava ad accettare l'invito, conscia della sfida implicita; si trattava infatti di misurarsi con la rivale sul suo proprio territorio. William Weaver, nella sua attenta biografia di E. Duse, riporta a questo proposito il dialogo tra Eleonora e Gabriele che l'incitava invece ad accettare l'invito:

G.: Your hesitations have no further reason to exist, when the doors of the Renaissance are being opened to you by Sarah, la Magnifique.

E.: Well then! To honor the Queen of Poets, provide me with some rhythms and images. Improvise a work of poetry for me!

G.: You cannot be serious! In a week? It's madness!

E.: Then write me a madwoman's part.

G.: Will you go to Paris?

E.: Only at that condition.

G.: Then we must try to satisfy you.

E.: I want a formal promise.

G.: Very well! In ten days you will have your madness!.

Weaver, *Duse*, New York, Harcourt Brace Joanovich, Publishers, 1984, p. 146.

[10] A. Guidotti, *Op. cit.*, p. 21.

braccia. Per tutta una notte Isabella ha tenuto su di sé il corpo dell'amante e il sangue di lui ha impregnato i suoi capelli, il suo corpo e la sua mente. Dopo la tragica notte è impazzita ed ora vive con la sorella Beatrice nella casa di campagna in stato di dolce demenza; parla con le foglie e crede di essere una di loro. La pace claustrale delle sorelle è incrinata dall'improvvisa comparsa di Virginio, il fratello di Giuliano che Beatrice amava. In un primo tempo sembra che il giovane sia ritornato per lei, ma è invece Isabella quella che ama ed è venuto per cercare di strapparla alla follia e ricondurla alla vita. Il medico che cura la Demente, contando sulla somiglianza tra i due fratelli, vede la possibità di un esperimento per rompere l'incantesimo in cui vive Isabella e organizza un incontro tra i due[11].

Per un attimo Isabella identifica Virginio con il fratello, la sua coscienza si risveglia e il ricordo rivive e l'orrore; poi il sogno la riprende cancellando il passato[12]. La presenza di Virginio, il recupero della ragione, l'illusione/delusione che l'accompagnano non sono che una breve parentesi, Isabella ricade definitivamente nella follia e riprende il percorso intrapreso verso una totale metamorfosi.

Oltre alla protagonista, sulla scena si muovono sei personaggi (i giovani servi, Simonetta e Panfilo, la nutrice Teodata, il dottore, la sorella Beatrice e Virginio) la cui sola funzione è narrativa o di sostegno. Questi personaggi, pur appartenendo al piano della realtà, assecondano la follia di Isabella nei gesti e nel linguaggio tanto da sembrare essi stessi prigionieri dello stesso incantesimo. Non c'è un nodo drammatico ed il conflitto, se mai, può essere identificato tra le forze della ragione che tentano inutilmente di spezzare l'impulso che guida Isabella verso l'indifferenziato. Il fatto tragico, accennato da Simonetta e Panfilo nella prima scena, è ripreso nella seconda dal dottore e dalla nutrice Teodata e viene infine rievocato dalla protagonista nella terza, ma come una realtà filtrata dal sogno.

Isabella parla al dottore di un sogno della notte precedente che richiama alla sua memoria un'altra notte; poi, la vicenda che pare riaffiorare alla sua coscienza trascolora nella storia di Dianora, una storia simile alla sua, ma leggendaria[13]. L'avvenimento sfocato si allontana nel tempo e ri-

[11] Qualcosa di molto simile all'esperimento tentato dal dottore nell'*Enrico IV* pirandelliano, come ha notato G. Bárberi Squarotti, *La scrittura verso il nulla*: *D'Annunzio*, Genesi, 1992, p. 62.

[12] Riconoscendo Virginio, Isabella rivive la notte d'orrore e la evoca in tutti i suoi dettagli: il sangue che la inondava, le sue grida strozzate perché non la separassero dal corpo amato, la morte che la possedeva.

[13] Una statuetta della testa di Madonna Dianora è particolarmente cara ad Isabella

petendosi in echi lontani sembra confondersi con tutte le storie di amore e di morte; ma il colore rosso di una coccinella o di un fiore, sono gocce di sangue che riportano la tragedia al presente vivo delle emozioni di Isabella e la gettano nello sgomento.

Il tema centrale dell'opera è la progressione della protagonista verso un panismo metamorfico, il suo uscire dall'«io» per congiungersi al tutto. L'avventura umana di passione e di sangue ha sconvolto il suo essere; il sangue di Giuliano è stillato su di lei che lo ha accolto e fatto suo per continuare la vita dell'uomo amato in una forma di simbiosi. Il trauma ha agito in profondità bloccando in lei la coscienza individuale e aprendola ad una nuova dimensione di vita. Attraverso un processo di «straniamento» la giovane donna ha represso i dati razionali della coscienza, i meccanismi dell'Ego e della memoria[14]. «De-mente» significa appunto l'allontanarsi dalla «mente» razionale per liberare le forze segrete dell'inconscio[15].

A contatto con gli elementi della natura Isabella cancella i ricordi personali; il bosco, l'acqua, la luna le sono amici; ha passato giorni a far «macerare» i capelli biondi nell'acqua del ruscello e li ha esposti alla luna

che crede di vedere l'ombra di Dianora che ancora si aggira sulle terrazze della villa e si riconosce in lei. Eroina leggendaria di una storia d'amore tragico, Dianora è stata uccisa dal marito, Messer Braccio, per aver amato Palla degli Albizzi. Mentre attendeva l'amante sul balcone da cui pendeva una scala di seta, è stata sorpresa dal marito e impiccata al balcone con la stessa scala che testimoniava del suo adulterio, Ma il mattino seguente il capestro era vuoto; all'alba un pavone bianco si era involato dall'Armiranda. È lo stesso pavone che riappare a Isabella nel sogno. Il fantasma del *Sogno* ha ispirato a Hugo von Hofmannsthal la piéce *La donna alla finestra*, che porta sul frontespizio una citazione di D'Annunzio: «La Demente: Conosci la storia di Dianora? Il Medico: Vagamente. Non ricordo più». Citato da Andrea Bisicchia, *Op. cit.*, p. 11.

[14] R. Barilli adotta una terminologia freudiana per la scrittura di D'Annunzio che ritengo particolarmente illuminante per comprenderne il significato profondo. Discutendo il problema della «coppia», che si annuncia fin dalla *Città morta*, Barilli mette in luce la presenza della tematica dell'Ego e dell'Es nel dilemma morale che si dibatte: «... è lecito tradire la moglie, da una posizione di tanto vantaggio, ingannarla in modo così spudorato e vile? Ma d'altra parte, è lecito, è morale bloccare gli impulsi a vivere, a seguire la chiamata dell'eros che viene appunto per rimettere in moto le forze fisiche e psichiche, per non consentire il loro ristagno? Ecco la tremenda problematica che sta alle fondamenta di una nuova etica, quando si è capito che l'uomo è servo di due padroni; non solo l'Ego, ma anche l'Es (ammesso che continuiamo ad adottare la terminologia freudiana, di cui D'Annunzio era ignaro; ma se in lui non c'erano i termini, la «cosa» appariva in tutta la sua pienezza...)». *Op. cit.*, p. 156.

[15] È di P. Valesio questa acuta analisi etimologica che chiarisce la portata della demenza di Isabella. «Italian *demente* "crazy" literally means "distanced from one's own mind". This state can introduce us to a deeper level in the life of the spirit». P. Valesio, *Op. cit.*, p. 50.

per farli imbiancare. Simonetta, la giovane custode, rievoca la notte appena trascorsa: «... Sono rimasta ore ed ore con lei, sotto la luna, a farle e disfarle le trecce. Ogni tanto mi domandava s'io le vedessi diventare bianche... Siamo rimaste così fino all'alba... Un chiaro di luna come non ne avevo mai veduti... Cantavano gli assiuoli... Mi si stringeva il cuore...». (I. 5)

Ora, Isabella va nel bosco con la veste verde che si è fatta donare da Beatrice per non impaurire le foglie e farsi accogliere come una di loro, come lei sente di essere: «Io potrò dunque con gli alberi, con i cespugli, con le altre erbe essere una cosa sola» (I. 29). I suoi sensi indirizzati verso altri stimoli si aprono a nuove percezioni e il rifiuto del *principium individuationis* l'ha condotta ad uno stato dionisiaco di ebrezza verde, «Vedo verde, come se le mie palpebre fossero due foglie trasparenti...» (I, 28).

Nell'ultima scena Isabella, nella sua veste verde, si è ricoperta le mani e il viso di foglie per penetrare sempre più a fondo nella sua nuova dimensione e sogna per la sorella «un sogno d'oro»; si attende di vederla passare con lo sposo nel bosco, in una radura magica, dove lei l'attende insieme alle altre foglie:

> Io non sono Isabella. Le cose verdi mi hanno presa per una di loro. Esse non hanno più paura di me... Noi vi aspettavamo nel bosco. Credevamo che voi passaste, l'uno a fianco dell'altra, parlando della vostra felicità. E volevamo essere infinitamente dolci, come non mai, sotto il vostro piede, sul vostro capo... Perché dunque ci avete deluse? Forse non saremo mai più così giovani e così leggere. Noi tremavamo tutte insieme, d'un tremolio continuo, perché il sole giocava con noi [...] tremavamo tutte insieme d'un tremolio incessante come se un riso inaudito fosse per prorompere da noi con uno scroscio repentino... Ah, perché allora non è passata Beatrice col suo sposo? (I, 40)[16]

Follia o ascesi? Il dottore, *raisonneur* e portavoce dell'autore, commenta: «Chi sa! Chi sa! Ella forse vive d'una vita più profonda e vasta della nostra. Ella non è morta ma è discesa nell'assoluto mistero. Noi non conosciamo le leggi a cui obbedisce ora la sua vita. Certo, esse sono divine» (I, 14)[17].

Nella vicenda di Isabella confluiscono motivi diversi: la tradizione letteraria, l'estetica simbolista, le teorie di Nietzsche sulla tragedia, le cono-

---

[16] Nel suo divagare di cose belle e serene, Isabella include l'immagine della sorella Beatrice con «il suo sposo», Virginio; un'immagine che fa parte del suo «sogno».

[17] Il *raisonneur* diventerà una figura tipica del dramma borghese di questo periodo. Cfr. i drammi di Pirandello.

scenze psicopatologiche dell'epoca, il tema della metamorfosi vegetale che già D'Annunzio aveva esplorato in *Canto Novo* e che resterà una costante nella sua scrittura[18]. Ciò che conta è che i vari motivi si fondono in poesia. Isabella appartiene alla schiera delle grandi eroine tragiche: Isotta, Ginevra, Francesca, Ofelia e la Isabetta del «testo di basilico»; come loro muore d'amore, muore alla realtà della logica umana ma rinasce alla vita più vasta della natura.

Sogno di un tramonto d'autunno

Dopo il successo della *Ville morte*, D'Annunzio ritorna all'atto unico con il *Sogno di un tramonto d'autunno*, che completa nel 1898 insieme alla *Gioconda*[19].

Pur mantenendo le caratteristiche generali del precedente *Sogno*, l'opera esplora un nuovo versante teatrale. Un commento di Andrea Bisicchia, che segnala componenti proprie all'estetica espressionista nei *Sogni*, pare particolarmente appropriato al secondo per l'esasperazione caratteriale, il parossismo delle passioni e l'accensione di colori[20].

Estese didascalie danno accurate indicazioni per la ricostruzione ambientale che in quest'opera è particolarmente significativa. La scena rappresenta l'atrio di una villa circondato da cancelli di ferro. Il luogo è sovraccarico di supellettili, torceri, tessuti damascati, tappeti, che creano un'atmosfera oppressiva e claustrofobica. Attraverso i cancelli si scorge un giardino con una densa vegetazione di foglie ingiallite, fiori sfatti, frutti troppo maturi. Nel centro, una scala a chiocciola mette in comunicazio-

---

[18] Commenta R. Barilli: «... pochi artisti si sono spinti tanto avanti, quanto D'Annunzio, nel rendere quell'obbiettivo di compenetrazione totale con la vita vegetale che offrì uno dei più suggestivi traguardi di tutta la stagione simbolista, i cui risvolti, soprattutto in materia di arti visive, furono il fitomorfismo, il florealismo, il culto dell'evergreen, il sempre verde». *Op. cit.*, p. 149.

[19] In questi anni il teatro è divenuto per D'Annunzio una passione dominante. Insieme a queste opere lavora anche a un «Sogno di un meriggio d'estate» rimasto incompiuto. Il *Sogno di un tramonto d'autunno* è stato pubblicato nel 1898 ma sarà rappresentato dalla compagnia Fumagalli-Franchini soltanto nel 1905.

[20] «È la situazione limite proposta dai due Sogni [...] che, al contrario di molti studiosi, ritengo due esempi importanti che possono facilmente catalogarsi tra i momenti più rivoluzionari del teatro di fine secolo e che, a mio avviso, per l'intensità lirica, per l'esasperazione caratteriale, per la brama di assoluto, per la struttura sognante, per l'accensione dei colori, anticipano, forse meglio di altre opere, l'esperienza espressionista». A. Bisicchia, *Op. cit.*, p. 13.

ne l'atrio con un altro livello, presumibilmente un loggiato, che però non è visibile. Il doppio livello permette così di stabilire due spazi, uno interno in cui si agita la protagonista, l'altro esterno di cui abbiamo soltanto la descrizione orale fornita dalla voce della camerista Pantella. La scala a chiocciola «in forma di torre rotonda», stabilisce un contatto tra i due livelli[21].

Fulcro del dramma è la protagonista, Gradeniga, attorno a cui si muovono gli altri personaggi: la camerista, le «spie», sette donne che portano informazioni dall'esterno, e la maga Schiavona. I personaggi secondari non hanno funzione drammatica per sé ma in quanto agenti mediatori tra i due livelli. È infatti attraverso il loro *reportage* che Gradeniga vede come in sogno ciò che accade all'esterno, ed è il suo sogno che l'illusione scenica presenta allo spettatore in un'ottica di doppio allontanamento.

La villa è la dimora sul Brenta della dogaressa Gradeniga che ci vive in esilio. È evidente che la donna, riccamente vestita e carica di monili, tenta inutilmente di negare il passare tempo; anche per lei l'estate della vita volge al suo termine e la casa e il giardino sono il correlativo scenico della sua decadenza. Ma l'autunno di Gradeniga è rovente, la donna brucia di «un desiderio frenetico di vivere e di godere» (I, 60).

L'antefatto, presentato in modo schematico e frammentario, è un episodio di passione e delitto in una Venezia ancora barbarica. Gradeniga ha aperto ad un giovane amante l'alcova e la strada del successo sacrificandogli il vecchio doge che ha eliminato con l'aiuto della maga Schiavona; ma raggiunto il potere l'amante l'ha abbandonata per la giovane e bella cortigiana Pantea. Nel presente teatrale, secondo le informazioni delle «spie», l'uomo amato sta discendendo il Brenta sulla nave di Pantea e Gradeniga, come una belva, urla la sua gelosia e prepara affannosamente la vendetta.

Le «spie» riportano nuovi dettagli, giunge la maga e la voce di Pantella, incalzata dalle domande di Gradeniga, descrive quanto sta avvenendo. Pantea ha sciolto i lunghi capelli ed ora sta danzando nuda sulla prua della nave. L'immagine di lussuria scatena un furore erotico tra gli equipaggi di altre imbarcazioni e ne nasce un tumulto; in una follia di sangue e di libidine gli uomini presenti si avventano gli uni contro gli altri e la strage infuria[22]. Il grido «Pantea! Pantea!» giunge dal fiume. Ma la maga, intanto,

---

[21] L'analisi scenica è basata sull'articolo della Guidotti già citato.

[22] Il richiamo alla *Salomè* di Oscar Wilde, rappresentata a Parigi nel 1896, è evidente. La scena di Pantea anticipa quella di Basiliola nella *Nave*.

ha compiuto il sortilegio, la nave è in fiamme e Pantea muore nel rogo con l'amante.

La scena sincronica ma invisibile è registrata dalle voci del coro femminile e commentata dagli ansiti di Gradeniga che assapora la vendetta.

Come nel sogno, lo scatenamento degli istinti primordiali senza più il freno delle inibizioni rivela il lato più oscuro e selvaggio dell'inconscio. Se in Isabella la repressione dell'Ego determina un'ascesa verso una vita più vasta, in Gradeniga provoca una discesa nell'abisso dell'Es[23]. La dogaressa desidera e odia con altrettanta intensità e violenza: thanatos è l'altra faccia dell'eros che si libera in lei con furia distruttrice. Ma la sua vendetta, se pur coinvolge l'uomo, è diretta soprattutto contro la rivale ignara e ancora sicura del suo trionfo. Pantea, evocata dall'odio e dalle insistenti domande di Gradeniga alle sue cameriste, è presente con la sua bellezza e la sua giovinezza; mentre l'uomo, oggetto del desiderio, scade nell'anonimato. Di lui non sappiamo nulla, neppure il nome. Gradeniga rievoca i giorni del loro amore con le parole della sua passione furente, ma la memoria ha registrato soltanto le sensazioni soggettive senza lasciare spazio alla persona dell'altro.

Pareva ch'egli dividesse le mie vene come i miei capelli, con la carezza delle sue dita... [...] Io ebbi per prima il tuo amore e la tua forza, chiunque sia la seconda, chiunque sia l'ultima: io sempre la prima! E che importa ch'ella sia bella, ch'ella sia più bella? Io sempre per la prima! [...] Tu avevi terrore del mio desiderio e tu venivi a me con un passo obliquo. [...] Una notte io ti trovai abbattuto a traverso la mia soglia. Pianamente, come si monda una mandorla sino al bianco, io cercai allora la tua freschezza segreta. [...] Ah che sete e che fame senza fine io portai allora nelle mie vene, di te, della tua freschez-

---

[23] A proposito di Gradeniga R. Barilli propone un'interessante parallelo con Perdita, la Foscarina, del *Fuoco*: «Perdita, nel romanzo, si muove in una prospettiva di rinuncia, di rassegnazione, arriva quasi ad accentuare il ruolo di Donatella Arvale, in un impulso di masochismo, affrettando da sé il momento di cedere, di ritirarsi in buon ordine. Forse una simile condotta doveva corrispondere di fatto alle strategie sentimentali di Eleonora Duse, vittima dei doveri imposti dal decoro, dall'alta società, che non consentivano una lotta selvaggia tra le pretendenti ai favori di uno stesso uomo. E non si deve mai trascurare una sincera devozione, da parte di Perdita-Eleonora Duse, al compito di Musa ispiratrice del genio che lavora, coll'obbligo di facilitargli in ogni caso gli *exploits*: [...] Questa nobile trama di sentimenti rivive nel *Sogno* a un livello di degrado; o meglio, come è proprio della dinamica onirica, non ci sono più i freni censori dell'Ego, o addirittura del Superego: la Gradeniga è una Duse-Foscarina che non si rassegna affatto, che non modera le pulsioni erotiche, ma al contrario le lascia prompere in maniera selvaggia, sfrenata». *Op. cit.*, pp. 151-152.

za! In sogno io bevevo e mangiavo la tua vita, come si beve il vino, come si mangia il miele. (I, 56-57)

L'amante, senza presenza fisica, senza parole, senza nome, è una proiezione del desiderio, un personaggio creato dalla fantasia erotica della donna, che è invece, lei, soggetto attivo ed autonomo, che lotta per il suo possesso. Sconfitta sul piano sessuale, Gradeniga vuole almeno la vendetta; l'amante è ormai soltanto un ricordo del passato, ma Pantea trionfante è la sfida viva e presente su cui si concentra la sua furia distruttrice.

Nel conflitto drammatico che emerge dal sogno di Gradeniga, l'uomo desiderato assume il ruolo tradizionalmente assegnato alla donna, come oggetto passivo disputato da forze antagoniste[24]. Si tratta di una novità che ribalta i ruoli codificati del teatro borghese che sempre prevedono la donna, oggetto del desiderio, contesa da due personaggi maschili.

Questa breve opera per la sua carica eversiva e per la sua posizione cronologica, proprio agli inizi della vocazione drammatica di D'Annunzio, assume un significato paradigmatico in quanto stabilisce una costante nella struttura del suo teatro: il triangolo rovesciato che invertendo il genere dei ruoli tradizionali, incentra sulla protagonista femminile il fulcro dell'azione.

---

[24] La posizione di soggetto o oggetto nella narrativa e nel teatro è strettamente legata al desiderio sessuale. M. Günsberg sviluppa ampiamente questo particolare aspetto del ruolo femminile: «Misconstruction of female identity into an object position necessitates the particular omission of a desiring female subject, for the reason that, "in revolt against the psychoanalytic mode of subject construction in which desire is articulated as exclusively male, it is female desire which is most disruptive. As lack, reflecting only men's desire, women are not permitted or even conceived of as having or owning their desire". (Forte, 1990, p. 259)». Maggie Günsberg, *Patriarchal Representations*, Oxford, Berg, 1994, p. 42.

3.

«*La Gioconda*»

Dopo il poema tragico e la tragedia mitica, D'Annunzio sperimenta una nuova forma teatrale, la tragedia contemporanea, e scrive *La Giocon-da*, quella che forse più di ogni altra sua opera si avvicina ai canoni del dramma borghese[1].

Abbandonata la sfera del vago e dell'indefinito, D'Annunzio situa l'azione «A Firenze e su la marina di Pisa nel tempo nostro» incentrando il conflitto sulla lotta di due donne che si contendono un uomo in nome degli opposti diritti dell'arte e della vita[2].

Lo scultore Lucio Settala è incapace di risolvere il nodo intellettuale, affettivo ed erotico che lo tormenta; dilaniato tra la passione per la modella Gioconda, sua musa e ispiratrice, e il debito amore che dovrebbe far

---

[1] *La Gioconda* è stata rappresentata per la prima volta a Palermo nel 1899, con interpreti Eleonora Duse ed Ermete Zacconi. Fa parte dunque di quel primo teatro dannunziano, tra il 1896 e il 1899, animato dall'apporto artistico e sentimentale di Eleonora Duse. È interessante notare che questo è il primo lavoro teatrale di D'Annunzio rappresentato in Italia. La novità dell'opera rispetto alle precedenti, rispecchia l'attento interesse di D'Annunzio al giudizio dei contemporanei. Accusato di sacrificare l'azione alla conversazione, l'autore produce quella che potrebbe definirsi *une pièce bien faite*. Cfr. Ruggiero Jacobbi, *Il teatro di D'Annunzio oggi* in «Quaderni del Vittoriale», vol. 24, 1980. La critica più recente è concorde nel notare le affinità di quest'opera con il dramma borghese naturalistico. Cfr. Renato Barilli, *Op. cit.*, p. 159, e Andrea Bisicchia, *Op. cit.*, p. 40.

[2] Nel giro di trent'anni lo stesso soggetto, il rapporto tra uno scultore e la sua modella, ha ispirato ben quattro drammi: *Quando noi morti ci destiamo* (1898), di Herik Ibsen; *La Gioconda* (1899), di Gabriele D'Annunzio; *La roccia e i monumenti* (1923), di Rosso di San Secondo; *Diana e la Tuda* (1929), di Luigi Pirandello. È ancora il critico teatrale A. Bisicchia che ci fornisce questa informazione e che traccia interessanti paralleli fra le quattro opere teatrali. *Op. cit.*, pp. 40-57.

lieta la consorte Silvia, tenta il suicidio. Benché il tentativo fallisca, le sue condizioni sono gravissime ed è Silvia che con le sue cure e la sua devozione lo riporta alla vita; Lucio, vinto dall'amore di Silvia, pare scordare la sua tormentata passione per la modella ma, dopo un breve periodo di buone intenzioni, ricade nell'usato dilemma. Quando una lettera di Gioconda l'avverte che la modella ha mantenuto «in vita» la nuova statua a cui stava lavorando, avvolgendo la creta in teli umidi per mantenerla duttile, il richiamo dell'arte e della passione lo travagliano nuovamente. Silvia avverte il turbamento di Lucio e decide di affrontare la rivale sul suo territorio, lo studio di Lucio. Nello scontro appassionato che ne segue, ognuna delle due donne difende i propri diritti sull'uomo amato. Silvia, sentendo di perdere terreno, mente deliberatamente e afferma che Lucio stesso l'ha incaricata di liberarlo dalla incomoda presenza della modella. La freccia va a segno; l'umiliazione di questo brutale «benservito» scatena la furia di Gioconda. Affermando la sua partecipazione all'atto creativo, la modella si precipita sulla statua della Sfinge, il capolavoro che lei stessa ha ispirato a Lucio, per rovesciarla. Silvia tenta di salvare l'opera, la sorregge in parte, ma le sue mani restano schiacciate dal peso della statua che si abbatte su di lei. Nell'ultimo atto Silvia, monca, si è ritirata nella casa di Marina di Pisa con la sua bambina, Beata, e pare abbandonarsi ad una sorta di metamorfosi; la natura l'accoglie con il suo dolore e la riassorbe in sé. Sul piano personale il suo sacrificio è stato inutile; Lucio non è con lei, insieme a Gioconda persegue i suoi ideali artistici.

Lucio Settala, come tutti i personaggi maschili del teatro di D'Annunzio, è un eroe votato all'irresolutezza. Incapace di «...vivere né con lei [Gioconda] né senza di lei», non sa che tentare di morire per sottrarsi al dilemma (I, 270). Dopo l'angoscia e il tormento, la conclusione del Primo atto pare sancire il ritorno della pace e della felicità coniugale; Lucio protesta la sua riconoscenza e devozione a Silvia che lo accoglie con gioia ed amore, ma la didascalia finale fa presagire nuove tempeste: «...Il tramonto sembra un'aurora» (I, 263). La luce incerta crea per Silvia e Lucio l'illusione di un giorno che inizia, di una vita che si rinnova, ma significa in realtà la fine di un giorno e la conclusione di una fase della loro vita.

Nel Secondo atto l'effimero momento di serenità è già trascorso e il rovello riprende. Lucio, che accanto a Silvia ha ricuperato la vita, ma una vita in cui la sua forza creativa si inaridisce, rivendica il suo diritto di rifiutare la bontà della consorte. Rivolgendosi all'amico Cosimo Dalbo che tenta di trattenerlo sulla retta via della felicità coniugale, Lucio pronuncia un'orazione in difesa della libertà dell'artista:

La bontà! La bontà! Credi tu dunque che il lume debba venirmi dalla bontà e non da quell'istinto profondo che volge e precipita il mio spirito verso le più superbe apparizioni della vita? Io sono nato per fare delle statue. Quando una forma sostanziale è uscita dalle mie mani con l'impronta della bellezza, l'officio assegnatomi dalla Natura è per me compiuto. Io sono nella mia legge, sia pure al di là dal Bene.[3] (I, 273)

Sono dichiarazioni astratte, certezze ideologiche che mal corrispondono alla sua indecisione sul piano pratico. Più convincenti suonano invece le sue parole nell'evocazione appassionata che fa di Gioconda Dianti. La modella è l'ispiratrice, l'impulso vitale da cui scaturisce la sua arte, la linfa che nutre il suo genio. La sola presenza fisica di Gioconda, i suoi movimenti, le sue espressioni scatenano in lui la forza creatrice che lo spinge a fissare nel marmo ogni suo atteggiamento. E quando l'amico osserva che avendogli ispirato la statua della Sfinge la modella ha esaurito la sua funzione, Lucio ritorce con foga:

Mille statue, non una! Ella è sempre diversa, come una nuvola che ti appare mutata d'attimo in attimo senza che tu la veda mutare. Ogni moto del suo corpo distrugge un'armonia e ne crea un'altra più bella. ... Comprendi? Un battito di palpebra ti trasfigura un viso umano e ti esprime un'immensità di gioia o di dolore. Le ciglia della creatura che ami si abbassano: l'ombra li cerchia come un fiume un'isola: si sollevano: l'incendio dell'estate brucia il mondo. (I, 274)

Poi, trascinato dall'onda dei ricordi Lucio Settala rievoca una giornata passata con Gioconda a Carrara per scegliere un blocco di marmo:

Ricordo: era una giornata serena. I marmi deposti risplendevano al sole come le nevi eterne. Udivamo di tratto in tratto il rombo delle mine che squarciavano le viscere della montagna taciturna. Non dimenticherei quell'ora, anche se morissi un'altra volta... Ella si mise per mezzo quell'adunazione di cubi bianchi, soffermandosi dinanzi a ciascuno. Si chinava, osservava attentamente la grana, sembrava esplorarne le vene interiori, esitava, sorrideva, passava oltre. Ai miei occhi la sua veste non la copriva. Una specie di affinità divina era tra la sua carne e il marmo che chinandosi ella sfiorava con l'alito. Un'aspirazione confusa sembrava salire verso di lei da quella bianchezza inerte. Il vento, il sole, la grandiosità dei monti, le lunghe file dei buoi aggiogati, e la curva an-

---

[3] Le dichiarazioni di Lucio Settala riprendono i temi già enunciati da Stelio Effrena nel *Fuoco* e ripetuti da Alessandro nella *Città Morta*.

tica dei gioghi, e lo stridore dei carri, e la nuvola che saliva dal Tirreno, e il volo altissimo di un'aquila, tutte le apparenze esaltavano il mio spirito in una poesia senza confini, lo inebriavano di un sogno che non ebbe mai l'uguale in me... Ah, Cosimo, Cosimo, io ho osato gettare una vita su cui riluce la gloria di un tal ricordo! Quando ella tese la mano sul marmo che aveva scelto e volgendosi mi disse: «Questo», tutta l'alpe dalle radici alle cime aspirò alla bellezza. (II, 275-76)

Nell'universo dell'artista la donna, la natura e l'arte palpitano di una stessa vita multiforme e intensa che non può essere sezionata e ricostituita scartando un elemento e sostituendolo con un altro; è un tutto indivisibile, un'ebrezza panica che scaturisce dalle zone profonde dell'essere. Se in un primo tempo Lucio nega di amare Gioconda e tenta di giustificare l'impulso che lo spinge verso di lei nel solo nome dell'arte, in seguito, analizzando i suoi sentimenti e cercando di chiarirli più a se stesso che all'amico finisce per confessare: «Non nego, non nego. Vuoi ch'io ti gridi che l'amo?» (I, 270).

Tuttavia dichiarazioni, confessioni e ribellioni non si concretizzano in un gesto; pur essendo la causa del conflitto Lucio non ne è il protagonista e attende che altri risolva il suo dilemma. Nell'economia drammatica dell'opera il suo personaggio ha un ruolo ridotto, in quanto si limita ad esporre gli antefatti del conflitto che si scatena tra Silvia e Gioconda. All'inizio della tragedia il suo tentato suicidio è già avvenuto e il personaggio scompare letteralmente dalla scena a partire dal Secondo atto. Nell'ultimo atto sappiamo soltanto che lavora febbrilmente e che Gioconda è con lui. Come Lucio aveva intuito sin dall'inizio, Gioconda ha vinto: «Ella sarà sempre la più forte, ella sa quel che mi vince e quel che mi lega; ...» (I, 267). Quanto a lui non sa né sacrificarsi, né sacrificare. Secondo le parole dell'amico Lorenzo Gaddi, «Anch'egli ha il suo fato, e gli obbedisce. Come non fu padrone della sua morte, così non è padrone della sua vita» (I, 333); giudizio impersonale che tende a liberare Lucio da ogni responsabilità in nome del suo destino d'artista.

Le deuteragoniste del dramma sono Silvia e Gioconda che, simbolizzando i poli del binomio arte/vita esplorato dall'autore, costituiscono gli attanti del conflitto.

Nella grande scena del Terzo atto in cui le due donne si affrontano, Gioconda afferma con dignità il suo diritto su Lucio, altro da quello di Silvia ma non per questo volgare. Un diritto che le viene dalla certezza di amare e di essere amata, dalla sua fede nel potere creativo dell'eros pienamente vissuto. Non accusa, ma respinge le accuse con spietata lucidità.

All'inizio pronuncia anzi parole di rispetto e di ammirazione per la rivale. Silvia, forte dei suoi diritti morali, sociali ed affettivi, apre le ostilità e dopo aver descritto la modella di Lucio come una donna che «ha attirato un uomo nella sua rete con le peggiori lusinghe» e «lo ha travolto in un delirio torbido e violento», si rivolge ironicamente a Gioconda chiedendole: «La conoscete?» (I, 303-4). Gioconda risponde con calma misurata:

> Quella che io conosco è diversa. Soltanto perché è triste dinanzi a voi, ella parla a voce bassa. Rispetta il grande e doloroso amore che vi fa vivere; ammira la virtù che v'inalza. Mentre parlavate, comprendeva bene che soltanto per consolare un'indicibile disperazione la vostra parola figurava un'imagine così diversa dalla persona vera. Non v'è nulla d'implacabile in lei; ma ella stessa obbedisce a una potenza che può essere implacabile. (I, 304)

Ma quando Silvia l'accusa di essere responsabile del tentato suicidio di Lucio, Gioconda ribatte:

> Non io, non io l'ho spinto alla morte; ma voi stessa. Sì, per riscattarsi da un vincolo egli stesso ha voluto morire, ma non da quello che mi legava a lui: da un altro, dal vostro, da quello che gli imponeva la vostra virtù o la vostra legge e che lo faceva soffrire intollerabilmente. (I, 306)

Nella foga crescente le sue parole «si fanno sempre più pronte e stringenti, divenendo alla fine limpide e sottili» (I, 309); Gioconda da accusata passa ad accusatrice e rivendica il suo diritto a partecipare alla vita dell'artista in quanto strumento indispensabile della sua arte. Umiliata, e resa furente dalla menzogna di Silvia che praticamente la scaccia dal suo regno e la riduce a uno strumento intercambiabile nella vita dello scultore, Gioconda si ribella e rivolge la sua furia distruttrice non contro la rivale o l'uomo, ma contro la statua che è la realizzazione totale della sua collaborazione con l'artista. Atto perfettamente conseguente in tale personaggio.

In questo scontro drammatico, entrambe le donne fanno ricorso ad ogni mezzo per conquistare l'uomo, oggetto del loro desiderio, e giungono a trasgredire i principi in nome dei quali ognuna agisce; Silvia, mentendo, tradisce la sua dignità morale, Gioconda si rivolta contro l'opera d'arte.

Resta ora da stabilire chi è la protagonista, Silvia o Gioconda?

Tradizionalmente la critica ha concentrato il suo interesse sulla figura di Silvia, relegando Gioconda, personaggio considerato senza spessore psicologico, nella vasta categoria delle solite divoratrici di uomini, le Salomè del Decadentismo. Tra le due donne è indubbiamente Silvia che atti-

ra il consenso e le simpatie del pubblico per la sua capacità di amare, per-
donare e lottare; e persino il suo ricorso alla menzogna per piegare la resistenza della rivale le aggiunge un tocco di vulnerabilità che la rende più
umana. La moglie sacrificata ha «la parte bella», quella che commuove il
pubblico e fa piangere, tanto che tutto l'ultimo atto è un'apoteosi del suo
sacrificio.

Con strazio e con umiltà Silvia accetta la sua sorte e l'impegno di vivere per il suo ruolo di madre: «Avevo teso le mani troppo violentemente
verso un bene che m'era vietato dal destino. Non mi lagno, non gemo.
Poiché bisogna vivere, vivrò» (I, 330).

La tragedia si chiude con una scena di forte carica patetica: la figlio-
letta Beata, ancora ignara dell'orribile incidente, corre verso la madre e le
porge un gran mazzo di fiori che ha raccolto per lei, ma che Silvia non
può ricevere.

Il ruolo di Silvia è indubbiamente centrale a livello scenico; presente
in ogni atto, è lei che provoca la crisi sfidando Gioconda sul suo territorio.
Ma anche il personaggio di Gioconda, ricco di intensità, ha un forte rilievo drammatico; tanto da far dubitare che il giudizio negativo espresso dalla critica su questo personaggio nasca da una condanna moralistica dell'a-
more extra-coniugale più che da un'analisi spassionata del suo ruolo[4]. Se-

---

[4] Tradizionalmente la critica ha assegnato il ruolo di protagonista a Silvia, considerando Gioconda indegna di essere considerata un'eroina potenziale. Cfr. E. De Michelis, *Op.
cit.*, p. 190; Ilvano Caliaro, «Introduzione», *La Gioconda*, Milano, Oscar Mondadori, p. 22;
A.M. Mutterle, *Gabriele D'Annunzio*, Firenze, Le Monnier, 1982, p. 99. P. Puppa, pur no-
tando «la dinamicità» di Gioconda, la considera «... la marmorea musa»; giudizio contradditorio che non rende giustizia alla vitalità scenica di questo personaggio. Paolo Puppa,
D'Annunzio: teatro e mito, «Quaderni del Vittoriale», vol. 36, p. 138. L'«Appendice» all'e-
dizione Oscar Mondadori, 1990, p. 29, riporta a questo proposito: «Tramandano le cronache
che anche nella sede decentrata di Palermo l'indignazione moralistica contro D'Annunzio e
il suo estetismo morale riuscì a mobilitarsi disturbando lo spettacolo». L'ostilità verso questo personaggio non pare giustificata. Gioconda, credendosi sconfitta dalla rivale e letteralmente licenziata dall'amante, sente crollare interno a sé un mondo di certezze e tenta di ap-
propriarsi di ciò che le appartiene, sia pure attraverso la distruzione. Il suo grido: «E quella
statua che è mia, che m'appartiene, ch'egli ha fatta con la mia vita che ha spremuta da me a
stilla a stilla, quella statua che è mia... ebbene io la spezzerò, l'abbatterò!» suona coerente.
Divergenti dalla critica tradizionale sono invece i commenti di L. Granatella che coglie l'a-
spetto apollineo/dionisiaco dello scontro Silvia/Gioconda. Laura Granatella, «*La Gioconda» creazione fatale*, in «G. D'Annunzio: grandezza e delirio nell'industria dello spettacolo. Atti del Convegno Intenazionale», Torino, 21-23 marzo, 1988, pp. 87-101. Anche R. Barilli, che analizza il dramma senza preconcetti moralistici, assegna a Gioconda un ruolo
preponderante nell'economia drammatica dell'opera proprio per la sua carica erotica che
la rende il catalizzatore nella sintesi arte/vita. *Op. cit.*, pp. 160-164.

condo il registro tematico, Gioconda pare anzi contendere a Silvia non soltanto l'uomo ma anche il ruolo di protagonista.

Un'aura di mistero avvolge Gioconda che, nella sua unica apparizione nel Terzo atto, si presenta coperta da un fitto velo; ma la sua presenza, evocata dalle parole di Lucio, si fa viva e reale sin dal Secondo atto e tale resta fino alla conclusione. Il potere arcano della sua bellezza è ancora una volta confermato dal commento del pur fedele amico di Silvia, Lorenzo Gaddi: «[Gioconda] Era là, silenziosa. Quando uno la guarda, e pensa ch'ella è causa di tanto male, veramente non può imprecare contro di lei nel suo cuore; – no, non può quando uno la guarda... Io non ho mai veduto in carne mortale un così grande mistero» (I, 334).

Altri messaggi testuali indicano la centralità del personaggio a cominciare dal titolo particolarmente significativo: *La Gioconda*. A causa dell'articolo il nome assume un significato bivalente in quanto si riferisce sia alla pittura di Leonardo, sia a Gioconda Dianti, il personaggio dell'opera. Non è certo una coincidenza. D'Annunzio ha voluto stabilire l'importanza del personaggio e ampliarne il significato arricchendolo istantaneamente degli attributi della donna leonardesca, famosa per il suo fascino ambiguo e indecifrabile[5].

L'allusione al pittore è ancora reiterata nell'epigrafe: «Cosa bella e mortal passa, e non d'arte», un motto di Leonardo di cui D'Annunzio si appropria per indicare la preponderanza dell'arte sulla vita[6]. Il tema della bellezza medusea è infine ripreso nella «Concordanza», una lunga citazione dell'*Iliade* posta alla fine del testo, a riaffermarne il significato. I vecchi saggi di Troia osservano Elena che avanza verso le Porte Scee, ed uno di loro commenta: «Certo È GIUSTO che i Troiani e gli Achei da' bei schi-

---

[5] Il mito di Leonardo, un motivo dominante nell'orizzonte culturale europeo verso la fine del secolo, è evocato da D'Annunzio a più riprese nei versi della *Chimera* (1890). Un commento di Angelo Conti apparso sulla «Tribuna Illustrata» nell'agosto del 1890 esprime l'idea della bellezza secondo l'ottica del periodo: «La bellezza è sempre la Sfinge ed è sempre la Chimera, come dice un nostro poeta [...]. Forse anche Leonardo dipingendo quella sua donna dal sorriso enigmatico ha voluto esprimere la Natura bella e crudele [...] Tutto ciò che è sovranamente bello ci incatena con un fascino triste che nessuna scienza e nessuna psicologia potranno mai spiegare. E forse quel desiderio d'annullamento che nasce insieme con l'amore, è un pensiero di morte, è la prima carezza della Sfinge [...] L'arte sola può penetrare questi misteri dell'anima». Citato nelle ottime note a *Versi d'amore e di gloria*, I, p. 1136, a cura di Niva Lorenzini. Cfr. anche Laura Granatella, *Op. cit.*

[6] L'esatta citazione del motto di Leonardo: «Cosa bella e mortal passa, e non dura» è manipolata da D'Annunzio per intensificare il messaggio dell'opera.

nieri patiscano tanti mali e da sì gran tempo, a cagione di una tal donna; perocché ella somiglia in bellezza alle iddie immortali»[7]. La citazione intensifica il valore dei segni che convergono su Gioconda in una celebrazione della Bellezza validata dall'autorità di Omero. Da cui segue che, nell'ottica dannunziana, è inevitabile che la bellezza di Gioconda imponga il sacrificio di Silvia.

Potrebbe dunque sembrare che il messaggio della tragedia sancisca la vittoria dell'arte e della bellezza; in realtà la soluzione proposta da D'Annunzio è più complessa. Silvia, la moglie sacrificata, è sconfitta non soltanto dall'arte ma anche dalla vita, perché Gioconda rappresenta entrambe. «Sempre diversa», Gioconda è la vita nelle sue mille forme che Lucio vuole perseguire in mille statue; è la fiamma che anima il freddo marmo, la forza che impone una forma alla materia. E il suo potere è simile a quello fatale di Elena. La modella è l'amante e l'ispiratrice in cui l'attività creativa e lo slancio vitale dell'artista coincidono, mediati dall'impulso erotico.

Il compromesso che l'amore coniugale di Silvia implica, la separazione cioè tra la vita dell'artista e la vita dell'uomo sociale, è precario e finalmente impossibile; Lucio non può separare in se stesso l'uomo dallo scultore, in quanto soltanto passione e ispirazione liberamente vissuti conducono alla creazione artistica. Per D'Annunzio il conflitto si risolve non nel trionfo dell'arte sulla vita, ma nell'affermazione dell'unità indissolubile di arte e vita. Silvia propone a Lucio una felicità convenzionale, basata sull'amore legittimo e sui valori famigliari sanciti della società. Silvia è quella che dà, che accetta, che si sacrifica. Gioconda è quella che ispira, esige e giudica; non offre la felicità ma la vita, dono supremo fatto di gioia e di sofferenza.

Silvia è nobile ed eroica nel suo sacrificio, ma malgrado tutte le virtù di cui è dotata, manca al suo personaggio quella pulsione erotica che assicura invece il trionfo della rivale. Questa carenza, per quanto non esplicitamente dichiarata, si fa palese attraverso la fitta rete di segni che attraversa il dramma sia sul registro linguistico che scenico.

La Gioconda si sviluppa sotto un segno ricorrente nelle opere di D'Annunzio: le mani[8]. L'opera porta in epigrafe, oltre al detto di Leonar-

---

[7] È probabile che la traduzione dannunziana «è giusto» forzi il significato del testo omerico, che dovrebbe essere reso con «è naturale». Cfr. A. Bisicchia, *Op. cit.*, p. 45.

[8] Il motivo delle mani è ricorrente in D'Annunzio sia nella lirica che nella narrativa. L'immagine che conclude *La Gioconda*, e che è presa da Flaubert, riappare in una lirica del *Poema paradisiaco*, intitolata appunto «Le mani»: «Nel sogno immobilmente eretta vive/l'atroce donna da le mani mozze». *Versi d'amore e di gloria*, vol. I, p. 661. L'episo-

do, una dedica «A Eleonora Duse dalle belle mani»[9]. Ma anche le mani di Silvia sono celebrate dall'amico Lorenzo Gaddi che le paragona a quelle perfette di un busto del Verrocchio, «la donna dal mazzolino», e l'immagine forte, posta alla conclusione, è quella di Silvia, priva delle mani. Inoltre, la parola «mani» ricorre ben ventidue volte nel testo. La dedica, il sacrificio di Silvia, e l'uso iterativo del segno linguistico puntano chiaramente verso un significato iconico/simbolico.

La parola «mani», usata in contesti diversi, assume significati plurimi. Mani che creano quelle di Lucio nel tumulto della vita, ma anche mani «indebolite», impotenti a creare nel paradiso borghese del matrimonio, mani che donano quelle di Silvia, ma anche, secondo le accuse di Gioconda, mani «di bontà e di perdono che preparavano ogni sera un letto di spine» (I, 307), mani «molli» che «sanno fasciare di cotone l'anima» e ridurla a «un cencio inutile» (I, 312), mani che trattengono, mani che forse non hanno saputo solamente donare, che troppo si sono protese a chiedere, a reclamare doni vietati. Il significato ambiguo e contradditorio associato alla parola «mani» prepara l'ultima immagine, altrettanto ambigua, di Silvia mutilata. Le mani sacrificate rappresentano certo l'amore e la devozione di Silvia per Lucio, ma la loro rimozione simboleggia anche una carenza. È nelle mani infatti che risiede, in gran misura, il senso del tatto, sede per eccellenza delle sensazioni fisiche. L'amputazione delle mani sembra indicare in Silvia una incapacità di sentire fisicamente, una mancanza di sensualità in senso lato, che implica l'assenza della valenza erotica nel suo personaggio; componente vitale nell'ottica dannunziana, che riassume il conflitto e ne giustifica la conclusione, tragica ma inevitabile.

Il fulcro dell'azione pare spostarsi da Silvia a Gioconda e viceversa. Si è tentati di pensare che D'Annunzio abbia voluto mantenere una certa ambiguità creando due eroine. Sono entrambe due aspetti del femminile a cui inaspettatamente l'autore ne aggiunge un terzo: la Sirenetta[10]. Una de-

---

dio del sacrificio delle mani compare anche nel racconto «L'Eroe», *Novelle della Pescara*, Il Vittoriale degli Italiani, 1941, pp. 165-173. Claudio Marazzani rintraccia gli antecedenti del topos letterario negli scritti di Maeterlinck e Verlaine, in *Le mani, lo specchio, la Tentation de Saint Antoine: classicismo e simbolismo nelle tragedie dannunziane*, «Sigma», IX, n. 1-2, 1976.

[9] I risvolti autobiografici del dramma sono evidenti. La dedica sibillina sembra suggerire alla Duse, che proprio in quell'anno 1899 si era trasferita alla Capponcina, di non protendere troppo le sue belle mani verso doni impossibili.

[10] «La Sirenetta» è un nome evidentemente caro a D'Annunzio che nel *Notturno* lo sceglierà per designare la figlia Renata. Lo stesso personaggio ritornerà nel *Ferro* con un altro nome, la Rondine.

licata creatura, che sembra uscire da un sogno; «Una piccola pazza erran-
te», libera da passioni e da affanni umani che vive della natura e con la
natura e, non sapendo niente, sa tutto.

Il personaggio della Sirenetta, che appare subitamente nel Quarto atto,
è di natura lirica e, se da un lato esula dal mondo drammatico della vicenda, dall'altro gli conferisce un tocco di lievità poetica. Con la sua presenza porta conforto a Silvia; ride, parla parole poetiche e canta una filastrocca in cui sette sorelle iniziano felicemente la loro esistenza. Sei chiedono
troppo alla vita e finiscono miseramente,

> Ma l'ultima, che cantò
> per cantare solamente,
> ebbe la sorte bella.
> Le sirene del mare
> la vollero per sorella. (I, 322)

La filastrocca pare indicare la morale della favola: una sorta di saggezza superiore che accetta le crudeli leggi della natura senza giudicarle.
Silvia ha perso molto perché troppo ha voluto.

È una sorta di verità poetica che mal coincide con gli aspetti realistici
dell'opera. Dal punto di vista strutturale si può infatti notare una discor-
danza di tono tra il Quarto atto e quelli precedenti che rivela la stessa ambiguità notata nell'incerta definizione della protagonista.

D'Annunzio scrive *La Gioconda* sotto l'impulso di spinte diverse e
tenta un esperimento composito. Dopo gli esiti incerti delle sue prime
opere teatrali, vuole produrre un testo tale da assicurargli il successo pur
senza rinunciare alla carica eversiva della sua scrittura e alla sua filosofia
di vita fondata sulla libertà infinita dell'eros. Adotta quindi parzialmente i
modi del dramma borghese, esemplificato nel tradizionale triangolo, e affida al personaggio di Silvia l'elemento patetico di sicuro effetto, ma nello
stesso tempo delude le aspettative del pubblico dando la palma del trionfo
a Gioconda, il personaggio che più corrisponde alla sua sensibilità e che
istintivamente predilige.

La sua insofferenza del dramma borghese si rivela infine nel Quarto
atto. Lo spazio teatrale si sposta dagli interni chiusi della casa e dello studio di Lucio Settala, correlativi scenici della personalità di Silvia e di
Gioconda, allo spazio aperto della casa di campagna che si apre sulla marina di Pisa. La natura invade la scena con la Sirenetta e la corposità del
nodo drammatico si scioglie ed esala in poesia. Silvia, come Isabella, tende a spogliarsi del suo dramma personale per identificarsi con la natura.

4.

«La Gloria»

Durante questo periodo di intensa attività nel genere teatrale, D'Annunzio scrive un'altra opera, *La Gloria*, che viene rappresentata a Napoli il 27 aprile del 1899, circa 15 giorni dopo la prima di *La Gioconda*. In una lettera del 26 marzo dello stesso anno, D'Annunzio l'aveva annunciata a Treves in questi termini: «Torno con un bel manoscritto. Ho capolavorato. Questa tragedia nazionale è intitolata *La Gloria*. ...Questo manoscritto è destinato a sollevare grande rumore. La tua vecchia pelle di conservatore sarà presa da raccapriccio... Verrò a Milano per la prima della *Gioconda* e della *Gloria*»[1].

La sperimentazione continua; è evidente che D'Annunzio tenta tutte le strade per raggiungere quel contatto con il pubblico a cui aspira. È ora il turno della tragedia politica[2].

La Gloria si iscrive infatti al centro dell'avventura parlamentare del poeta ed è ispirata dai fermenti sociali di quella turbolenta fine secolo[3].

---

[1] «Archivio del Vittoriale», Lettere a Treves, Dattiloscritto, la lettera è datata «Roma, 26 marzo 1899».

[2] Come nota Bárberi Squarotti, la tragedia politica di D'Annunzio annuncia il teatro novecentesco politico-didascalico che avrà grande fortuna con Brecht e anche con Sartre e Camus. Giorgio Bárberi Squarotti, *La fiamma e l'ombra*, in *La scrittura verso il nulla*, Torino, Genesi, 1992, p. 258.

[3] Le vicende parlamentari di D'Annunzio sono note. Eletto deputato dalla destra nel collegio lettorale di Ortona nel 1897, nel 1900 passa clamorosamente alla sinistra in segno di protesta contro i provvedimenti reazionari che il governo Pelloux intende adottare in seguito ai tumulti e ai moti di ribellione che hanno marcato l'anno 1898. Nelle seguenti elezioni del 1900, D'Annunzio si presenta a fianco dei socialisti nel collegio elettorale di Firenze, ma non viene eletto. Si conclude così la sua breve carriera parlamentare.

Si presta dunque ad una lettura in chiave politica che trova d'altronde un preciso riscontro in note figure della scena italiana contemporanea, come rileva Riccardo Scrivano che esplora a fondo questa importante componente epico-politica dell'opera[4].

La tragedia, cinque atti in prosa, porta la dedica «Ai cipressi di Mamalus», la località nell'isola di Cipro in cui D'Annunzio aveva terminato il manoscritto con l'epigrafe «La Gloria mi somiglia», una citazione dal testo[5].

La vicenda è ambientata a Roma in epoca contemporanea, e al centro dell'azione sta il personaggio di Elena Comnèna. Discendente dell'antica famiglia degli imperatori di Trebisonda, erede di tutti i vizi d'oriente, bella, lussuriosa e perversa come la mitica Circe, Elena è una creatura spinta da tutte le bramosie[6]. Fermenti politici dilaniano la città provocando un tumulto di rivalità, cupidigie e speranze, e dalle vicende mutevoli emergono via via uomini di cui Elena si serve per mantenere il suo potere personale. Come moglie del vecchio despota, Cesare Bronte, Elena Comnèna ha spadroneggiato; ma quando avverte che la situazione politica è pericolante non esita ad avvelenare il suo protettore per favorire Ruggiero Flamma, il giovane capo-popolo rivoluzionario di cui diventa l'amante e la collaboratrice. Flamma trionfa, ma giunto al potere si svuota della sua carica energetica, esita e perde il controllo della situazione trasformandosi in un crudele tiranno. Quando scoppia una rivolta popolare, Flamma è incapace di fronteggiarla; malgrado gli incitamenti di Elena, rifiuta di apparire alla finestra per arringare la folla e chiede invece alla donna la morte che lui stesso non sa darsi. Elena allora lo uccide per offrirsi al nuovo capo, Claudio Messala, che emerge vincitore dalla nuova sommossa.

È la favola dell'antica Chimera, da cui l'eroe viene soggiogato, svuo-

---

[4] Riccardo Scrivano, *Finzioni teatrali. Da D'Annunzio a Pirandello*, Firenze, D'Anna, 1982. Anche Bárberi Squarotti mette in rilievo le componenti attualizzanti dei personaggi: «La didascalicità politica della vicenda esclude ogni preoccupazione di verosimiglianza anche se i personaggi hanno qualche riferimento alla realtà storica, essendo Cesare Bronte la controfigura letteraria di Crispi, la Comnèna della giovane moglie dello statista, che raccolse una notevole serie di presenze narrative come fonte di "scandalo" erotico-politico, dalla Serao a Pirandello». *Op. cit.*, p. 259.

[5] Di ritorno dall'Egitto, dove aveva accompagnato Eleonora Duse in una *tournée*, D'Annunzio si trattiene a Cipro per un breve soggiorno, durante il quale termina il manoscritto di *La Gloria*.

[6] Le origini di Elena Comnèna alludono all'idea di una Roma capitale più simile, per intrighi politici, amorosi e finanziari, a Bisanzio che alla Roma repubblicana. Bárberi Squarotti, *Op. cit.*, p. 258.

tato di forze e finalmente giustiziato, ma arricchita di nuove connotazioni che le conferiscono un significato paradigmatico di straordinaria attualità[7].

Ammessa la centralità indiscutibile del personaggio femminile, la critica ha rilevato nella schematicità astratta e nella mancanza di caratterizzazione del ruolo della protagonista la ragione prima dello scacco teatrale dell'opera[8]. Ma la concezione anti-realistica del ruolo non è casuale, è voluta. *La Gloria* non intende affatto rappresentare un dramma borghese in cui la donna, ennesima incarnazione di Salomè, oppone al vecchio il nuovo amante per poi tradirlo per uno più giovane e promettente; il suo significato è di natura allegorica[9].

La struttura della tragedia, stabilita non soltanto dai dialoghi ma anche, anzi soprattutto, dalle didascalie, si sviluppa secondo un'opposizione binaria tra forze storiche e forze atemporali. I personaggi, in quanto funzioni significanti, si dividono tra quelli che sono immersi nel divenire, come Cesare Bronte, Ruggiero Flamma e i suoi partigiani, uomini che vivono, soffrono e muoiono, e le entità atemporali che hanno una funzione astorica: la folla ed Elena Comnèna.

La folla, invisibile ma sempre presente, è una forza attanziale preminente nell'economia dell'azione drammatica[10]. Lo scenario dei vari inter-

---

[7] Sempre Bárberi Squarotti fa rilevare come l'attentato di un giovanissimo rivoluzionario contro il dittatore Ruggero Flamma, che oscilla tra il timore e la volontà di vendetta, in una sorta di nostalgia per la propria giovinezza, sia di una straordinaria modernità. *Op. cit.*, p. 260.

[8] La prima di *La Gloria* al teatro Mercadante di Napoli è considerata uno dei fiaschi più clamorosi della drammaturgia dannunziana. È probabile che all'insuccesso, dovuto alla schematicità dell'opera e alle tirate politiche alquanto ostiche per il pubblico dell'epoca, abbiano contribuito altri fattori: l'affrettata preparazione della performance (nemmeno due settimane), la mancanza di coesione della compagnia Zacconi-Duse, la povertà della messa in scena e i vistosissimi tagli che furono apportati al testo. Cfr. «Archivio del Vittoriale», ms. 1923, folio 24574. Le lettere di Eleonora Duse commentano eloquentemente la mancanza di organizzazione della compagnia. Il ricordo di questa sfortunata esperienza deve aver lasciato tracce profonde, perché la Duse eliminò quest'opera dal suo repertorio. Vedi William Weaver, *Duse*, New York, Harcourt Brace Jovanovich, 1984, pp. 213-214. A. Bisicchia, in particolare, offre un resoconto dettagliato dei commenti critici del tempo. Andrea Bisicchia, *Op. cit.*, pp. 59-63.

[9] G. Bárberi Squarotti ha notato come, a differenza di *Più che l'amore*, l'ambientazione romana di *La Gloria* non distrugga «l'aura tragica», grazie all'accurata esclusione di dettagli che rapportino al quotidiano. *La fiamma e l'ombra*, cit., p. 259.

[10] La Città e la Folla sono sinonimi di una stessa forza; l'una è il complemento dell'altra. La parola Città appare sempre nel testo con la C maiuscola. La parola Folla, appare con la F maiuscola nella didascalia dell'ultimo atto (I, 452) ad indicare il processo di personalizzazione della moltitudine anonima.

ni, accuratamente indicato all'inizio di ogni atto, prevede sempre una comunicazione con l'esterno: Primo atto: «un balcone», Secondo atto: «una finestra aperta ma con le tendine abbassate», Terzo atto: «i vani profondi delle finestre» (nell'ultima scena Flamma si affaccia ad una finestra per rispondere ad una voce che lo chiama), Quarto atto: «un'apertura quadrata che guarda su una terrazza», Quinto atto: «il balcone aperto» del Primo atto.

È da queste aperture che penetra il respiro della città, una Roma eterna, sempre dilaniata da sommosse, tumulti, sempre preda dei demagoghi di ogni età. E la città si esprime attraverso le cento voci della folla che acclama, grida, gronda, minaccia, condanna. La folla non ha identità storica; uguale a se stessa attraverso i secoli è l'espressione di Roma e della sua plebe. «Roma! – commenta Daniele Steno, l'amico di Flamma – Noi ci agitiamo, mutiamo, passiamo: ella è immobile, sicura, antica; unica nata, in un giorno d'aprile, senza sorelle e senza fratelli nei secoli. E un'amante terribile. Si nutre con le midolle degli uomini forti. Il suo abbraccio è atroce come il dolore» (I, 439).

Anche la Comnèna pare vivere *sub speciem aeternitatis*. Già il fatto che nelle didascalie il nome Elena sia omesso indica un ampliamento della *dramatis persona* a scapito dell'individualità del personaggio. Evitando i dettagli fisici, le note descrittive tendono a precisarne atteggiamenti, pose, movimenti[11].

La Comnèna appare alla fine del Primo atto: «Nel drappo fosco, che le serra la persona strordinariamente pieghevole e vigorosa, in ogni moto rivela le lunghe onde che vi sono intessute. Ella non porta altro gioiello che una piccola testa di Medusa, scintillante come un usbergo» (I, 375), ma quando sorride, «il suo sorriso arresta il tempo, abolisce il mondo» (I, 375). Secondo i commenti dei seguaci di Flamma, che pure diffidano di lei, la Comnèna trasmette «l'idea di una forza che deve inevitabilmente andare a segno...». E una creatura «fatta per la guerra, con quel suo casco di capelli coerenti, con quella bocca che sfida senza aprirsi, con quel diamantino viso disperato. Se l'audacia avesse un viso sarebbe quello» (I, 361). Più che una donna reale sembra una forza, un'energia quasi disincarnata. E questa natura simbolica del personaggio emerge con particolare chiarezza dalle parole di Flamma; ogni suo commento fa risaltare la quali-

---

[11] Di Elena Comnèna sappiamo soltanto che i suoi capelli formano un casco, di un nero-azzurro intenso. La personalità della Comnèna è tutta espressa nel suo linguaggio, incisivo e tagliente. E interessante notare che una sua espressione: «Chi si ferma è perduto» passerà intatta nel repertorio di Mussolini. Anche un'altra espressione usata in questa tragedia «il clamore oceanico» della folla entrerà nella storia del ventennio.

tà misteriosa e inumana della personalità di Elena. Incalzato dalla donna che lo spinge a oltrepassare ogni limite per ottenere il controllo assoluto, Flamma esclama dapprima:

> Ah, tu sei giovane Elena, ma la tua anima è antica quanto il mondo! Tutta la vecchiezza del mondo pesa sui tuoi pensieri. Io avevo sognato un'altra gloria più nuova (I, 429);

poi, vacillante ormai nella volontà e nei propositi, confessa all'amico Daniele Steno:

> Non so, non so, non ti saprò mai dire... Qualche che cosa d'inumano e di mostruoso; una realtà dura, precisa, indubitabilmente perché opera, uccide, divora, devasta, e nel tempo medesimo un che di falso, di artificiato, di fittizio, di allucinante... (I, 441)

infine nelle sue ultime interrogazioni angosciate, chiede:

> Ma chi sei tu? chi sei tu? Non t'ho conosciuta mai. Morirò di te, senza conoscerti. Sei viva? sei estranea? hai il tuo respiro? O io medesimo t'ho fatta e tu sei in me? Come quella sera, quando apparisti, ora non mi sembri di materia umana. Chi sei tu? Prima d'uccidermi dimmi il tuo segreto. (I, 458)

Anche l'invettiva del vecchio Bronte morente insiste sugli attributi atemporali del personaggio:

> [...] (ti riveggo!) pallida, impura, vorace, riarsa d'orgoglio, carica di vendetta, affamata di potenza e d'oro... Secoli di fasto, di perfidia, di rapina s'inabissavano in te, sangue di traditori e d'usurpatori, razza micidiale. Ovunque tu toccassi, ovunque aderisse la tua carne d'inferno, pareva dovesse farsi una piaga senza rimedio. Eri il danno, il supplizio, la perdizione certa... (I, 396)

Elena Comnèna non è l'immagine della Gloria, anche se la Gloria le somiglia; Elena è il simbolo del potere, l'eterna sirena, immutata nei secoli, che corrompe ed usa i suoi schiavi per poi scartarli e sostituirli con altri più giovani e validi[12].

L'affermazione di Elena: «La Gloria mi somiglia» è dunque esatta;

---

[12] Anche Mutterle vede adombrato nel personaggio della Comnèna l'immagine del potere politico «concepito come violenza e morte». Anco Marzio Mutterle, *Gabriele D'Annunzio*, Firenze, Le Monnier, 1982, p. 100.

non indica infatti un'equazione ma solo una somiglianza, un'apparenza ingannevole, un'illusione (I, 458). Gli uomini che abbagliati si specchiano nel viso di Elena credono di vedere in lei la gloria, mentre la sua immagine rappresenta soltanto il successo personale, il labile momento di trionfo nell'alterno gioco delle vicende politiche, vana parvenza di gloria duratura[13]. Ciò che Elena promette richiede il sacrificio di ogni idealità superiore, obbliga ai compromessi più abietti, stravolge la personalità degli individui cancellando la primitiva purezza dello scopo. È una conquista che è fine a se stessa e in sé si esaurisce, senza aperture sul futuro. È ancora Flamma che in «un misto di frenesia e di lucidità» rivela l'essenza di Elena. Nell'ultima scena, mentre incita appassionatamente Flamma a giocare la sua ultima carta e ad arringare la folla, Elena sembra presa per la prima volta da una vaga compassione per la sua vittima imbelle. Ne segue un duetto significativo:

La Comnèna: Io t'ho amato.
Ruggero Flamma: Hai calpestato la mia vita con i tuoi piedi di bronzo.
La Comnèna: Ho amato la tua forza, il tuo orgoglio, il tuo furore di combattente. Avrei voluto un figlio da te...
Ruggero Flamma: Tu sei sterile.
La Comnèna: Un figlio che fosse nato del mio sangue...
Ruggero Flamma: Sei sterile.
La Comnèna: ...avrebbe potuto avere un gran destino.
Ruggero Flamma: Sei sterile. Tutta la vecchiezza del mondo è nel tuo grembo. Tu non puoi generare se non la morte. E pure io t'ho desiderata in tutti gli attimi, d'un desiderio implacabile. Ho vissuto in un turbine di fuoco. La mia sete uguagliava la tua aridità. (I, 456-457)

Tre volte Flamma rinnova la sua accusa di sterilità; una sottospecie di peccato originale che fa parte della nota requisitoria degli eroi dannunziani contro le loro antagoniste, ma che in questo contesto assume un significato particolare e si integra perfettamente all'allegoria dominante. La gloria è feconda di progetti che implicano una durata proiettata al di là dell'e-

---

[13] Per questa interpretazione della nozione di «gloria», mi valgo dello studio di Victor Santi, *La «Gloria» nel pensiero di Machiavelli*, Ravenna, Longo, p. 31. Il riferimento è giustificato da un commento di Giordano Fàuro, uno dei sostenitori di Flamma, che cita Machiavelli in relazione alla condotta della Comnèna: «Nessuno, certo, conosce meglio di lei "come gli uomini s'abbino a guadagnare o a perdere". Il Machiavelli sarebbe cotto di questa principessa bizantina, ti dico» (I, 405).

sistenza fisica dell'individuo; non così il potere che si ottiene attraverso il successo momentaneo e la sopraffazione. In questo senso il titolo dovrebbe essere letto in chiave ironica; «la Gloria» è l'eterna maschera che assume la sete di potere.

La schematizzazione estrema della Comnèna corrisponde dunque a un progetto drammatico preciso che vuole accentuarne le caratteristiche non-umane, per liberare il significato allegorico da ogni referenzialità e psicologismo, pur mantenendo la coerenza del personaggio.

Elena Comnèna e la folla, entità atemporali che si illuminano e si completano a vicenda, sono i cardini della tragedia intorno a cui gravita la realtà contingente degli altri personaggi.

Le voci dei partigiani di Flamma formano un coro che annunzia e commenta gli avvenimenti senza parteciparvi mentre le forze attanziali storiche che tentano di opporsi alle entità atemporali sono rappresentate da Cesare Bronte e Ruggero Flamma.

Il vecchio dittatore mantiene una sua grandezza; sapendo di essere stato avvelenato da Elena, con le ultime forze tenta di strangolarla e muore infine in piedi, stramazzando a terra «con uno strepito di ruina» (I, 401). Flamma, invece, sin dall'inizio è avvolto in una serie di indizi che puntano verso la sua debolezza intrinseca.

Ancor prima della sua entrata in scena, mentre la folla in tumulto aspetta la sua parola per agire, bruciare, distruggere, una voce del coro ci informa che Flamma si trova nella casa di uno dei partigiani dove è stato trasportato «quasi di peso» da due compagni, per «sottrarlo all'atroce tortura di quel trionfo» ed evitare una di quelle crisi convulsive che provoca in lui «l'orrore della folla»[14]. Il dettaglio, pur se concepito per preparare la crisi finale di Flamma, sarebbe gratuito se non intendesse denotare una debolezza congenita del personaggio.

In seguito il giovane capo-popolo accetta il compromesso che la Comnèna gli offre: morte per avvelenamento del vecchio leader, senza i rischi di una rivolta armata. E nella tregua che segue appare «esitante», non sa stabilire una linea di condotta, tergiversa tra i vari gruppi politici e finisce per sanzionare le direttive della Comnèna pur senza approvarle[15]. Sopraffatto dalle responsabilità, propone alla donna la fuga e l'esilio e finisce per invocare la morte dalle sue mani, come un dono. La folla, «il mostro»,

---

[14] L'episodio, che fa pensare a una crisi di epilessia, è riportato all'inizio del Primo atto da Giordano Fàuro, uno dei partigiani di Flamma (I, 359).

[15] E ancora Fàuro che commenta l'attitudine di Flamma: «Non torturato, ma esitante. Egli è al bivio» (I, 406).

per cui ha sempre provato un orrore fisico e un raccapriccio istintivo, lo minaccia ora di morte, e Flamma non può e non vuole affrontarla. Preferisce morire per mano di Elena.

Più che di viltà si tratta di incapacità ad agire, di disgusto di se stesso, di desiderio di annullamento. Certo, Elena l'ha svuotato della sua volontà, attossicato con il suo veleno, ma l'uomo era impari al compito che si era proposto. Le parole di uno dei partigiani di Flamma, l'artista Sigismondo Leoni, hanno un valore profetico che adombra un giudizio finale: «L'uomo che si perde non aveva in sé la forza di giungere alla meta. Chi ha quella forza, va fino in fondo, contro ogni insidia e ogni impedimento» (I, 405). È l'inettitudine dei competitori che consacra il compito di giustiziera della Comnèna. Coerente al suo ruolo, la donna dà con le sue mani la morte al vinto per offrirsi al vincitore, quasi ripetendo un rituale inesorabile.

Il ruolo simbolico della Comnèna si presta a interpretazioni multiple e potrebbe illuminare un livello di significazione più profondo[16].

La valenza erotica implicita nel personaggio si estrinseca in alcune immagini vibranti che illuminano singolarmente il rapporto di complementarità dei due sessi. Elena che si protende dalla tribuna per ascoltare la parola di Flamma è paragonata a «...un'arma formidabile e lucente, che

---

[16] Secondo Bárberi Squarotti, che vede nella tragedia un esempio di teatro didascalico-politico «L'eroe rivoluzionario è seguito nella parabola che va dall'azione grandiosa e mirabile [...] all'involuzione del potere del dittatore, che viene a compiacersi dell'eccezionalità e dell'assolutezza con cui può esercitare il dispotismo della sua volontà. Ruggero Flamma incarna perfettamente, anche nella veste e nella prospettiva del superuomo mancato, l'eroe rivoluzionario che diventa il dittatore crudele e, nel fondo, vile. Nei tempi non ancora maturi, la rivoluzione scade immediatamente nella gratuità e nella violenza dell'esercizio del potere». *Op. cit.*, p. 259.

Per Bisicchia invece non si tratta di tragedia politica «ma di tragedia dell'amore che, attraverso il corpo della donna vampiro, tende alla distruzione dell'uomo». *Op. cit.*, p. 66.

Barilli offre un'interpretazione che esplora il significato profondo del conflitto drammatico. «...la Comnèna, cioè il principio vitalistico, nella sua infinita *souplesse* e adattabilità, delusa dal maschio, che invece si irrigidisce, si arresta, dovrà sostituirlo con una presenza al momento più giovane, più intraprendente, salvo poi a pentirsi, in una fase appena successiva, e a ricominciare il gioco». Renato Barilli, *Op. cit.*, p. 165.

Secondo La Valva, la figura centrale del dramma appare confusa, perché «gravata di troppi simboli». Rosamaria La Valva, *I sacrifici umani*, Napoli, Liguori, 1991, p. 181. La studiosa si riferisce evidentemente alla didascalia che accompagna il primo apparire della Comnèna (I, 375) in cui D'Annunzio abbozza una presentazione del personaggio quale sede dei profondi impulsi naturali. La carica simbolica è certo intensa ma non contraddittoria.

chiede di essere brandita da un pugno invitto» (I, 361). Lei stessa ripete a Flamma: «Io sono la freccia del tuo arco. Mandami al segno» (I, 423). Elena è l'arma necessaria all'impresa che né Cesare Bronte né Ruggero Flamma sanno impugnare e che necessariamente si rivolge contro di loro[17].

L'impulso dionisiaco della donna, quasi un riflesso delle leggi della natura, attende quella direzione e quel controllo che dovrebbero essere il retaggio apollineo dell'uomo, perché è dall'unione dei due impulsi complementari che solo può nascere l'opera duratura[18]. Se l'uomo si rivela inetto, la forza vitale che nasce dal fuoco dionisiaco non può che scaricarsi in un ciclo di distruzione e creazione che perpetua il caos naturale.

La tragedia offre dunque una molteplicità di significati: inserita nella temperie del periodo storico può rappresentare il pessimismo dannunziano circa l'immaturità dei tempi e la conseguente impossibilità di un rinnovamento politico[19]; a un livello mitico, può essere letta come la vicenda esemplare dell'eterno travestirsi della sete di potere in immagini di gloria[20]; sul piano della dialettica uomo/donna indica un conflitto irrisolto. Ad ogni livello di lettura l'opera rivela la debolezza intrinseca del personaggio maschile, incapace di usare il potere per raggiungere una sintesi, la vera gloria.

---

[17] De Michelis ha acutamente notato che una simile immagine è stata precedentemente usata da D'Annunzio in *Sogno di un tramonto d'autunno*, quando il giovane si avventa contro Pantea issata nuda sulla prua della nave e la svelle «come si impugna un vessillo». Eurialo De Michelis, *Op. cit.*, p. 193, nota 26.

[18] La dottrina di Nietzsche, che riconosce nell'unione dell'impulso dionisiaco e del principio apollineo la forma sublime del mito tragico, pare qui riverberare anche sul rapporto uomo/donna. Cito da *La nascita della tragedia* un passaggio particolarmente appropriato: «E se in ogni importante propagazione di impulsi dionisiaci si può sempre avvertire come la liberazione dionisiaca dai vincoli dell'individualità si faccia sentire a tutta prima a pregiudizio degli istinti politici, fino all'indifferenza verso di essi, anzi d'ostilità, d'altra parte è altrettanto certo che il formatore di Stati Apollo è anche il genio del *principium individuationis*, e che Stato e senso della patria non possono vivere senza affermare la personalità individuale». Frederick Nietzsche, *La nascita della tragedia*, Milano, Adelphi, 1988, p. 137. Se la Comnèna rappresenta l'impulso dionisiaco è evidente che Flamma non è in grado di assumere su di sé il *principium individuationis*.

[19] E questa l'interpretazione di G. Bárberi Squarotti, *Op. cit.*, p. 259.

[20] Questa interpretazione ha quasi un valore profetico considerando i molteplici esempi dell'inganno gloria/potere che dittatori e capi-popolo ci hanno offerto durante questo nostro secolo.

5.

«Francesca da Rimini»

Nell'estate del 1901 D'Annunzio è in Versilia dove scrive *La Francesca da Rimini*[1]. È ormai nel pieno di quella sua straordinaria stagione poetica iniziata nella primavera-estate del 1899 che aveva annunciato a Treves sin dal novembre dello stesso anno: «mi abbandonai al fiume di poesia cui avevo resistito per tanto tempo». Che il testo della *Francesca* nasca in versi non sorprende dunque, in quanto corrisponde a una disposizione poetica che investe tutta una fase della sua scrittura[2].

La tragedia in cinque atti è una rielaborazione della vicenda dei due

---

[1] La prima della *Francesca da Rimini* ha avuto luogo al teatro Costanzi, a Roma, nel dicembre del 1901, con interprete Eleonora Duse, e il testo è stato pubblicato da Treves nel 1902. Il giudizio critico sulla *Francesca* è in generale poco favorevole. De Michelis ne coglie i toni malinconici che la riallacciano al «teatro di poesia» e la definisce «un'opera gentile», cioè senza molto nerbo. Secondo Mutterle l'azione «non raggiunge mai una reale drammaticità»; Bisicchia la considera «un passo indietro» rispetto alle opere precedenti; Barilli vede in Francesca «un eroina alquanto pallida e stinta» e in Paolo un ruolo di primattore «pallido e scialbo». Anche Valesio, che pure si sofferma a lungo sulla tragedia, ritiene che in quanto genere teatrale, la *Francesca* sia «poco persuasiva». La sua lettura si concentra sui passaggi particolarmente significativi che illuminano il rapporto Dante/D'Annunzio. Tra gli studiosi di D'Annunzio più recenti soltanto Mariano formula un giudizio positivo sull'opera: «Questa Francesca appartiene all'arte,... rimane». Opere citate: Eurialo De Michelis, *Tutto D'Annunzio*, cit., pp. 224-230; Anco Marzio Mutterle, *Gabriele D'Annunzio*, cit., p. 105; Andrea Bisicchia, *D'Annunzio e il teatro*, cit., p. 79; Renato Barilli, *D'Annunzio in prosa*, cit., p. 171. Emilio Mariano, *La Francesca da Rimini e i suoi significati*, «Quaderni del Vittoriale», 1980, p. 116; Paolo Valesio, *Dante e D'Annunzio*, «Quaderni dannunziani», 1988, pp. 191-222, ora in *The Dark Flame*, cit., pp. 87-114. Le citazioni sono tratte dall'articolo.

[2] La lettera a Treves è citata in *Versi d'amore e di gloria*, I, CXLII.

tragici amanti, resa famosa da Dante. C'è tutto: Ravenna e Rimini, Gianciotto, (Giovanni Ciotto) lo Sciancato, Paolo il Bello, il sottotesto di Lancillotto e Ginevra, il bacio fatale e molto di più: il *Commento* di Boccaccio, parecchi motivi del *Decameron*, cori e danze [3].

Nella sua drammatizzazione dell'episodio D'Annunzio segue la versione boccaccesca dell'inganno subito da Francesca che avrebbe creduto di andar sposa di Paolo, e non dello Sciancato; la vicenda si fa inoltre più complessa e il conflitto si allarga includendo nuove forze attanziali: un terzo fratello, Malatestino, e una schiava cipriota, Smaragdi.

La schiava, emissaria di quella Afrodite anadiomene sacra all'isola di Cipro, è la confidente di Francesca e i suoi silenziosi interventi, il suo tacito incoraggiamento, accentuano l'elemento erotico già implicito nell'episodio dantesco. Quanto a Malatestino, il personaggio ha un ruolo di primo piano nello sviluppo del conflitto. Il terzo fratello, il più giovane, è anche lui preso dalla bellezza di Francesca ed è il suo rifiuto a cedergli che lo induce a vendicarsi denunciando a Gianciotto i due amanti; come Francesca, alludendo ai tre fratelli, lamenta: «Ora il dèmone / in un fascio li ha presi; tre ne ha presi, / e me con loro» (I, 604).

L'azione si sviluppa in cinque fasi ben definite che corrispondono ai vari atti. Nel Primo atto, che si svolge a Ravenna, il fratello di Francesca, Ostasio, pattuisce il mercato della sorella per ottenere l'aiuto di cento fanti dal Malatesta e trama l'inganno che le farà credere che il bel Paolo è il suo sposo promesso.

Una torre fortificata a Rimini è lo scenario del Secondo atto. Gli uomini dei Malatesta preparano le balestre e il fuoco greco. Divampa una battaglia contro i ghibellini di Rimini a cui partecipano Paolo e Francesca stessa, affascinata dall'orrore del fuoco e della violenza. Tra il fumo e il tumulto, Francesca accusa Paolo di averla ingannata e Paolo le dice il suo amore.

---

[3] Per un'analisi esauriente delle fonti rimando a Eurialo de Michelis, *Pascoli, D'Annunzio e i vociani*, in *Dante nella letteratura italiana del Novecento*, «Atti del Convegno di Studi», Casa di Dante, Roma, Maggio 1977, pp. 9-50. Carla Ferri, *Studio sulle fonti della Francesca da Rimini*, in «Quaderni del Vittoriale», 1980, pp. 15-65. Paolo Valesio, *D'Annunzio versus Dante*, cit., pp. 88-117.

Il teatro romantico dell'Ottocento offre molti esempi di tragedie basate su spunti medievali, da Shiller a Goethe, a Kleist and Grillpazer. Anche in Italia fiorisce questo tipo di teatro medievaleggiante, con le eroine languide e melanconiche care al pubblico del periodo. Un noto rifacimento del dantesco Canto V, è la *Francesca da Rimini* di Silvio Pellico del 1815. Per più estese informazioni sull'argomento, cfr. A. Bisicchia, *Op. cit.*, p. 73.

Il Terzo atto si svolge nella camera di Francesca. È la primavera; le donne cantano e danzano cercando di riportare il sorriso sul viso della loro dama; Francesca, inquieta e malinconica, confida a Smaragdi il suo amore per Paolo e la sua angoscia per la tetra passione di Malatestino. Paolo ritorna improvvisamente da Firenze mentre Gianciotto e Malatestino sono assenti. È l'occasione per l'incontro che segna il loro destino; il libro di Lancillotto e Ginevra è sul leggio e la lettura termina con il bacio.

Nel Quarto atto l'azione si fa rapida e incalzante: Malatestino ricatta Francesca che gli resiste, esibisce la sua ferocia e denuncia a Gianciotto l'adulterio di Francesca. Con lui trama una finta partenza e un ritorno segreto nella notte per sorprendere gli amanti.

Nel Quinto atto è la notte, cupa di presagi; incubi turbano il sonno di Francesca che si risveglia e licenzia le sue donne. Smaragdi, eliminata da Malatestino, non veglia su di lei e nulla può arrestare il corso degli avvenimenti. Quando Paolo penetra nella stanza di Francesca, la trappola scatta; il duetto d'amore è interrotto dall'irrompere di Gianciotto che uccide i due amanti.

Gli episodi si avvicendano alternando scene immerse in un'atmosfera di languido erotismo, più sognato che vissuto, a momenti di furore cruento, battaglie, vendette, minacce e morte. D'Annunzio vuole ricreare in questa tragedia il mondo dantesco; imbocca infatti la strada indicata da Dante in direzione dei romanzi arturiani per l'episodio di amore, proiettandolo inoltre sullo sfondo di quella Romagna, irta di intrighi e di violenze, evocata da Dante[4].

La presenza di Dante è pervasiva; non si limita infatti ad offrire un modello di ricostruzione esteriore, ma penetra nel cuore stesso dell'opera come «un eco verbale continuo»[5]. Il testo della tragedia, pubblicato nel 1902, è l'indice di una elaborazione tesa verso il sottotesto dantesco che si rivela sia nel linguaggio intessuto di citazioni, isolate e riprese fuori contesto, sia nei componimenti poetici che lo precedono e lo seguono[6].

---

[4]   O anima che se' là giù nascosta,
         Romagna tua non è, e non fu mai,
         sanza guerra ne' cuor de' suoi tiranni;

Dante, *Inf.*, XXVII, vv. 37-38. Un noto dantista dell'epoca, I. Del Lungo, aveva immediatamente notato l'accurata ricostruzione storica del periodo comunale. Isidoro Del Lungo, *Medioevo dantesco sul teatro*, «Nuova Antologia», 1902, citato da E. Mariano, *Op. cit.*, p. 103.

[5] Paolo Valesio, *Op. cit.*, p. 191.

[6] Il testo della tragedia è seguito da un «Commiato» in cui l'autore, rivolgendosi direttamente al componimento poetico, lo invia a Sigismondo Malatesta (1417-1468), signo-

C'è innanzi tutto una dedica in versi «Alla Divina Eleonora Duse», in cui già l'epiteto «divina» è una velata allusione alla *Commedia*[7]. Seguono due sonetti disposti su pagine a fronte in forma di dittico: «Dante Alighieri a "Tutti i Fedeli d'Amore"», e «Paolo Malatesta a Dante Alighieri»; accostamento sorprendente, denso di implicazioni. Il sonetto «A ciascun'alma presa e gentil core», tratto dalla *Vita Nuova*, segna l'inizio ufficiale dell'attività poetica di Dante; D'Annunzio con il suo sonetto si pone quindi nella stessa posizione di risponditore che Guido Cavalcanti occupa nel contesto dell'opera dantesca. Posizione di per sé ambiziosa, in quanto Cavalcanti era non solo il risponditore ma il rivale del Dante stilnovista, resa ancor più audace dal fatto che D'Annunzio risponde per bocca di Paolo. Il personaggio, parlando ancor prima di esservi obbligato dal testo drammatico, si rivolta contro il suo autore che l'ha creato muto. In seguito il motivo è abilmento ripreso dal Paolo dannunziano che definirà se stesso «il mutolo», alludendo al suo doppio dantesco[8].

Basandosi su questi rimandi ambigui, Paolo Valesio afferma che: «Il centro della critica/ricreazione dantesca di D'Annunzio è Paolo»[9]. Il nuovo personaggio, alquanto complesso, si presta infatti a due interpretazioni: è un giovane impetuoso, vittima della passione? oppure è un fatuo seduttore che si avvale della sua bella apparenza messa accuratamente in rilievo da ricche vesti e ornamenti preziosi?

Paolo appare nell'ultima scena del Primo atto, annunziato come «lo sposo» e preceduto dalle lodi delle donne di Francesca che ne esaltano

---

re di Rimini e protettore delle arti. A lui si deve la costruzione del Tempio Malatestiano di Leon Battista Alberti. E da notare che nella strofe finale con cui termina la ballata, D'Annunzio definisce la tragedia «poema di sangue e di lussuria» (I, 708). Si tratta di un nuovo incastro di sottigliezze erudite, di rimandi incrociati. Un commento pertinente di questo straordinario lavoro è il telegramma inviato da D'Annunzio al Segretario della Camera del Lavoro di Viareggio: «Ha terminato oggi la sua grande fatica l'operaio della parola Gabriele D'Annunzio». Gabriele D'Annunzio, *Versi d'amore e di gloria*, (I, CXLII).

[7] Per tutti i commenti concernenti la canzone alla Duse, i sonetti e il personaggio di Paolo, riconosco con gratitudine il mio debito verso Paolo Valesio. Mi limito infatti a riassumere i concetti base della sua analisi che considero importante e definitiva. Cfr. *Op. cit.*, pp. 99-109.

[8] «E il mutolo ha percosso nella gola / tale che aveva la bocca troppo aperta / a farti scherno» (I, 572). Paolo allude qui ad Ugolino Cignatta che lui stesso ha abbattuto con un tiro di balestra. Ugolino aveva parlato troppo, in termini derisori, di Gianciotto. P. Valesio nota come i personaggi che si rivoltano contro l'autore non sono un monopolio di Pirandello. Paolo Valesio, *Op. cit.*, p. 104.

[9] P. Valesio, *Op. cit.*, pp. 102-103.

l'avvenenza, il portamento, l'eleganza del vestire e gli ornamenti preziosi. Commenta Garsenda:

> Egli è il più bello cavaliere del mondo
> veramente. Vedete com'egli porta la capellatura
> lunga che gli ricasca
> fin sulle spalle, all'angioina... (I, 525-526)

Questa prima introduzione del personaggio, tutta incentrata sulla sua persona fisica, è modificata dalle connotazioni di coraggio e sprezzo del pericolo che gli vengono attribuiti nella scena della torre. E da notare però che quando Francesca l'accusa di essersi presentato a lei «vestito di una veste che si chiama / frode nel dolce mondo» (I, 555), Paolo non nega, non la smentisce, volge invece il discorso sul tema della passione subitanea che la sola vista di Francesca ha suscitato in lui e sul dramma che ha vissuto conducendola a Gianciotto.

Nel Terzo atto sono le chiacchiere del mercante, mentre mostra a Francesca la sua mercanzia, a fornire indicazioni su Paolo. Nominato Capitano del Popolo a Firenze, dopo soli due mesi Paolo ha rinunciato alla carica ed è di ritorno a Rimini. Ancora una volta il mercante tesse le lodi della sua cortesia che ha conquistato le eleganti brigate dei fiorentini e attribuisce inoltre a Paolo un tocco di malinconia pensosa che lo fa ancora più bello agli occhi di Francesca[10]. L'insistenza sulla ricercatezza dell'abbigliamento di Paolo ritorna nelle didascalie della quarta scena del Quarto atto; insistenza giustificata da necessità sceniche, perché saranno proprio le sue ricche vesti che lo perderanno. L'improvviso ritorno di Gianciotto spinge Paolo, sorpreso nella camera di Francesca, a salvarsi attraverso una botola ed è la sua lunga sopravveste che, impigliandosi nei ferri della botola, lo imprigiona in una posizione grottesca con la testa che emerge dal foro.

La raffinatezza di Paolo e il suo gusto per gli svaghi letterari ed artistici sono messi in rilievo dal paragone inevitabile con il fratello Gianciotto, sempre in armi, sempre coperto di polvere ma che non manca di una sua rude grandezza. I commenti di Gianciotto a soggetto del fratello sono espliciti:

---

[10] Nel colloquio con Francesca che precede la scena del bacio, Paolo nomina alcuni personaggi che ha frequentato a Firenze: Casella, Guido Cavalcanti, Brunetto Latini e Dante Alighieri adolescente (I, 636-637).

Il Capitano
del Popolo in Firenze
apprese ogni virtù di cortesia,
ma lasciò la sua forza in riva ad Arno,
et ora meglio piacegli oziare
che travagliare. È sempre con i suoi
musici. (I, 656)

L'episodio della torre, per quanto presenti il personaggio in una luce positiva, non basta ad equilibrare gli altri commenti e le notazioni che lo riguardano. Paolo è caratterizzato da una certa mollezza di costumi, da un compiacimento vano del suo aspetto, da un estetismo raffinato che non esclude il coraggio fisico, ma che non modifica sostanzialmente la sua inerente mancanza di forza morale. Anche la sua passione per Francesca non si eleva al di là di «un disir folle». È quanto ripete nell'ultimo incontro, quando già la morte è in agguato:

O mia vita, non fu mai tanto folle
il mio desiderio di te. (I, 700)

che riprende puntualmente i versi di chiusura del sonetto iniziale:

E non Madonna, ahi, ma del cor pascea
Tal disir folle ond'io sempre l'offendo[11].

Il desiderio, sempre uguale a se stesso, è la cifra del personaggio. Potremmo dire di lui, in termini stilnovistici, che il suo «cuor gentile» non è immune dalla vanità e dalla frode[12]. Responsabilità, rimorso, esitazione, sono concetti estranei a Paolo, immerso in una sensualità senza progressione che, paga di se stessa, cancella il passato e ignora il futuro. Vuole godere la vita nella sua ebrezza senza curarsi delle conseguenze e le sue parole si disperdono in un'esaltazione sensuale della bellezza della donna amata[13].

Il personaggio di Paolo, pur nella sua complessità, da un punto di vista drammatico non presenta nessuna evoluzione, è statico. La sua funzione si

---

[11] Nel sonetto il tema della *Vita Nuova* si mescola al vocabolario della *Commedia*.

[12] P. Valesio aggiunge una terza dimensione al personaggio di Paolo: la frode che insieme al bell'aspetto lo assimila al dantesco Gerione, «la sozza immagine di froda».

[13] E. Mariano nota giustamente come il linguaggio di Paolo non si discosti da quello di Andrea Sperelli. Emilio Mariano, *Op. cit.*, p. 110.

limita alla sua apparenza esteriore che catalizza le aspirazioni e le azioni di Francesca.

Ben diverso è il personaggio della donna, protagonista incontrastata della tragedia, che sola con la sua passione affronta nei tre fratelli Malatesta la frode, la violenza e il tradimento.

Se il sottotesto dantesco conferisce a Francesca sin dall'inizio un atteggiamento di nobiltà appassionata, il personaggio si discosta in seguito dal modello su cui è plasmato e si sviluppa attraverso i vari atti:

- Attesa e folgorazione d'amore
- Offesa, violenza ed ardore represso
- Accettazione della passione
- Difesa contro le minacce e il tradimento
- Consapevolezza ed accettazione della morte.

Francesca è un personaggio compiutamente tragico per la cosciente analisi di se stessa e per la sua consapevolezza della progressione degli eventi.

Il palazzo dei Da Polenta, a Ravenna, con i canti delle donne, i racconti dei giullari, i fiori vermigli della corte, la dolce presenza della sorella Samaritana, presentano Francesca sullo sfondo di una Corte d'Amore, immersa nei sogni, totalmente ignara del brutale commercio che di lei sta facendo il fratello Ostasio. L'apparire di Paolo e la folgorazione amorosa sono preparati dall'atmosfera d'attesa, di sensualità pervasiva che la circondano. Il risveglio è atroce e rivela l'altro lato del temperamento dell'eroina; non c'è solo dolcezza in lei, c'è anche l'audacia che esclude la rassegnazione passiva. Il fascino della violenza, il gioco con la morte durante la battaglia dall'alto della torre, illuminano questo altro aspetto di Francesca. Il suo elogio del fuoco è il correlativo oggettivo di una fiamma di desiderio represso che anela ad ardere in un'esplosione di colori, sia pure consumandosi nell'annientamento finale.

Sensualità, violenza repressa, estenuazione dell'immaginazione nutrita delle immagini fascinose della letterature cortese, spingono Francesca a cercare l'incontro con Paolo, ed è Smaragdi che, con il suo consenso, lo chiama. Francesca, a differenza del suo doppio dantesco, è cosciente delle implicazioni del suo gesto, non tenta di giustificarlo a un livello di fatalità trascendente, e nella sua appassionata confessione a Smaragdi ne assume piena responsabilità. Anche se è vittima di un inganno, anche se la passione è un turbine travolgente, l'enfasi torna insistente sulla soggettività che governa i suoi impulsi:

> Eravamo
> tutti senza potere e dispietati

e miseri et ignari,
su la riva di un fiume,
incolpevoli tutti,
su la riva d'un fiume rapinoso.
Io lo varcai, da sola,
e di voi non mi calse;
lo trapassai, mi trovai di là.
E ci siamo disgiunti,
oimè, disgiunti né poi ricongiunti.
Ora io vi dico:
Non posso. E voi mi dite:
Rivarca, torna.
Io vi dico: Non so. (I, 602)

Esita tra la tentazione e il rischio; sente che un dèmone la tiene ma non sa più pregare e il peccato non esiste.

Anche la lettura del libro di Lancillotto del Lago perde, nella versione dannunziana, il potere magico che vince gli amanti. Francesca conosce la storia di Ginevra e se ne diletta come ad un canto ripetuto. Nel contesto della tragedia la lettura del libro Galeotto funziona quasi fosse un noto leit-motif, su cui Francesca modula la sua vicenda. Ma pur sentendo il peso della sorte che grava su di lei, Francesca non si abbandona ad una rassegnazione passiva.

Il movimento drammatico dell'ultimo atto, composto di tre sole scene, è tutto giocato sulle esitazioni e sui sùbiti trasporti di Francesca. Malgrado l'ostentata partenza di Gianciotto e di Malatestino, le minacce velate, la scomparsa di Smaragdi, gli incubi che l'opprimono sono per lei premonizioni della catastrofe imminente. Il sonno che la coglie all'inizio della notte è quasi un'inconscia difesa; Paolo, nell'ombra, attende solamente un segnale ma le donne vegliano e il dramma resta sospeso. Francesca si sveglia prima dell'alba e licenzia le sue donne, tuttavia Biancofiore insiste per rimanere con lei. La sua sola presenza scongiurerebbe il pericolo, ma Francesca dopo un'esitazione rifiuta l'offerta. È un primo passo verso l'accettazione della sorte: «E così vada s'è pur mio destino» (I, 650). Rimasta sola esita ancora, ma quando Paolo rompendo gli indugi penetra nella sua stanza, Francesca gli si abbandona in una sorta di ebrezza. Mentre Paolo si esalta in sogni di voluttà e di oblio, Francesca accetta la sua sorte e coniuga al passato la sua storia d'amore:

Prendimi l'anima e riversala;
perché la volge indietro,

verso quello che fu,
il soffio della notte;
la rivolge alle più lontane cose
la parola notturna,
e il bene che goduto fu m'ingombra
il cuore, e quale fosti
io ti veggo, non quale tu sarai,
mio bello e dolce amico. (I, 703)

Con le sue ultime parole, prima dell'irruzione di Gianciotto, Francesca rievocando la storia di Ginevra, pare dettare l'epigrafe della sua:

Dice
quel Libro, là dove tu non leggesti:
«Siamo stati una vita, e degna cosa
è che noi siamo una morte». (I, 704)

Ma Paolo è sordo alle premonizioni ed è ormai troppo tardi; il destino si compie.

Anche se è il marito a compiere fisicamente la vendetta, nell'economia del conflitto drammatico i ruoli attanziali spettano a Francesca e a Malatestino. Non certo a Gianciotto, di cui il fratello irride l'ottusa fiducia: «Nulla vedi, né t'entra nel cervello / ferrato alcuna punta di sospetto...» (I, 664). Personaggio per altro ben campato e coerente; un condottiero brutto e sciancato, dedito alla guerra ma non crudele. Quando nella scena finale spezza lo stocco con cui ha trafitto i due amanti, il gesto di deprecazione gli si addice, Gianciotto non gode del sangue versato.

L'antagonista di Francesca non è il marito che nel suo ruolo sanzionato dalla legge e dalla morale comune è quasi obbligato a una vendetta «annunciata». Il suo vero nemico, vizioso e feroce, è il giovane cognato. È questo il problema cruciale che incide sulla coerenza drammatica della *Francesca*. L'antagonista si rivela soltanto nel Quarto atto; troppo tardi per stabilire efficacemente i poli del conflitto. I primi tre atti si svolgono in un'atmosfera di trepidazione, passione, ansia ed esitazione; nulla, sia nell'azione sia nel linguaggio dei personaggi, segnala la presenza di una volontà esterna che ostacoli l'idillio dei due cognati. Gianciotto compare brevemente soltanto nel Secondo atto; incita i suoi uomini alla battaglia, approva le azioni del fratello Paolo e dispensa parole di lode alla sua «cara donna» per il coraggio che ha dimostrato. Tutto preso dalle rivalità comunali, sembra poco incline alla passione; non mostra né gelosia, né sospetto, né ferocia, sentimenti che potrebbero indicare in lui una minaccia potenziale. Assente nel Terzo atto, Gianciotto riappare nel Quarto per ricevere le rivelazioni di Malatestino, quando ormai il fratello ha pienamente assunto il ruolo di antagonista.

Malatestino è uno Jago, con in più la passione di Otello, che può soddisfare la sua sete di vendetta senza fare ricorso alla menzogna. Alla fine del Secondo atto, durante la battaglia, è portato in scena sanguinante; una terribile ferita gli costerà un occhio e sarà Francesca a curarlo fraternamente. La vicinanza e le sollecitudini della bella donna accendono in lui una passione tenace quanto perversa. La ripulsa di Francesca provoca la vendetta e Malatestino non conosce limiti nella ferocia.

Il Quarto atto, compiutamente drammatico, mette in pieno rilievo il personaggio[14]. Malatestino ripete a Francesca le parole del suo desiderio ossessivo per lei e quando la donna respinge con orrore le sue proposte, la minaccia:

> Bada!
> Bada, Francesca: oggi tu ti condanni. (I, 647)

Si odono le grida di un prigioniero, torturato nei sotterranei del castello, e a Francesca che lo supplica di far cessare quelle grida atroci, il cognato, accennando alla tavola imbandita che Francesca ha preparato per Gianciotto in partenza per una nuova missione, replica:

> Ascolta me! Giovanni
> parte a vespro per la podesteria
> di Pesaro. Tu gli hai apparecchiato
> il viatico.
> Ascolta. Io posso dargli
> un ben altro viatico... (I, 648)

L'angoscia di Francesca cresce davanti alle minacce, ai delitti che Malatestino ha in serbo, e lo accusa di aver dimenticato la sua devozione al fratello ferito, di mordere la mano che l'ha curato. La risposta di Malatestino, che nel frattempo ha staccato un'ascia dalla parete per fare giustizia

---

[14] Il movimento drammatico del Quarto atto è lodato da A. Bisicchia che commenta giustamente: «Se i primi tre atti fossero stati sintetizzati in cento versi la tragedia avrebbe potuto avere, con l'atto quarto, il più riuscito e il più drammatico, il momento più adatto per l'inizio di un'azione teatrale autentica». *Op. cit.*, p. 79. Anche E. De Michelis nota le qualità drammatiche di questo atto che loda «per l'asciuttezza di movimento e di parole». *Op. cit.*, p. 26.

sommaria del prigioniero, è ancora una domanda:

> Francesca, Francesca,
> ascolta: così certa
> è la morte nel filo di quest'arme
> che ho in pugno, com'è certa la vita
> nella parola
> che tu puoi dire ancora,
> la vita con le piene vene, intendi?
> e col vento e coi giorni di vittoria. (I, 650)

Ansietà e tormento sembrano subitamente abbandonare Francesca che risponde lentamente:

> Quale parola? Chi la potrà dire?
> Tu vivi di fragore.
> Dov'io vivo è silenzio. Il prigioniero
> non è lontano e solo
> come tu sei lontano e solo, povero
> carnefice, ebro di grida e di colpi!
> Taciturna è la sorte. (I, 650)

Malatestino tenta ancora una volta di piegarla ai suoi desideri:

> Ah, se veder tu potessi il volto
> della sorte sospesa!
> Un tristo nodo mi s'è fatto dentro
> il capo, un nodo di pensieri come
> di folgori costrette
> che colpiranno. Ascolta,
> ascolta! Che la tua mano mi tocchi,
> che i tuoi capelli si pieghino ancora
> su la mia febbre, e... (I, 650-651)

La risposta di Francesca è irrevocabile:

> Orrore! Orrore! (I, 651)

E Malatestino replica:

> Tal
> sia di voi. (I, 651)

Fino ad ora Malatestino ha usato il «tu» rivolgendosi a Francesca; il plurale «voi» significa la sua decisione di perdere entrambi, Paolo e Francesca. L'azione di Malatestino segue ora il corso della vendetta che ha decretato. Scende nei sotterranei dove il prigioniero continua a urlare la sua pena e ritornerà per offrirne a Francesca, con macabra ironia, la testa mozza[15].

La creazione di questo personaggio è un'innovazione brillante. Il dialogo tra Malatestino e Francesca è il più drammatico dell'intera tragedia e il confronto tra la sadica lussuria del giovane cognato e la purezza inerente al personaggio di Francesca non potrebbe essere meglio esplicitata. Il suo ruolo arricchisce inoltre l'azione altrimenti troppo lineare e aggiunge un'incognita alla nota vicenda modificandone sottilmente il significato.

Il conflitto apparentemente suscitato dalla trasgressione delle norme della morale sociale è degradato dall'intervento di Malatestino e la normatività appare come una frode governata dall'arbitrio della violenza. L'adolescente vizioso decreta la morte di Paolo e Francesca valendosi di un'arma, diremmo oggi, legale nella figura del marito tradito. Perché la morale ultima della favola, dallo scenario medievale a quello della società borghese dell'inizio del secolo, è pur sempre la stessa: la vendetta di Gianciotto è un delitto d'onore e come tale giustificato agli occhi della società[16].

Nel suo significato più ovvio e più banale, la storia di Francesca è dunque estremamente semplice; si tratta di una giovane donna di straordinaria bellezza e delicatezza d'animo che è venduta al miglior offerente. La sua decisione di seguire sogni ed impulsi è domata, o meglio soppressa; e l'ordine trionfa. Ma quale ordine? Quello di Malatestino?

Sei secoli dopo la creazione di Dante la tragica storia di Francesca da Rimini, nella ricreazione di D'Annunzio, pare colorarsi di nuove valenze che implicano un giudizio negativo sui valori normativi di una società cristallizzata[17].

---

[15] La testa mozza è evidentemente un omaggio alla *Salomè* di Oscar Wilde.

[16] Anche R. Barilli nota come il codice che governa «il delitto d'onore» non sia affatto mutato attraverso i secoli. *Op. cit.*, p. 170.

[17] R. Barilli cita questa opinione di D'Annunzio a proposito del matrimonio: «L'odio e l'amore, secondo la vecchia frase, sono i due poli della vita e dell'attività nostra. Per lo sfogo legale dell'amore la società ha trovato il matrimonio; per lo sfogo quasi legale dell'odio ha trovato il duello; cose medievali entrambe». R. Barilli, *Op. cit.*, p. 39.

6.

«La figlia di Iorio»

La figlia di Iorio è forse l'unica tragedia di D'Annunzio che abbia incontrato un pieno e duraturo consenso di pubblico e di critica. Le riprese della tragedia, prolungatesi fino agli anni ottanta, segnano infatti un record per il teatro di D'Annunzio [1].

L'opera in versi, è stata rappresentata per la prima volta al teatro lirico di Milano nel 1904, ottenendo «un vero, indiscusso ed esclusivo successo teatrale, testimoniato dai critici militanti del tempo presenti sia alla prova generale che alla "prima" affollata dal pubblico milanese» [2]. Secondo un articolo apparso sul «Corriere della Sera», pare che i risultati abbiano superato le aspettative. Il critico teatrale, G. Pozza, pur temendo un'accoglienza negativa da parte di un pubblico abituato a compiacersi «di piccoli intrighi scenici e di critica spicciola», conferma l'entusiamo del pubblico: «La folla, invece, non seppe resistere; seguì il poeta acclamandolo, trasportata da un nuovo piacere, da un nuovo entusiasmo» [3]. Il pubblico aveva dunque reagito spontaneamente all'impatto teatrale della tragedia, soggiogato dal potere del ritmo e della parola, secondo la suggestione che il termine «poeta», usato dal critico, implica.

Sul piano della critica, la peculiare qualità melodica della tragedia è stata unanimamente riconosciuta e D'Annunzio stesso ne ha illustrato le modalità: «La melodia primordiale, che si manifesta nelle canzoni popolari ed è modulata in diversi modi dall'istinto del popolo, mi sembra la più

---

[1] La tragedia è stata rappresentata nel 1987 al Teatro di Tindari. Per una panoramica delle rappresentazioni della *Figlia di Iorio*, cfr. Andrea Bisicchia, *Op. cit.*, pp. 94-118.

[2] A. Bisicchia, *ibid.*, p. 95.

[3] *Ibid.*, p. 95.

profonda parola sull'Essenza del mondo. Ora l'alto valore del drama «La figlia di Iorio» consiste nel suo disegno melodico, nell'essere cantato come una schietta canzone popolare, nel contenere la rappresentazione musicale di un'antica gente. [...] la mia obbedienza [al demone della stirpe] consisteva nel seguire la musica col sentimento di inventarla»[4]. Concetto che ripete in una lettera indirizzata all'amico Michetti: « Per rappresentare una tale tragedia sono necessari attori vergini»; così come devono essere vergini i gesti, i movimenti, perché «qui tutto è canto»[5].

Considerazioni teoriche, analisi letterarie e consenso di pubblico, coincidono dunque per indicare nella versificazione un valore significativo nell'economia dell'opera e tale da giustificare un'analisi approfondita del ritmo poetico[6].

Il dramma, in versi variati, è diviso in tre atti. La vicenda ambientata negli Abruzzi in epoca non determinata, racconta una storia crudele.

Aligi, il pastore, ritorna alla sua casa contadina per ricevere la moglie che per lui è stata scelta. I rituali del matrimonio iniziano ma sono bruscamente interrotti dall'arrivo di una sconosciuta, Mila, che chiede asilo e protezione da una banda di mietitori imbestialiti cha la insegue. Le donne riunite per la cerimonia e Candia, la madre di Aligi, sarebbero pronte a cacciare la straniera e gettarla alla mercè dei suoi persecutori se Aligi, colpito dalla visione di un Angelo Muto, non la difendesse. Nella comunità patriarcale a cui Aligi appartiene, Mila, la figlia dello stregone, è considerata una prostituta che gli uomini si contendono, una creatura indegna nonché di considerazione, di pietà. Anche Lazaro, il padre di Aligi, che ora ritorna alla casa ferito, si è battuto a sangue per possederla.

In seguito Aligi ritorna alle sue greggi sulla montagna dove Mila lo raggiunge. Un amore casto e profondo è nato tra di loro. Aligi spera di ottenere il perdono e il consenso della Chiesa e della comunità per sciogliere un matrimonio che non è stato consumato ed unirsi a Mila. Intanto intaglia pazientemente un ceppo per ricavarne la figura di un angelo che in-

---

[4] G. D'Annunzio, *Le cento e cento pagine...*, Milano, Mondadori, 1959, pp. 110-111.

[5] A. Bisicchia, *Op. cit.*, p. 101. Per i rapporti tra la tragedia e la pittura di Michetti, cfr. lo studio di Raffaella Bertazzoli, *Il mito raggiunto: preistoria creativa e vicenda testuale nella «Figlia di Iorio»*, Verona, Angeli, 1989.

[6] Franco Gavazzeni nota come il teatro in versi di D'Annunzio corrisponda «a un progetto formale che alle modulazioni del ritmo nella misura del verso affida variamente la scansione del mito, della storia, del passato prossimo». A. Gavazzeni, *Perizia metrica della «Figlia di Iorio»*, «Atti del IX Convegno Internazionale di studi dannunziani», Pescara, Cocullo, 1987.

tende portare a Roma al Santo Padre, come testimonianza dell'intervento divino che ha determinato le sue azioni. Le sue speranze sono frustrate dall'arrivo del padre; Lazaro è venuto a prendersi Mila, che vuole per sé, forte della *patria potestas* che gli dà il diritto di possedere anche la donna del figlio. Mila tenta di difendersi, ma Lazaro è pronto ad usare la forza; sopravviene Aligi che affronta il padre e in un violento scontro lo uccide.

Aligi, giudicato per parricidio secondo le leggi della sua stirpe, è condannato ad una morte feroce, ma a salvarlo sopraggiunge Mila che si accusa del delitto in una suprema prova d'amore. In uno stato di allucinazione, Aligi accetta il responso del popolo che lo giudica innocente e condanna Mila al rogo.

La fabula, ridotta ai suoi elementi essenziali, narra un episodio di brutalità, di imbestiamento sessuale e di sacrificio che si compie in un mondo abitato da crudeli superstizioni. La vicenda, di gusto tipicamente verista, rammenta certe situazioni di Verga e, non a caso, è stato suggerito un parallelo con *La lupa*[7]. Tuttavia l'ipotesi interpretativa ormai tradizionale integra lo schema narrativo a valori più profondi, radicati nella coscienza di una società primitiva. A questo livello, l'episodio perde le connotazioni realistiche per inserirsi in un'atmosfera mitica e atemporale. Il significato che ne emerge è quello di una potente tragedia in cui si affrontano le tradizioni del clan e le aspirazioni dell'individuo, la legge implacabile della stirpe e l'anelito alla libera scelta.

La tragedia, a livello verbale, è costituita da un linguaggio che riproduce in lingua italiana il folklore abruzzese, con i suoi canti, liturgie e preghiere. Tuttavia gli arcaismi che lo punteggiano non sarebbero sufficienti ad elevare il significato semantico delle parole[8].

A livello gestuale, i rituali e gli esorcismi suggeriscono una società arcaica e superstiziosa, ed anche il livello scenico, stabilito dalle didascalie, non esula da una scenografia prevedibile per un dramma verista. Nel Primo atto la scena riproduce un interno le cui caratteristiche denotano un ambiente agreste primitivo; nel Secondo una caverna, che richiama gli usi e costumi di una società pastorale; nel Terzo un'aia, che riconduce all'am-

---

[7] Ettore Paratore e Siro Ferrone, hanno illustrato il parallelismo esistente tra *La lupa* e *La figlia di Iorio*. E. Paratore, *D'Annunzio e Verga*, in *Studi dannunziani*, Napoli, Morano, 1966 e S. Ferrone, *Il teatro di Verga*, Roma, Bulzoni, 1972. Più recentemente la traccia è stata ripresa da Lynn Gunzberg, *The locus of Patriarchy*, apparso in «Annali di Italianistica», vol. 5, 1987, pp. 222-236.

[8] Cfr. Ettore Paratore, *Op. cit.*, pp. 297-298.

biente rurale del Primo atto[9]. I personaggi sono numerosi: oltre a Mila, Aligi, Candia e Lazaro, hanno una funzione drammatica anche le tre sorelle di Aligi tra cui spicca Ornella, Cosma, il santo dei monti, Anna Omnia, la vecchia delle erbe e Iona di Midia, il rappresentante della comunità. I cori delle parenti, dei mietitori e delle lamentatrici, che si alternano nel Primo e nel Terzo atto, hanno una funzione di presenza scenica e di commento verbale.

Se limitiamo l'indagine all'interpretazione di questi codici, il significato dell'opera rimane in una prospettiva realistica e si esaurisce nei parametri di un dramma rusticano, con la possibile suggestione di un conflitto tra due comunità: una rurale, l'altra pastorale. Tuttavia il testo, in versi di metro estremamente vario, propone una interpretazione secondo un codice melodico stabilito dai differenti ritmi della versificazione che permette di individuare il livello mitico della tragedia.

I metri che scandiscono l'azione sono soprattutto i decasillabi e i novenari, mentre al coro che intona frequenti litanie sono riservati gli ottonari. Quando l'azione precipita i metri si incalzano in una mescolanza di ritmi spezzati e concitati che segnala l'urgere degli avvenimenti o l'ansia di un personaggio. Gli endecasillabi sono sporadicamente usati da Candia, Aligi, Mila, Cosma, Anna Omnia, Iona di Midia e, in brevi passaggi anche dalle tre sorelle. Il loro ritmo risuona soltanto quando i versi esprimono sentimenti personali o collettivi che illuminano l'azione senza tuttavia provocarne lo sviluppo. Lazaro e i personaggi secondari non si esprimono mai in questo metro; Vienda, la sposa abbandonata, non ha voce. In relazione al contesto creato dagli altri metri, l'uso degli endecasillabi indica quindi un gruppo ristretto di personaggi e ne segnala una particolare funzione.

Il Primo atto si apre con il gioioso terzetto delle sorelle in ritmi alternati, dominato dalla voce di Ornella. La levità del trio si placa e si distende nella solennità degli endecasillabi pronunciati da Candia, la madre, che inizia il rituale dello sposalizio spezzando il pane, simbolo di fertilià, sul capo del figlio.

> Carne mia viva, ti tocco la fronte
> con questo pane di pura farina
> intriso nella madia ch'ha cent'anni
> nata prima di te, prima di me

---

[9] Cfr. Antonio De Nino, *Usi abruzzesi*, Firenze, Barbera, 1979.

spianato sopra l'asse ch'ha cent'anni
da queste mani che t'hanno tenuto. (I, 806)

Il dialogo che segue tra Aligi e la madre è tutto in endecasillabi. Aligi pronuncia una vaga perorazione da cui traspare un confuso desiderio di isolamento, un senso di smarrimento, un'ansia di ritornare alla montagna.

Io pascevo la mandra alla montagna,
alla montagna debbo ritornare. (I, 807)

Candia avverte il turbamento del figlio e tenta invano di rassicurarlo:

Alzati figlio. Come strano parli!
La tua parola cangia di colore,
come quando l'ulivo è sotto il vento. (I, 807)

L'opposizione tra la comunità agreste governata dalle leggi inalterabili e la cultura di pastori più libera ed individualistica, a cui Aligi si è assimilato, si precisa nella risposta di Aligi che in preda a vaghi presentimenti di sciagura ribadisce:

E alla montagna debbo ritornare
anche se piangi, anche se piango, madre. (I, 809)

Candia è smarrita e invoca la Vergine, ma le voci gioiose delle tre sorelle che ora conducono la sposa sembrano ricondurre la serenità.

Tutta di verde mi voglio vestire
tutta di verde pel Santo Giovanni
che nel verde mi venne a fedire. (I, 811)

Mentre la madre accoglie Vienda ripetendo i gesti ritualistici, Aligi resta immerso nel suo cupo svagare e il suo sentimento di non-appartenenza, di diversità si condensa nella frase poetica:

Madre, madre, dormii settecent'anni,
settecent'anni e vengo di lontano,
Non mi ricordo più della mia culla.

Le donne arrivano e la cerimonia riprende, ma l'andamento dell'azione è bruscamente spezzato dall'arrivo di Mila. Ritmi rotti e diversi si alternano: Ornella spranga la porta e accoglie la sconosciuta con compassione fraterna; le donne del parentado la rifiutano; le voci ebbre dei mietitori che si accalcano alla porta reclamano la loro preda. Nel tumulto Candia tace poi, alle minacce dei mietitori sempre più ingiuriose e violente, ingiunge alla straniera di andarsene. Mila raddoppia le suppliche, ma l'esitazione di Aligi che sembra confermare il potere della «magalda» denunciato dalle donne, fa scattare l'istinto di difesa di Candia:

> Vattene, vattene figlia
> di mago. Vattene ai cani.
> Nella mia casa io non ti voglio.
> Aligi, Aligi, apri la porta.

Aligi esita ancora mentre Mila invoca pietà e maledice le donne che ora premono su Aligi perché ubbidisca alla madre. Finalmente Aligi si avvicina a Mila per eseguire gli ordini e gettarla «ai cani affamati»; è pronto a colpirla con la sua mazza ma subitamente si arresta, la mazza gli cade di mano. Folgorato dalla visione di un Angelo Muto che piange, Aligi si oppone alla madre e alla comunità. Gli endecasillabi ritornano nel suo appello alla carità cristiana. Staccata la croce di cera che pende dal muro, Aligi si fa sulla porta e ponendo la croce sulla soglia si rivolge alla turba:

> Cristiani di Dio, questa è la croce
> benedetta nel giorno dell'Ascesa.
> Posta l'ho sulla soglia della porta
> perché vi guardi dal fare peccato
> contro la poverella di Gesù
> ch'ebbe rifugio in questo focolare
> [...]
> Tornate al campo a mieter il frumento
> non fate male a chi non fece male. (I, 845)

I mietitori toccano la croce e silenziosamente si allontanano.

Affermando la sacralità dell'asilo e del focolare domestico presso cui Mila si è rifugiata, Aligi si fa portatore di una legge di carità e di pietà in aperta opposizione alle leggi ancestrali basate sulla solidarietà del clan, sulla diffidenza e sul rifiuto dello straniero.

Il Secondo atto si apre con movimento sostenuto su un duetto tra Mila e Aligi; Mila pronuncia una strana filastrocca in cui trema una nota di angoscia. Presto il tono elegiaco prende il sopravvento in una sequenza tutta dominata dagli endecasillabi. Aligi pronuncia parole di amore e di fede; andrà a Roma e porterà con sé l'angelo che sta intagliando per chiedere l'assoluzione e lo scioglimento del suo matrimonio. Mila, invece, intuisce che il loro sogno non potrà realizzarsi: la straniera non sarà mai accettata dalla comunità; per questo incoraggia Aligi a ritornare alla sua famiglia e alla sposa che gli è stata destinata. Lei, Mila, «Andrà dove si va per tutte strade». La tristezza della rinuncia si stempera nella dolcezza del sacrificio dettato dall'amore.

> In verità, in verità ti parlo
> e dico: Va, va, corri sul cammino
> e cerca del crocifero che porti
> il saluto di pace all'Acquanova.
> Venuta è l'ora della dipartita
> per la figlia di Iorio. E così sia. (I, 853)

Alla fiducia di Aligi che forte del suo amore innocente la incoraggia a sperare, Mila oppone la sua rassegnazione

> Aligi: Ah, verrai dunque meco, verrai meco!
> Assai lungo è il cammino. Ma te anche
> io metterò sulla mia mula. E andremo
> con la speranza, verso Roma grande.
> Mila: Convien ch'io vada dall'opposta parte
> co' piè miei lesti e senza la speranza. (I, 854)

Gli endecasillabi accompagnano ancora il racconto che Aligi fa della sua vicenda ai vecchi saggi Cosma e Anna Omnia. Lo stesso metro continua nei loro responsi. Il conflitto espresso da Aligi e Mila è ripreso nei loro ammonimenti in cui si condensa un'antica saggezza. Cosma afferma la sacralità della legge del sangue:

> Io te lo dico: interroga il tuo sangue
> prima di condur teco la straniera. (I, 864)

La leggenda poetica di Anna Omnia dice invece che l'amore ha profonde radici sotterranee ed è governato da leggi naturali ancora più antiche di quelle patriarcali:

> V'è un erba rossa che si chiama Glapsi
> e un'altra bianca che si chiama Egusa
> e l'una e l'altra crescono distanti,

ma le ràdiche loro si ritrovano
sotto la terra cieca e là s'annodano. (I, 859)

È un momento di pausa; l'azione è come sospesa e le voci si alternano
in un'atmosfera irreale. Gli endecasillabi si distendono come in un grande
largo nel duetto di Mila e Aligi; nel canto d'amore si spengono le ansie di
Mila e un bacio è il suggello della loro unione.

Aligi si allontana e nella preghiera di Mila alla Vergine continuano gli
endecasillibi:

> Forza non ho d'andarmene, Maria.
> E vivere con lui Mila non può!
> Madre clemente, malvagia non fui.
> Fui una fonte calpestata. E troppo
> mi fu fatta vergogna innanzi al Cielo.
> Ma chi mi tolse dalla mia memoria
> la mia vergogna, se non voi, Maria?
> Rinata fui quando l'amore nacque.
> Voi lo voleste, Vergine fedele.
> Tutte le vene di quest'altro sangue
> vengono di lontano di lontano,
> dal fondo della terra ove riposa
> quella che mi allattò (fate che anch'ella
> ora mi vegga!), dalla più lontana
> innocenza. O Maria, voi lo vedete.
> Non le labbra, dianzi (siete voi
> testimone) non furono le labbra.
> E, s'io tremai, ch'io porti nel trapasso
> il tremito con me nell'ossa mie.
> Mi chiudo gli occhi miei con le mie dita.
> Sento la morte, me la sento appresso.
> Cresce il tremito. E il cuore non si ferma. (I, 870)

La preghiera si spezza in un presentimento di sciagura allo spegnersi della
lampada votiva che arde davanti all'immagine della Vergine. Sopraggiunge
Ornella per avvertire il fratello del forse prossimo arrivo del padre. Segue tra
le due donne un concitato colloquio e prevale un movimento sostenuto: Ornella supplica la straniera di restituire il fratello alla comunità; Mila si dice
pronta a sacrificare il suo amore per lui; Ornella riparte benedicendola: «in
cuor mio / ti chiamerò la mia suora / la mia suora sbandita» (I. 880). Con l'arrivo di Lazaro il ritmo incalza, i novenari si mescolano agli ottonari in un crescendo, fino al disperato gesto di Aligi che conclude il Secondo atto.

Nel Terzo atto, il ritmo cadenzato del lamento funebre in ottonari crea uno spessore di fondo cupo e monotono ai vari ritmi che si intercalano in accenti di angoscia e di pietà. Gli endecasillibi di Candia aprono una parentesi di statica religiosità nel corso dell'azione. In uno stato di semicoscienza, Candia lamenta la sua sorte e quella del figlio con le parole e il ritmo delle «Ore della Passione», assimilando la sua tragedia a quella della Madre eterna:

> Ecco e la madre si mette in cammino,
> viene alla vista del suo dolce figlio.
> – O madre, o madre, perché sei venuta?
> Tra la gente giudea non c'è salute.
> – portato un braccio t'ho di pannolino
> per ricuoprirti il tuo corpo ferito.
> – Deh portato m'avessi un sorso d'acqua!
> – Figlio, non so né strada né fontana;
> ma, se la testa un poco puoi chinare,
> una goccia di latte io ti vo' dare;
> e. se il latte non esce, tanto spremo
> che tutta la mia vita esce dal seno.
> – O madre, madre, parla piano piano... (I, 910-911)

Nel vaneggiar di Candia le immagini del Calvario si mescolano alle parole pronunciate da Aligi nel Primo atto e ritorna il motivo doloroso e pungente della diversità:

> Madre, madre, dormii settecent'anni,
> settecent'anni e vengo di lontano,
> Non mi ricordo più della mia culla. (I, 911)

Il personaggio della madre svolge qui un'importante funzione dal punto di vista tematico. Da un lato, il motivo della Passione, annunciando il sacrificio dell'innocente che assume su di sé tutte le colpe, prepara la conclusione della tragedia. D'altro lato, l'immagine archetipa della madre, colta in quel suo soffrire belluino, riafferma la legge del sangue e l'appartenenza del figlio al clan, mentre nel riaffiorare delle parole di Aligi alla sua coscienza si delinea l'altro termine del conflitto.

La turba arriva conducendo Aligi. Il coro delle parenti prolunga il lamento di Candia in una partecipazione unanime al suo dolore. Giunge Iona di Midia, il capo spirituale del villaggio che, in endecasillabi, pronuncia il verdetto del popolo annunciando l'orribile sorte che attende Aligi: pena atroce che ribadisce l'autorità patriarcale.

Nelle mani del popolo rimesso
è Aligi di Lazaro dal Giudice
del Malificio, perché vendicata
sia per le nostre mani quest'infamia
caduta sopra noi che d'una eguale
i vecchi nostri non hanno memoria
e così la memoria se ne perda,
per la Deo grazia, ne' figli de' figli. (I, 915)

Le dichiarazioni di pentimento di Aligi, l'arrivo di Mila, il ripudio di Aligi e il mutamento del verdetto si susseguono e la vicenda precipita verso la catastrofe in un variare di ritmi concitati di ottonari, novenari e decasillabi. Un solo endecasillabo riappare, pronunciato da Ornella alla conclusione della tragedia.

Gli endecasillabi privilegiando alcune fasi del conflitto e alcuni personaggi stabiliscono due livelli ritmici in cui è facile riconoscere le componenti della tragedia: il livello mitico e atemporale è segnalato dalla misura degli endecasillabi mentre lo sviluppo dell'azione, calata nel tempo con i suoi connotati naturalistici, è affidato agli altri metri di versificazione.

Da questa differenziazione scaturisce il ruolo dei personaggi, la loro funzione attanziale nell'economia drammatica e il significato dell'opera.

A livello mitico riempiono una funzione soltanto sei personaggi che, secondo uno schema di opposizioni simmetriche, si affrontano nel conflitto tra le leggi della comunità patriarcale e le aspirazioni della coscienza individuale. A Candia, sacerdotessa delle tradizioni ataviche si oppone Mila, la voce della coscienza individuale; contro Aligi e la sua aspirazione alla libertà e alla libera scelta si erge Iona di Midia, il portavoce della comunità che lo condanna e lo assolve; alla saggezza tradizionale di Cosma si contrappone la parabola di Anna Omnia, che dice la libertà infinita dell'impulso erotico; Ornella rappresenta la voce del coro che commenta e giudica. Lazaro, che non si esprime mai in endecasillabi, non fa parte dei personaggi portatori del significato mitico. In lui per contro si accentuano le caratteristiche più brutali della vicenda storica.

Il conflitto articolato su un equilibrio di forze opposte si mantiene con esiti incerti fino al cedimento di Aligi che rompe l'equilibrio e provoca lo scioglimento del conflitto. Ricadendo sotto il controllo del clan Aligi scade dalla sua funzione mitica per raggiungere la schiera dei personaggi della vicenda storica. È infatti significativo che il personaggio non si esprima più in endecasillabi.

Mila è senza dubbio la protagonista della tragedia[10]. Ogni atto scandisce la sua ascesa; dalla posizione iniziale di vittima atterrita, che invoca pietà; alla presa di coscienza di se stessa e della purezza del suo amore per Aligi; fino al dono sublime di sé oltre i limiti della vita.

Degna antagonista di tale eroina è Candia[11]. In lei si sommano gli attributi della «madre», secondo il sistema patriarcale. Candia è parte integrante del sistema ed agisce in-nome-del-padre[12]. Scaccia Mila, è pronta a sacrificare «la straniera», contraddicendo quel credo cristiano a cui fa costantemente appello, per difendere le leggi ataviche della comunità. Sino all'ultimo atto, in cui si identifica alla Vergine della Passione, Candia è perfettamente coerente con il suo ruolo nel seno della comunità.

L'antagonismo delle due donne è esemplificato dal divergente significato che attribuiscono alla figura di Maria Vergine; entrambe la invocano ma partendo da concezioni opposte. Per Candia la Vergine è la Mater Dolorosa annientata dalla perdita del figlio, piegata da una sofferenza senza riscatto divino o morale, tutta compresa nei parametri dell'umano. Per Mila invece la Vergine è il principio trascendentale della purezza, la sorgente viva di misericordia e di speranza. La fede di Mila si esprime attraverso il dinamismo della nozione di peccato, pentimento e grazia; quella di Candia non conosce redenzione e si consuma nel soffrire[13].

---

[10] Eppure si è molto parlato di un protagonismo di Aligi; tanto la nozione di un «eroe» maschile dominava l'approccio a tutta l'opera di D'Annunzio. R. Barilli considera futile il dibattito, *Op. cit.*, p. 174, A. Bisicchia accenna «all'uso che fecero del successo le riviste di destra, affaccendate ad esaltare le passioni della razza, la religione dei padri, l'anima nazionale [...]», *Op. cit.*, p. 106. Resta da notare che, in epoca recente, Paolo Puppa identifica ancora nell'atto di Aligi che condanna Mila l'azione del «pastore-condottiero», e legge nella tragedia un'anticipazione della «Festa fascista». P. Puppa, *La parola alta*, Bari, Laterza, 1993, pp. 107-128.

[11] L'antagonismo tra la «madre» e «l'altra», la straniera, è un *topos* della drammaturgia dannunziana che ricompare in altre tragedie: *La nave, Fedra, Parisina, La Pisanelle*.

[12] Per il ruolo della madre nel sistema patriarcale mi riferisco all'analisi di L. Irigaray: «That is to say the mother, reproductive instrument marked by the name of the father and enclosed in her house, will be private property, forbidden to be exchanged. The prohibition of incest represents this prohibition of the entry of productive nature into exchange between men. As natural value and use value, the mother may not circulate under the form of merchandise without the risk of abolishing the social order. Necessary to its (re)production) [...]), her function is to maintain it without modifying it by her intervention. Her products will not be legal tender other than being marked by the name of the father, other than being taken up by his law; that is to say, in as much as they are appropriated by him». Citato da Maggie Günsberg, *Patriarchal Representations*, Oxford, Berg, 1994, pp. 7, 8.

[13] L'immagine dolorosa della Vergine evocata da Candia coincide con quella presen-

Il personaggio più complesso è Aligi. Sin dal Primo atto, in quel suo smarrito divagare, Aligi protesta la sua diversità, il suo essere «altro» da ciò che le leggi della comunità impongono: appartiene ormai alla montagna e viene di lontano, un lungo sonno ha cancellato anche i ricordi; sospeso tra sogno e realtà quasi non riconosce i luoghi della sua infanzia. La presenza di Mila, le sue parole, lo colpiscono come una folgorazione che subitamente lo risveglia. Difendendo Mila, Aligi afferma la sacralità dell'individuo contro il collettivismo del clan ma la sua, più che una ribellione, è una protesta romantica che ignora gli impegni e le responsabilità reali che la libera scelta comporta. Ritornato alla montagna, Aligi sogna, e i suoi progetti sono sorretti dalla speranza e dall'illusione di poter ottenere il perdono ed essere riammesso nel seno della comunità.

L'irruzione di Lazaro coglie Aligi di sorpresa, ma ancora non si ribella, si inginocchia davanti al padre, soltanto lo supplica di risparmiare Mila. Sarà la visione della violenza fisica di cui Mila è vittima a travolgerlo; «cieco di orrore» colpirà il padre con l'ascia. La carica liberatoria si esaurisce nel gesto estremo che conclude la sua breve stagione individualistica; poi Aligi ricade succube delle tradizioni ancestrali. Umile e pentito, ascolta il feroce verdetto di Iona e non si scolpa, non afferma di aver ucciso per difendere i suoi diritti, perché infatti ha già abdicato ai diritti dell'individuo, o forse non li ha neppure sospettati. Aligi non prende mai coscienza di se stesso e della sua posizione nei confronti della legge atavica. È sempre avvolto in una nube di sogni, premonizioni, visioni, acciecamenti; non c'è mai dietro ai suoi gesti una coscienza volontaria. Come nota Anna Meda, l'Angelo che Aligi intaglia nel ceppo è la sua immagine:

> Dalla cintola in giù l'Angelo è preso
> ancor nel ceppo, i piedi ancor legati
> ha nei nocchi e le mani senza dita,
> e gli occhi si pareggian con la fronte.
> Indugiato ti sei a fargli l'ale
> penna per penna, ma volar non può. (I. 851)

tata dal poeta in *Maia*: «E quella tua vergine madre, / vestita di cupa doglianza, / solcata di lacrime il volto, / trafitta il cuore da spade / immote con l'else deserte [...]», *Versi d'amore e di gloria*, II, p. 248. Per il significato che la figura della Vergine assume per le due donne, rimando a Lucia Chiavola Birnbaum, *Black Madonnas, Feminism, Religion & Politics in Italy*, Boston, Northeastern University Press, 1993. In un suo recente articolo leggiamo: «Eve and the obedient, sorrowful, white madonnas of papal catholicism are major symbols sustaining patriarchy». L. Chiavola Birnbaum, *White and Black Madonnas, Feminine Feminists*, Minneapolis, University of Minnesota Press, 1994, p. 3.

Come l'Angelo incompiuto, Aligi rappresenta soltanto un'aspirazione verso la libertà che non si realizza. La madre si appropria nuovamente del figlio che bevendo la pozione dell'oblio dimentica il suo sogno ed ora insieme alla turba è pronto ad accusare Mila, a infierire. Candia non parla più, ma i suoi gesti indicati nelle didascalie sono eloquenti. Premendo contro il seno la testa del figlio, accosta alle sue labbra la tazza di vino drogato, quasi lo nutrisse infante del suo latte [14]. A livello gestuale la fisicità potente dell'atto indica la sua presa di possesso del figlio e la regressione di Aligi verso l'infanzia. L'auto-accusa di Mila provoca l'ultimo movimento di Candia e ne ridefinisce il ruolo; la didascalia è esplicita: prima «con un fremito di belva afferrerà il figlio ridivenuto suo» poi staccandosi da lui «con violenza selvaggia avanzerà contro la nemica. Ma le figlie la tratterranno» (I, 928). Il coro delle parenti incalza: «– Lasciatela! Lasciala, Ornella! / Che il cuore le strappi, che il cuore / le mangi! Cuore per cuore!» (I, 920) [15]. Aligi ormai appartiene alla madre e attraverso lei alla collettività che lo assolve, ma il grido di Mila, la voce della coscienza individuale, lo condanna:

Aligi, Aligi, tu no,
tu non puoi, tu non devi!

È significativo che sia un'altra donna, Ornella, a raccogliere il messaggio di Mila. Durante la «confessione», Ornella non partecipa all'eccitazione collettiva, non si segna come tutti gli astanti per scongiurare il Male; tiene «gli occhi fissi sulla vittima volontaria», tanto che Mila avvertendo la sua silenziosa solidarietà aggiunge: «Ornella, né tu mi guardare/così come fai. Ch'io sia sola!» (I, 927). Pronunciato il verdetto, mentre la turba in tumulto maledice: «Alla catasta! All'inferno!» sono gli ultimi

---

[14] Aligi ha le mani legate e Candia gli offre il «consolo», un bevanda narcotica che permetteva di affrontare la morte in uno stato di incoscienza.

[15] Per un'acuta analisi del carattere negativo dell'amore materno di Candia, rimando a Anna Meda, *Bianche statue contro il nero abisso*, Ravenna, Longo, 1993, pp. 118-121. La psicologa Lella Ravasi Bellocchio osserva: «[Candia è] Nostra Donna sotto la Croce, l'abbiamo vista: la Dolente. Ma è anche l'Erinni, senza alcuna pietà, dentro una furia animalesca e selvaggia che non ha più mediazioni, quando alla fine (tornandole il figlio) può attaccare la *strega* che glielo aveva rapito e che autoaccusandosi dell'assassinio, le restituirà il figlio. [...] In lei si ricompone, si può collocare, anche la Madre Terribile, e solo per la follia, ne l'espressione del terribile, della violenza *selvaggia*, può salvarsi. Anche se questa sanità la servirà malamente per cullare a vita il figlio, perduto ormai nel delirio, ma ritrovato tra le braccia, ubbidiente alla sua misericordia». L. Ravasi Bellocchio, *Il fanciullo e la strega: «La figlia di Iorio»*, Pescara, Verniero Luigi De Giorgi, 1988, p. 48.

accenti di Ornella che accompagnano la vittima al rogo:

> Mila, Mila, sorella in Gesù,
> io ti bacio i tuoi piedi che vanno!
> Il Paradiso è per te!

Una voce di fede e insieme di protesta è quanto resta del sacrificio sublime: eredità esigua, se paragonata alla vastità della catastrofe, ma valida per il significato di continuità che trasmette. Più che nella celebrata frase di Mila «La fiamma è bella! La fiamma è bella!», che suggella il dono eroico, il messaggio finale deve essere ricercato nelle parole di Ornella «io bacio i tuoi piedi che vanno»[16].

L'avvenimento mitico si ripete nelle sue linee essenziali: l'insubordinazione che pareva minacciare il rispetto delle leggi ancestrali è domata; Aligi rientra nel gregge, la «straniera» si offre opportunamente come vittima sacrificale e l'ordine è ristabilito. Ma la voce di Ornella rifiuta questo ordine e lo contesta; il mito così ricodificato propone un'altra scala di valori che trascende il messaggio tradizionale[17]. Se il soggetto maschile, incapace di resistere alla violenza fisica e morale della comunità, rinnega la sua aspirazione alla autocoscienza, la donna nel suo sacrificio, che è sacrificio di amore, afferma la sua fede in una legge «altra» da quella della collettività[18].

---

[16] Ornella, voce del coro al livello mitico, riempie un ruolo attanziale significativo anche al livello della vicenda storica. E lei che spranga la porta ai mietitori imbestiati; è lei che avverte Mila del pericolo, lei che scioglie dai lacci Aligi, lei infine che rifiutando le sublimi menzogne di Mila comprende e accoglie la sua verità. R. Barilli conferisce particolare rilievo alla funzione di Ornella nell'economia dell'opera. *Op. cit.*, p. 174. Emilio Mariano aveva già avvertito la «diversità» di Ornella, la sua apertura verso il futuro. Cfr. E. Mariano, *Il primo autografo della «Figlia di Iorio»*, in «Atti del VII Convegno Internazionale di studi dannunziani», Pescara, 1985. Una interpretazione scenica innovativa, che coincide con la mia lettura della tragedia, è citata da A. Bisicchia. Paolo Giuranna per l'edizione della *Figlia di Iorio*, rappresentata al Vittoriale nel 1972, definisce la tragedia come «la tragica iniziazione all'autocoscienza individuale di tre figure umane (Mila, Aligi, Ornella) che tentano di staccarsi dal grembo dell'inconscio collettivo, superando i legami del sangue e della tradizione». A. Bisicchia, *Op. cit.*, p. 107.
[17] Sulla molteplicità di significati che il *mythos* assume, cfr. *Myth and the Polis*, ed. by Dora Pozzi and John Wikersham, Cornell University Press, 1991, p. 15.
[18] Il «sacrificio d'amore» è tipicamente romantico; non appartiene al mito classico. Nel repertorio classico non mancano certo esempi di sublime dedizione femminile, come dice l'esempio di Alcesti, ma il sacrificio avviene sempre nei parametri stabiliti dal matrimonio. È devozione al marito, non slancio d'amore per un uomo. Un'interessante notazione di R. Barilli conferma le caratteristiche romantiche del personaggio di Mila. «[...]

Il messaggio inconfutabile della tragedia è la denuncia della cieca brutalità del sistema patriarcale e l'esaltazione della donna come luogo di libertà, di diversità, di scelta, come soggetto capace di un'ascesa spirituale.

D'Annunzio si rivela, a posteriori, buon lettore del dostoevskjiano *Delitto e castigo*. Mila risulta equiparata a tutti gli effetti a Sonia: molto ha peccato [...]; del resto, di quel passato meschino non si è portata dietro alcuna macchia, e anzi, ora è in grado di esercitare un'azione salvifica sugli altri». R. Barilli, *Op. cit.*, p. 175.

7.

«La fiaccola sotto il moggio»

...Scrivo una nuova tragedia, per liberarmi di me stesso. Mi sforzo di dare a queste persone un ritmo diverso da quello che regola il mio respiro. Un tale esercizio rude mi prepara – pel prossimo ritorno al romanzo – uno spirito nuovo
    La tragedia si svolge anche negli Abruzzi, nel paese dei Marsi; ma il turbine abbatte una vecchia casata magnatizia non una famiglia di pastori.
    Per la prima volta rispetto le tre unità. L'azione si svolge in una sola stanza, dal mezzogiorno alla sera.
    Spero di mettere alla luce una creatura fortemente vertebrata...[1]

Così annunciava D'Annunzio a Ferdinando Martini, il 26 gennaio 1905, il progetto della sua nuova opera teatrale[2]. La tragedia, quattro atti in versi, è completata rapidamente, pubblicata e rappresentata a Milano il 27 marzo dello stesso anno. Tempi record, influenzati certamente da pressioni finanziarie e dagli impegni con l'editore Treves con cui D'Annunzio aveva contratto debiti cospicui. La seconda opera «abruzzese» si situa evidentemente nella scia del successo della *Figlia di Iorio*, ma ne differisce in modo sostanziale per l'ambiente, il tempo e il linguaggio.
    Fedele al progetto iniziale, in cui accenna al «rispetto delle tre unità»,

---

[1] Lettera di Gabriele D'Annunzio a Ferdinando Martini. Citata da Palmiro Pinagli, *Tibaldo e Bertrando*, «IX Convegno, Centro Nazionale di Studi Dannunziani», Pescara, 1987, p. 10.
[2] L'accenno a «liberarsi» di se stesso si riferisce probabilmente a quello sforzo per imporsi una disciplina e dedicarsi a una materia differente invece di «secondare» il suo genio, di cui D'Annunzio parla nel *Proemio alla vita di Cola di Rienzo* nell'autunno del 1912. Cfr. Emilio Mariano, *Il Serparo, Ibid.*, p. 101.

D'Annunzio mantiene in quest'opera un massimo di aderenza ai canoni della tragedia classica come è facile verificare.

Colpisce innanzi tutto una certa secchezza nella presentazione e la cifra riduttiva applicata alla scenografia e alla coreografia. Il frontespizio definisce l'opera «tragedia»; non ci sono dediche, solo una citazione in greco tratta dalle *Coefore* di Eschilo: «Chi ha offeso patisca: una sentenza antichissima così proclama... Con furore implacabile bisogna scendere in lizza» (I, 936). È qui evidente l'intenzione dell'autore. Benché la vicenda rielabori quella di Elettra, nota soprattutto attraverso la tragedia di Sofocle, D'Annunzio preferisce riallacciarsi al mito tragico eschileo a cui meglio si accorda la linea mitica della tragedia ispirata al naturalismo primitivo della antica religiosità abruzzese[3].

Le unità di spazio e tempo sono rigorosamente rispettate. La scena resta immutata durante i quattro atti e l'azione, che si sviluppa in un solo giorno, si svolge in una grande sala che si apre su un giardino e su una cappella gentilizia. Arcate, sculture, una loggetta, una scalinata, seggioloni, cassapanche: le tracce che hanno lasciato le età trascorse. Nel mezzo sorge una fontana muta, che l'acqua ha cessato di alimentare[4]. «E il tutto è vetusto, consunto, corroso, fenduto, coperto di polvere, condannato a perire» (I, 937). La scenografia, che rappresenta la casa antica dei Sangro, vuole essere l'immagine iconografica della degradazione fisica e morale della famiglia che la abita.

In seguito le didascalie sono scarse e indicano semplicemente i movimenti dei personaggi; la loro caratterizzazione è affidata alla varietà dei registri linguistici che si abbassa al livello del più banale quotidiano per certi personaggi e s'innalza, ma raramente, ai toni del sublime per altri. Assente è l'afflato poetico che illuminava i versi della *Figlia di Iorio* e prevale un recitativo più narrativo che lirico[5]. Secondo i canoni, anche il

---

[3] Il tema di Elettra, evidentemente di moda, era già stato rielaborato da Hugo von Hofmannsthal. La sua *Elektra* era stata rappresentata a Berlino nel 1903. Pur constatando una differenza concettuale tra le due opere, Paratore nota una certa similarità nell'agitarsi a vuoto, nell'inquietudine che caratterizza le due eroine. Resta da notare tuttavia che questa resta la cifra dell'*Elektra* di Hofmannsthal, mentre la protagonista di D'Annunzio evolve verso l'azione. Ettore Paratore, *Le due tragedie abruzzesi*, cit., pp. 283-296.

[4] La fontana resta sempre nel centro resta un punto di riferimento che si rinnova ad ogni atto a testimoniare che l'acqua, simbolo di vita e di rinnovamento non scorre più; la fontana Gioietta è muta (39, 92, 121, 164). Simbolismo frequente nell'opera dannunziana. Vedi *La città morta*.

[5] Per la versificazione D'Annunzio usa endecasillabi e settenari in libera mescolanza.

numero dei personaggi, indicati come Dramatis Personae, è limitato. Si tratta di Tibaldo de Sangro e della sua famiglia: i figli, Gigliola e Simonetto; la seconda moglie, Angizia Fura; il fratellastro, Bertrando; la madre, Donna Aldegrina e Edio Fura, il Serparo, padre di Angizia. Le due vecchie nutrici, Benedetta ed Annabella, insieme a Donna Aldegrina, fungono da prologo e da coro evocando gli eventi passati e commentando quelli presenti senza prendere parte attiva al conflitto.

Quanto alla terza unità, l'azione ricalcata sulla vicenda della mitica Elettra, ne ripete il nucleo essenziale anche se capovolto dal maschile al femminile. Novella Elettra, Gigliola de Sangro è votata alla vendetta contro la donna che ha usurpato il posto di sua madre dopo averla uccisa. E Gigliola ha la tempra dell'eroina mitica; D'Annunzio ha compiutamente realizzato in questo personaggio «la creatura fortemente vertebrata» che progettava. Chiusa nella sua ossessione, implacabile nel compimento della sua missione, Gigliola ha un che di cupo, stralunato, feroce. E la prima vergine che incontriamo nel teatro di D'Annunzio e della vergine ha tutta l'intatta energia. La sua purezza la isola in una sfera di doveri assoluti e le conferisce una durezza adamantina che la pietà non può scalfire. Ma Gigliola fallirà nella sua missione. Il mito tragico, calato in un ambiente borghese, in un'epoca storica identificabile, si scompone e si ricompone seguendo nuove linee di significazione.

È la vigilia di Pentecoste, il primo anniversario della morte della madre di Gigliola e Simonetto, la cui vita è stata stroncata da un orrendo incidente, ripetutamente evocato da Gigliola nei suoi dettagli più atroci [6]. Mentre la madre china cercava dei lini in una vecchia cassapanca, il coperchio si è abbattuto su di lei straziandola. Presente era la serva Angizia che è uscita dalla stanza gridando. Gigliola sospetta che la sua mano criminale abbia spinto il coperchio fatale, soprattutto perché in seguito il padre ha sposato Angizia che ora spadroneggia e domina nella casa avita.

D'altronde, tutti i membri della famiglia sono degli impotenti. Tibaldo, schiavo della sua libidine senile, corroso dalla malattia, è succube di Angizia; il figlio diciassettenne si estingue, minato da una strana malattia che lo rende sempre più debole ed abulico; il fratellastro, brutale e ottuso, è divenuto l'amante di Angizia e la seconda nei suoi progetti; rinchiusa in

---

[6] Lo spunto dell'episodio è mutuato da *La madia*, in *Novelle della Pescara*. Il tasso di intertestualità è molto alto sia in linea ascendente che discendente. Personaggi e motivi ricalcano modelli già stabiliti. Sono stati notati come antecedenti: *Giovanni Episcopo, Il trionfo della morte, L'invincibile, Le vergini delle rocce*, oltre a spunti ispirati da Dostoevskij.

qualche stanza isolata la zia Giovanna urla la sua pazzia; e le tre Parche, Donna Aldegrina e le nutrici, filano, e tra le loro mani paiono attorcersi i fili delle vite brevi dei membri della famiglia de Sangro. Tutto è decrepito, degradato, corrotto nella vecchia casa e tutti, per vecchiezza, malattia o interesse, hanno scelto di ignorare la verità.

Soltanto Gigliola vigile, si aggira senza sosta per la casa inseguendo l'ombra della madre, e non trova pace. Da un anno vive con il sospetto terribile che la possiede e la inchioda in un'ossessione di verità e di vendetta. Ora, nel giorno anniversario della sua morte, è decisa a far luce sulla misera fine della madre, a smascherare Angizia e a stabilire la responsabilità del padre.

La tensione esplode fin dal Primo atto. Gigliola affronta il padre, gli domanda la verità e gli ingiunge di scacciare la donna; ma Tibaldo è incapace di reagire. Angizia invece, con tracotante insolenza, riconosce di aver commesso il delitto, ma si assicura l'impunità coinvolgendo il padre nel progetto criminale. Tibaldo, sconvolto dalla condanna che ha letto negli occhi della figlia, domanda alla madre Aldegrina di aiutarlo a riconquistare la fiducia di Gigliola, ma ancora una volta sopraggiunge Angizia che lo denuncia come complice. La madre non ha parole per lui e Tibaldo si sente abbandonato da tutti. Anche Simonetto, che pure è all'oscuro di tutto, mostra istintivamente una ripugnanza fisica verso il padre.

Altre accuse si addensano su Angizia; gli occhi vigili di Gigliola l'hanno vista manipolare le medicine di Simonetto, hanno colto le prove della sua tresca con Bernardo. Tibaldo, schiacciato dalle evidenze, sembra risvegliarsi dal suo torpore ed è lui stesso ora che minaccia Angizia. Giunge intanto il Serparo, padre di Angizia, che porta doni alla figlia. Ma Angizia vuole dimenticare le sue origini e scaccia il Serparo a sassate. È Gigliola che gli porge soccorso. Sopraggiungono Angizia e Bertrando e ne segue una violenta disputa di cui approfitta Gigliola per impadronirsi di un sacco pieno di serpi velenose. Un progetto preciso si è delineato nella sua mente; quando l'ora verrà immergerà le mani nel sacco e con la forza che le verrà dalla sicurezza di non sopravvivere al suo gesto, compirà la sua vendetta su Angizia. Gigliola attuerà la prima parte del suo piano ma la gloria della vendetta le è negata perché Tibaldo l'ha preceduta ed ha ucciso Angizia. Il sacrificio è stato inutile; negli spasimi della morte Gigliola riconosce la sua sconfitta «Tutto fu in vano» (I, 1063).

L'intreccio apparentemente lineare è invece alquanto complesso perché l'azione si scinde in due tempi caratterizzati da un distinto movimento interno che si esplicita attraverso un diverso registro tonale e linguistico. Il brusco scarto, avvertito fin dalla prima rappresentazione, è stato variamente attribuito o alla mancanza di coesione dell'opera o alla incapacità del pubblico e della critica di apprezzare i valori assoluti su cui è strutturato il secondo tempo[7]. Lo scopo della protagonista è duplice: fare risplendere la verità e vendicare la madre. L'azione si configura dunque in un processo diegetico di prima e dopo.

Il primo tempo rappresenta la fase della ricerca della verità e la fiaccola, a cui allude il titolo, è quella ora celata che deve essere brandita per far luce su un orribile mistero e rivelare la verita[8]. Si nota infatti un'accumulazione di termini significanti il cui referente è «vedere la verità». Gigliola vede l'ombra della madre, e guarda, fissa, cerca con i suoi occhi senza lacrime, tesi a cogliere in ogni atteggiamento un segno della verità.

> Tutto ho veduto, veggo.
> Non ho più ciglia; sono senza palpebre;
> gli occhi miei non si serrano
> più, non battono più.
> Veggo, terribilmente. (I, 973)

Pure, un dubbio la travaglia. Gigliola spera inconsciamente che il padre sia colpevole di debolezza soltanto. Per questo lo incalza di domande, gli domanda la verità, gli chiede di guardarla negli occhi, gli ingiunge di liberarsi della donna colpevole d'ogni sozzura. Per ben quattro volte ripete «Scacciala»; Gigliola immagina il padre «cieco» più che criminale e attende da lui la parola che la rassicuri (I, 979-980). Ma Tibaldo esita, allude vagamente al suo legame con Angizia come a qualcosa che la figlia non potrebbe comprendere, un «male disperato», una «miseria senza riparo»; risposte evasive in cui confessa la sua impotenza (I, 979). È Angizia che risponde per lui confessando brutalmente il delitto e accusandolo di complicità. Con insolente sicurezza confronta Gigliola:

> E che farai?
> Che mi potrai tu fare?

---

[7] Cfr. *La fiaccola sotto il moggio*: «La prima rappresentazione nel giudizio della critica», in Gabriele D'Annunzio, *La fiaccola sotto il moggio*, Oscar Mondadori, Milano, 1981, pp. 21-31.

[8] Il titolo, secondo Mariano, si riferisce alla funzione della fiaccola secondo l'Evangelista Matteo (V, 15) che la considera una sorgente di luce per vedere le opere e riconoscere quindi la verità. Il riferimento è pertinente in quanto il linguaggio dell'opera riprende elementi del discorso evangelico. Benché la vicenda della *Fiaccola* esuli dal contesto cristiano, il linguaggio vi esercita la stessa funzione sacrale.

Sono coperta dal tuo padre. Due
siamo, due fummo.
[...]
Te lo dico
perché tu sappia bene
che per toccarmi devi
passare sul tuo padre. (I, 986)

Tibaldo protesta la sua innocenza, giura alla figlia che Angizia mente, ma
ancora una volta non agisce, può solo dirle: «...Ma passa, ma passa su
me» (I, 986). È quasi un invito a ignorarlo, a non contare su di lui.

Per Gigliola la prima fase della sua missione si conclude; il dubbio si
è trasformato in certezza, ma la verità che ha strappato ad Angizia getta
un'ombra sinistra sul ruolo di Tibaldo. Fino a che punto e in quale misura
è stato complice del delitto? A chi credere? In una scena precedente Tibaldo, litigando con Bertrando per gretti motivi di interesse ha dato prova
di notevoli capacità istrioniche, opponendo alla violenza del fratellastro
l'astuzia e lo scherno. Chi è veramente Tibaldo? La verità si frantuma in
cento possibili che Gigliola sdegna di esaminare; fino alla fine resterà
convinta della colpevolezza del padre.

Gigliola non è la sola a cercare la verità, anche Tibaldo si interroga.
Ha letto la condanna negli occhi della figlia, il ribrezzo nei gesti del figlio, sente che tutto gli crolla attorno. Rimasto solo con la madre la supplica di credere in lui, di aiutarlo a trovare in se stesso la verità che gli
sfugge[9]:

Ho guardato il mio viso nello specchio
e non mi sono riconosciuto. Allora
gli ho dato un colpo e l'ho spezzato. L'anima
è andata in mille pezzi,
s'è sparpagliata giù sul pavimento;
e mi rivedo mille,
e non mi riconosco. E veramente
non so la verità
che mi fu dimandata, non la so,
madre. E tu che m'hai dato questa povera
anima, e tu m'aiuta a raccattarla,

---

[9] Il dialogo di Tibaldo e Donna Aldegrina sviluppa un noto tema pirandelliano con
straordinaria intensità. Il linguaggio volutamente nudo e colloquiale conferisce un accento
di tragica verità alle parole di Tibaldo.

a rappezzarla. Pensa
che il giorno in cui tu mi mettesti al mondo
non vale più; ma questo
giorno mi vale per l'eternità,
se tu m'aiuti. (I, 1000)

Ma Donna Aldegrina è impotente:

Come
t'aiuterò? Parliamo
per coprire lo strepito
ch'è in fondo ai nostri cuori.
E ciascuno di noi è solo attento
a quel che l'altro non ha detto. E sembra
che il dolore abbia il volto dell'inganno. (I, 1001)

Mentre Tibaldo supplica ancora la madre di aiutarlo a riconquistare la fiducia di Gigliola, Angizia interrompe il colloquio. Ora è Tibaldo che accusa, ma la donna ritorce prontamente e ripete alla madre quanto ha detto alla figlia; lei ha commesso il misfatto ma l'uomo l'ha accettato:

E non hai più colore
di vita e non hai gocciola
di sangue che non sia ghiaccia nel tuo
cuore; e fai uno sforzo disperato
per non battere i denti
– anzi, ecco, la mascella ti tradisce –
come la notte d'or è l'anno, quando
salisti a piedi scalzi, di nascosto,
nella mia stanza buia e mi cercasti
brancolando e venisti
a coricarti accanto a me, perché
non potevi star solo;
ed io sapevo il tuo consentimento
coperto e tu sapevi il compimento
della mia mano pronta.
E ci stringemmo; e fummo
due, per la vedovanza e per le nozze. (I, 1012)

La madre è muta d'orrore. Non ha parole per Tibaldo che ancora invoca la sua fiducia. Tibaldo in preda a una disperazione crescente accusa la donna di tutti i suoi misfatti e in uno spasimo di energia si getta su di lei come per strangolarla, ma un grido della madre lo arresta.

Tibaldo si è riscosso dal suo stato di cecità e vede ora tutta l'ignominia della sua situazione ma non per questo può liberarsi dalle accuse di Angizia che viscide ed insinuanti sono penetrate fino in fondo all'animo dei suoi congiunti.

Il primo tempo della tragedia esaurisce il tema della verità denunciando lo scacco conoscitivo, la decomposizione della personalità, l'impossibilità della comunicazione [10]. Intanto il conflitto, prima incentrato su Gigliola/Angizia si è complicato, allargato, e comprende ora un terzo agonista, Tibaldo; un'incognita nel gioco delle parti [11]. Ma Gigliola non conosce questi ultimi sviluppi ed è quindi destinata a procedere sola con le sue certezze e la sua disperazione.

Il secondo tempo sviluppa il tema della vendetta. Dal registro linguistico scompare il termine «pietà» che Gigliola aveva usato nei confronti del padre, e il verbo vedere è usato raramente e soltanto nel suo significato concreto. Anche il ruolo attanziale dei personaggi presenta delle variazioni: Tibaldo ed Angizia, prima al centro dell'azione, scadono di importanza scenica. Tibaldo compare fisicamente soltanto nella terza ed ultima scena del Quarto atto, ma la sua figura di padre è sempre presente, sottilmente evocata per analogia nel dialogo tra Gigliola e il Serparo. Quanto ad Angizia, presente nella seconda e terza scena del Terzo atto, il suo personaggio non registra alcuna evoluzione. Rinnegando le sue origini, la donna pretende confermare la sua appartenenza al ceto dei padroni e ribadisce così la grettezza della sua natura; le sue ambizioni non si elevano al di là di una avidità volgare da serva. Sesso e violenza si riducono in lei a «bestialità pura» [12].

L'Eros non è certo magnificato nel personaggio di Angizia a cui mal si addice il binomio erotica/eroica caro a D'Annunzio. Soltanto la sua brutale sicurezza si è incrinata sotto il peso della maledizione paterna, come rivela la serie di domande che Angizia rivolge a Gigliola dopo la partenza del Serparo: «Che fai là? Non ti muovi? / Sei tu, / sempre tu. Non parli? /

---

[10] Analizzando lo stesso passaggio Nicoletta De Vecchi Pellati commenta: «La verità è insondabile e inafferrabile e insufficiente è la parola tesa a manifestare l'inaccessibilità delle cose». *Serialità archetipica e metamorfosi dell'immaginario nell'Angizia di D'Annunzio*, «IX Convegno, Centro Nazionale di Studi Dannunziani, Pescara, 1987», p. 115.

[11] Il personaggio di Tibaldo è particolarmente complesso. Schiavitù sessuale, affetto per la figlia, astuzia, ipocrisia, debolezza morale convivono in lui esasperati dall'età e dalla malattia. Ciò che lo rende un personaggio tragico è il rendersene conto.

[12] Anco Marzio Mutterle, *Gabriele D'Annunzio*, cit., p. 109.

A che pensi? /... Vuoi la guerra?». E ancora: «Resti là?... E poi?... E che fai?... E perché? / Non rispondi?» (I, 1035). Le parti si sono invertite, ora è Gigliola che resta «immobile e impenetrabile», chiusa in una nuova sicurezza.

Nel secondo tempo, il processo evolutivo che farà precipitare l'azione verso la catastrofe si incentra sul personaggio di Gigliola. L'ansia concitata che aveva caratterizzato il suo comportamento nei primi due atti è sostituita da un calmo distacco. Non interroga più, non è più tempo di cercare, ma di agire.

Nel meccanismo teatrale, il trait-d'union tra i due tempi è fornito dall'arrivo del padre di Angizia, il Serparo Edia Fura. Erede di un'antica saggezza tramandata di padre in figlio, Edia sa incantare i serpenti modulando un tono misterioso sul suo flauto. Dalla sua figura ieratica e dal suo parlare per aforismi emana un che di sacro, quasi Edia fosse il sacerdote di una religiosità naturale arcaica. Tra Gigliola ed Edia si stabilisce immediatamente una corrente di rispetto, fiducia e solidarietà. Gigliola, affascinata dalla tranquilla sicurezza del Serparo, si riconosce in lui, sente di appartenere alla forte stirpe dei Marsi, al ceppo antico della sua terra, a una gente che rispetta la sacralità della vita, che giudica secondo la legge naturale ed è custode di valori etici intatti.

Come Angizia, scacciando il padre, ha tradito i suoi doveri naturali di figlia, così Tibaldo, imponendo a Gigliola una matrigna indegna, ha tradito i suoi doveri di padre. Con un processo inverso ora Gigliola rigetta la paternità di Tibaldo e riconosce istintivamente nel Serparo il suo padre elettivo così come Edia, mosso dalle sue cure figliali, la sostituisce nel suo cuore alla figlia degenere. Entrambi si sentono oscuramente uniti da un legame profondo che il fazzoletto di Gigliola stretto intorno alla mano del Serparo simbolizza. Edia le offre infatti i doni destinati ad Angizia, e tra questi Gigliola sceglie soltanto uno spillone, acuminato come un pugnaletto, dicendo: «È bello. / Edia, mi sei parente» (I, 1027). Anche il linguaggio del Serparo tende a sottolineare la sua disposizione paterna verso la giovane. Tutti i suoi appellativi sono improntati da una sorta di tenerezza: «Baronella... figlioluccia... cìttola». L'atmosfera sacrale di questa scena è intensificata dalle tonalità evangeliche del linguaggio e dalla terribile maledizione che Edia lancia contro la figlia[13].

L'incontro con il Serparo catalizza le energie di Gigliola verso una so-

---

[13] La mia interpretazione dell'incontro Gigliola/Serparo non si discosta dall'analisi di Emilio Mariano, *Op. cit.*, p. 104.

luzione ritualistica di vendetta ed espiazione compiuta nel nome della madre, da cui il padre rinnegato sarà totalmente escluso. Sacrificando la vita all'impegno assunto Gigliola purifica il suo progetto e lo consacra trasformando la vendetta in un rito espiatorio.

La scelta delle serpi per darsi la morte assume in questo contesto un forte valore simbolico. Il serpente, simbolo ambivalente delle potenze ctonie, è un animale sacro, associato alla luna e ai riti della fertilità e dell'abbondanza ma anche un'incarnazione delle anime dei morti. La sua valenza lunare, quindi femminile, e il suo dominio sotterraneo lo rendono il tramite più idoneo per condurre Gigliola alla regressione verso l'ombra che ha scelto[14]. Il *cupio dissolvi* che informa i suoi atti nasce sotto il segno della madre ed è al grembo materno che Gigliola vuole ricongiungersi per rientrare nella grande notte dell'essere. Il processo di identificazione con la madre, di cui in una specie di *imitatio* vuole condividere anche il martirio infliggendosi una morte dolorosa, è accompagnato da un movimento contrario di alienazione dall'ascendenza paterna. Nella sua ultima invocazione alla madre Gigliola accusa il padre della rovina della casa:

> E lo sfacelo fu
> per un anno il mio padre.
> Il mio padre ebbe nome
> dissolvimento. E l'altro
> non fu più mio, lo sai;
> perché due sono, due
> furono alla ferocia. (I, 1052)

Mentre si prepara a compiere la sua vendetta sulla mala femmina il suo pensiero è fisso sul padre. Angizia è scaduta a un ruolo secondario; il centro del conflitto si è spostato rivelando il vero antagonista di Gigliola, Tibaldo[15]. Gigliola non alzerà il pugnale su di lui, remore ancestrali le impediscono persino di concepire un tale gesto, ma il suicidio sarà la sua vendetta. La sua morte volontaria peserà come un'accusa tremenda che schiaccerà il padre sotto un cumulo di rimorsi. La fiaccola che Gigliola

---

[14] Parecchi interventi, ora raccolti negli «Atti del IX Convegno, Centro Nazionale di Studi Dannunziani», Pescara, 1987, esplorano accuratamente le fonti del simbolismo dei serpenti nell'accezione dannunziana. Cfr. Emilio Mariano, *Op. cit.*; Alfonso di Nola, *Alcuni paralleli del rito cocullese dei serpari*; Ivanos Ciani, *Dalla fiamma alla serpe.*

[15] Il groviglio di sentimenti e di inclinazioni contrastanti che lui stesso non sa né districare né dominare fa di Tibaldo l'antagonista contro cui deve inevitabilmente scontrarsi Gigliola nella sua volontà di purezza e di assoluto.

vuole agitare per vincere le tenebre che avvolgono la verità è anche il tirso delle Menadi che perseguiteranno Tibaldo[16].

Nell'ultima scena che conclude la tragedia il rifiuto del padre viene nuovamente reiterato. Le ultime parole di Gigliola a Tibaldo sono di accusa: «Hai suggellato il tuo / segreto sulla bocca accusatrice» (I, 1061). Invano Tibaldo invoca la sua pietà, Gigliola non lo sente, lo ha cancellato dal suo mondo di sensibilità e di affetti. Tibaldo non è più «suo padre», perché «due / furono alla ferocia». Per lei è soltanto il criminale che le ha spento la madre e che ora, precedendola nella vendetta, priva il suo gesto della carica emblematica di rito espiatorio.

I due motivi conduttori, verità e vendetta purificatrice, confluiscono nella conclusione che ne decreta il fallimento: «Tutto fu in vano». La verità è per sempre cancellata dalla morte, il tentativo di ricondurre il sacro è sconfitto. La catastrofe totale della famiglia Sangro non conduce a un'epifania, riapre piuttosto la casistica borghese delle verità relative, delle interpretazioni plurivalenti, delle giustificazioni psicologiche in cui si dissolvono i valori etici della famiglia[17]. Non ci sono vincitori, non si offrono alternative; non certo il matriarcato, negato dalla realtà storica, e che d'altronde Gigliola con il suo suicidio condanna all'estinzione, né il ritorno alle virtù antiche rappresentate da Edia Fura, apparizione fugace e senza ritorno, ma neppure il patriarcato la cui autorità è screditata proprio dalle sue debolezze intrinseche. Tibaldo, forse non colpevole, forse vittima lui stesso, certamente pietoso nella sua miseria, è il responsabile morale della rovina della sua famiglia, è indegno del suo ruolo di *pater familias*.

Gigliola dichiara il fallimento della sua azione, ma il significato della tragedia non può essere identificato con le conclusioni che la protagonista raggiunge, in quanto il significato trascende il punto di vista dei personaggi e nasce dalla somma degli avvenimenti. «Tutto fu in vano», è valido per Gigliola ma non per noi, il pubblico, che possiamo leggere nella sua

---

[16] Commentando il suicidio di Vana in *Forse che sì forse che no*, Renato Barilli riconosce un parallelismo nel gesto di Vana e di Gigliola: «... [Vana] lo fa per vendetta, per costituire, col proprio cadavere, un ingombro intollerabile sulla coscienza dei congiunti che a suo avviso non sono stati all'altezza dei compiti loro spettanti. Dunque, siamo sul filo delle motivazioni da riconoscersi ad una Gigliola». *Op. cit.*, p. 208.

[17] Commenta Bárberi Squarotti: «Gigliola ha creduto di poter rinnovare l'atto di Elettra (e di Oreste), ma ha urtato contro la moderna complicazione dei sentimenti, dei moti interni, ambigui ed equivoci, dove colpa e innocenza sono sempre confusi e inestricabili». *Op. cit.*, p. 308

disperata volontà di assoluto e nel suo fallimento, un gesto di protesta, una ribellione, anche se sterile, contro un sistema patriarcale che ha sancito con il matrimonio il potere bestiale di Angizia e che ha posto lei, Gigliola, sotto l'autorità di una criminale e di un padre inetto, debole, corrotto dal suo vizio[18].

Se nella *Figlia di Iorio* l'autorità del padre ucciso viene riaffermata dalla madre che si appropria del figlio e abbandona alle fiamme la donna che ha messo in crisi le leggi del sistema, nella *Fiaccola sotto il moggio* l'autorità patriarcale è dichiarata scaduta, autodistrutta dalle sue debolezze intrinseche: lussuria, malattia, mancanza di valori ideali[19].

---

[18] Una conclusione così disperata e negativa, anche se non percepita nel suo intimo valore trasgressivo e denunciatario, non poteva certo soddisfare i gusti del pubblico di quel lontano 1905. Durante lo stesso anno D'Annunzio, sempre attento al successo e sensibile alle risposte della platea, tentò di rimaneggiare il quarto atto, elaborando una versione edificante della morte di Gigliola e Tibaldo di gusto hollywoodiano. Nelle varianti, la nonna Aldegrina sospinge Gigliola verso il padre morente dicendo: «Va, va, vagli sul cuore». Tibaldo le domanda per un'ultima volta di leggere nei suoi occhi la verità e crolla a terra. Gigliola si china su di lui esclamando: «Padre, padre, salvato sei». D'Annunzio rinunciò però a questa modificazione che svuotava l'opera del suo significato e ne distruggeva la struttura interna. Cfr. «Archivio del Vittoriale», ms. 1924.

[19] Il commento conclusivo di G. Bárberi Squarotti sostiene la mia interpretazione «La seconda tragedia abruzzese di D'Annunzio si propone, di conseguenza, come quella del fallimento dell'eroina, per colpa di una corruzione e di una decadenza fisica e morale che appaiono alla fine, le uniche vincitrici». Giorgio Bárberi Squarotti, *L'eroina intrepida: Gigliola* in *La scrittura verso il nulla*, cit., p. 308.

8.
«Più che l'amore»

Con *Più che l'amore*, D'Annunzio ritorna alla prosa. La nuova opera, viene rappresentata il 29 ottobre 1906 al Teatro Costanzi di Roma, dove registra il più clamoroso fiasco di tutta la carriera teatrale di D'Annunzio. Pubblico e critica furono concordi nel demolire la tragedia sia pure per differenti motivi; il pubblico si indignò per il contenuto considerato amorale, i critici lamentarono le insufficenze del testo e della recitazione[1]. Ne seguì una polemica vivacissima in cui, contrariamente alle abitudini, intervenne lo stesso autore indirizzando una lettera a Vincenzo Morello, che ora precede il testo della tragedia a premessa e difesa dell'opera con il titolo *Dell'ultima terra lontana e della pietra bianca di Pallade*[2]. Che D'Annunzio fosse particolarmente toccato da questo insuccesso, lo dimostra il tono veemente della sua difesa; passando dalla satira agli insulti, l'autore coinvolge critici e pubblico nello stesso disprezzo e conclude tessendo un'alta lode di se stesso[3].

---

[1] Due telegrammi all'editore Treves. inviati la sera stessa del 29 ottobre e firmati Bacchiani, illustrano l'atmosfera di questa Prima: «Primo atto pubblico nervoso teatro affollatissimo recitazione fiacca interruzioni frequenti applausi debolissimi fine contrasti e urli, fin'ora delusione». «Applausi frenetici magnifica scena passione Corrado Maria, dopo lavoro precipita Zaccone difendesi come leone supera ripetutamente tempesta urla [...] e fischi finali», «Archivio del Vittoriale» *Lettere a E. Treves*, 29 ottobre, 1906.

[2] Vincenzo Morello aveva difeso la tragedia sulle pagine della «Tribuna». Cfr. Bisicchia, *Op. cit.*, p. 127.

[3] Alcune brevi citazioni potranno illustrare la furia di D'Annunzio in questa occasione. Commentando le reazioni degli spettatori e dei critici, li definisce «il coro delle bertucce giovinette e dei mammoni decrepiti che m'inibiscono l'immortalità»; un «ulululo» che palesa la «barbarie primitiva nell'anima civica»; «i catoncelli stercorari» che recensi-

Nella versione pubblicata da Treves nel 1907, l'opera è definita una
«Tragedia moderna, preceduta da un discorso e accresciuta d'un preludio
d'un intermezzo e d'un esodio». Tanto il discorso, la famosa *Lettera a
Morello*, quanto il preludio, intermezzo ed esodio, «suggerimenti sinfonici
per orchestra» in prosa poetica che inquadrano i due episodi, sono frutto
di un ripensamento dell'autore dopo la caduta dell'opera alla sua prima
performance[4]. Tema classico, dunque, riproposto in un contesto contemporaneo. La tragedia rispetta infatti i canoni: l'azione è condensata in un
solo giorno, «tra due vesperi», il luogo, pur sdoppiandosi in due scene,
aderisce intimamente agli avvenimenti e il numero dei personaggi si riduce a tre proto-agonisti, Corrado Brando, Maria Vesta e il fratello Virginio.
Gli altri personaggi secondari non hanno un ruolo drammatico: Marco Da-
lio e Giovanni Conti assumono la funzione informativa del messaggero
classico, quanto a Rudu, il servo di Corrado, è semplicemente un'esten-
sione del personaggio che ci rimanda la sua immagine come uno specchio
fedele.

I nomi dei personaggi, a forte carica connotativa, illuminano sin dall'i-
nizio il loro ruolo. Nel nome di «Maria» la nozione di purezza si amplia
nel cognome «Vesta» che allude alla vestale, custode della tradizione;
«Virginio», nome insolito al maschile, annuncia uno spirito intatto, vergine di passioni volgari; «Brando», sinonimo di spada, prelude a un temperamento pugnace la cui virtù virile è ribadita dal valore onomatopeico delle consonati del nome «Corrado».

---

scono la sua opera e la «consegnano ogni giorno alla vendetta popolare» (1069, 1070,
1092). Quanto alla lode della sua opera, leggiamo: «Per ciò io mi considero maestro legittimo; e voglio essere e sono il maestro che per gli italiani riassume nella sua dottrina le
tradizioni e le aspirazioni del gran sangue ond'è nato; non un seduttore né un corruttore,
sì bene un infaticabile animatore che eccita gli spiriti non soltanto con le opere scritte ma
con i giorni trascorsi *leggermente* nell'esercizio della più dura disciplna. Le figure della
mia poesia insegnano la necessità dell'eroismo. Uscito è dalle mie fornaci il solo poema
di vita totale – vera e propria "Rappresentazione di Anima e Corpo" – che sia apparso in
Italia dopo la Comedia. Questo poema si chiama *Laus Vitae...*» (1093). Per un valido
commento di queste «arroganti» dichiarazioni vedi *The Dark Flame*, cit., p. 110.

[4] Nel «Preludio» il motivo dominante è quello dell'Ulisside; l'«Intermezzo» è consacrato a Maria che richiama le figure di Euridice ed Alcesti (ma anche quella appena ac-
cennata nella *Lettera* di Antigone, l'eroina pugnace); l'«Esodio» vuole essere il «lamento,
e inno» che conclude l'opera con l'evocazione del rogo dell'eroe che ha scelto per sé la
sua morte. Corrado, nel quasi-soliloquio con Rudu, accenna due volte al rogo finale in cui
si consumerà: «questa è una gabbia miserabile però non c'è bisogno di bitume per incen-
diarla; basta uno zolfino» (1199). Sempre nella stessa occasione invoca un rogo per «ar-
dervi la mia libertà il mio orgoglio e la mia idea» (1199).

Secondo una simmetria teatrale solidamente articolata, ciascuno dei due episodi che compongono l'opera si divide in due dialoghi. Nel Primo Episodio il dialogo Virginio/Corrado è seguito dal dialogo Virginio/Maria; nel Secondo, il dialogo Corrado/Maria precede il dialogo conclusivo Corrado/Virginio. In entrambi gli episodi i duetti dei personaggi principali sono mediati da una scena di transizione prodotta nel Primo Episodio dalla visita degli amici Giovanni e Marco, nel Secondo dalla conversazione di Corrado e Rudu. Altri elementi strutturali concorrono all'equilibrio della composizione particolarmente serrata. I due personaggi maschili, Virginio e Corrado, dominano ognuno un episodio; Virginio è constantemente in scena nel Primo, partecipando ai due dialoghi, così come Corrado lo è nel Secondo. Da questo schema risulta che Corrado e Virginio sono coinvolti ciascuno in tre duetti mentre a Maria ne sono riservati solamente due. Tuttavia la posizione centrale della presenza scenica del personaggio femminile, che chiude il Primo Episodio e apre il Secondo, assicura a Maria uno spazio privilegiato proprio al cuore dell'opera.

Il mutamento di scena nei due episodi tende a sottolineare l'alterità dei due caratteri maschili. Nel Primo è rappresentato lo studio di Virginio Vesta, un ingegnere idraulico intento al suo paziente lavoro. È una vasta stanza, ordinata e luminosa, occupata da un grande tavolo da lavoro e dominata da una maschera di Beethoven, simbolo della cultura occidentale. Il Secondo Episodio si apre invece su una camera dell'appartamento di Corrado Brando, decorata con sferze, lance, pelli di leone, utensili e armi di tribù africane. Su un tavolo sono disposte carabine, rivoltelle e munizioni; sul tappeto alcuni libri e una cassa indicano i preparativi di una partenza imminente. Alla pace operosa nell'ambito della tradizione raffigurata nel Primo Episodio si oppongono le immagini dell'esotico, della guerra e dell'avventura.

Un'opera così scandita da simmetrie di scene e di ruoli, che si suppongono attanziali, fa prevedere un'azione a triangolo in cui due antagonisti si contendono la donna, oggetto del desiderio di entrambi; ma la vicenda delude le aspettative. Per poter apprezzare le ambiguità del tema e del progetto teatrale sarà bene ripercorrere la vicenda non sotto forma di fabula ma di trama, seguendola nel suo sviluppo scenico.

Il Primo Episodio inizia con un duetto tra Virginio e l'amico Corrado. Virginio, intento al suo lavoro, sta ritoccando un disegno mentre Corrado, in preda a un'ansia repressa, si aggira a scatti per la stanza. Nel dialogo che segue, l'opposizione tra il temperamento dei due personaggi, già stabilito a livello gestuale, si definisce in concetti. Virginio afferma la compiutezza della sua paziente progettazione, che si animerà di energia vitale nell'attuazione finale e si dice pago del suo ruolo nel vasto concerto della fatica umana, volta ad operare armoniosamente sulle forze della natura. A questo progetto di vita, nobile ma modesto, Corrado oppone il furore pugnace del suo spirito che anela alla coincidenza assoluta dell'idea e dell'azione realizzata nell'atto eroico.

Dal dibattito emerge il passato di Corrado, esploratore temerario, che ha affrontato pericoli e tortura per impadronirsi dei segreti del continente africano. Durante una spedizione, conclusasi ormai da due anni, ha raccolto informazioni preziose sulle sorgenti del fiume Omo ed ora brucia di sacro furore nell'ansia di riprendere il cammino interrotto. Da due anni tenta inutilmente di ottenere un finanziamento dal governo ma una burocrazia ottusa e lenta, asservita ad interessi privati e schiava di rivalità meschine, gli nega i fondi per continuare l'impresa, e Corrado si dibatte tra la frustrazione e l'ira. Pronto a prendere su di sé «quel che v'ha di peggio in terra, risoluto anche ai sacrifici umani» (1111), si trova prigioniero di una situazione assurda in cui il suo animo «si fa astuto e malvagio» e la follia si presenta come l'unico sbocco verso la libertà (1109). Nella speranza di un colpo di fortuna che potrebbe risolvere l'impasse, frequenta le bische, si mescola ai bari, immergendosi in un abisso da cui conta di risalire incontaminato per «scoprire nuove stelle» (1115).

Virginio tenta di arginare la furia dell'amico ma Corrado tronca la discussione annunciando la sua partenza imminente. Eppure non ha vinto al gioco, anzi racconta a Virginio un'esperienza recente. Due sere innanzi, si è misurato con un volgare biscazziere ed ha perso tutto; ha perso sulla parola, «vertiginosamente», ed ha provato intenso il desiderio di uccidere l'uomo indegno che ammassava davanti a sé il denaro con mani rapaci. Virginio freme d'orrore e Corrado, riprendendosi, dopo una schermaglia di allusioni e provocazioni, annuncia di aver scelto la solitudine rinunciando ad ogni legame affettivo e quindi anche all'amicizia.

Per placare l'amico, Virginio rievoca le ansie della prima giovinezza condivise con Corrado e le pene umane del suo vivere; l'abbandono della madre, la morte del padre, la pace del presente rasserenato dalla presenza della sorella Maria che ha saputo ricostituire intorno a lui i teneri legami dell'affetto.

L'onda dei ricordi è interrotta dal ritorno di Maria che entra nella stanza con mani cariche di violette. Corrado si accomiata portando con sé un mazzo di violette e Maria e Virginio si affacciano alla finestra avvolti da una sottile maliconia. Parlano della madre lontana legata ad una triste vicenda d'amore; Maria piange sommessamente appoggiata alla spalla del fratello.

Virginio avverte il turbamento della sorella e lo attribuisce a una pena segreta. Dubita che Maria ami Corrado ma che non osi rivelarglielo per risparmiargli la pena dell'inevitabile separazione. Ora, dolcemente, forza Maria a confidarsi accennando alla prossima partenza di Corrado. La notizia coglie Maria impreparata, l'angoscia travolge ogni riserbo e la sua voce prorompe: «Non è vero. Non è vero, non può essere vero. L'hai detto per provarmi, l'hai detto per sapere. Vuoi sapere se l'amo? Vuoi che te lo gridi? Si, guardami come sono. Ho pietà di te, ho pietà di me. Ma l'amo, l'amo con tutte le forze dell'anima e del sangue, da vicino, da lontano, nella vita, nella morte, sopra tutto, di là da tutto... Guardami come sono. Dimmi che non è vero, ora che sai. Rendimi il cuore. Aiutami» (1144).

Affranto dal dolore senza ritegno di Maria, Virginio la conforta con parole di affetto e di devozione. Maria tiene in serbo altre rivelazioni ma deve contenersi a causa dell'arrivo di due amici, Giovanni e Marco, che vengono per una breve visita. Portano un piccolo libro per Maria, il loro affetto e notizie dalla città. Mentre Maria si assenta con una scusa, gli amici commentano i fatti del giorno: l'arresto di Simone Sutri, un collega di Giovanni, fermato come sospetto nell'uccisione dello zio Paolo, noto usuraio e biscazziere, che è stato trovato morto nella sua casa. Rievocando la figura dell'usuraio, Virginio ripete le parole usate da Corrado nel descrivere il vecchio laido che aveva desiderato uccidere: «un uomo calvo, con un grosso labbro pendente» (1115).

Rientra Maria e, non appena gli amici si accomiatano, riprende la confessione interrotta. Verità penosa per Virginio: la «diletta sirocchia», la creatura che aveva innalzata su un altare, la dolce vergine custode del focolare è una donna vibrante di passione che si è data totalmente all'uomo amato. Le sue certezze più sacre sono travolte e Virginio vacilla, ma la sorella riprende con accorata dignità: «...non mi discolpo; né voglio attenuare ciò che ho fatto. Anzi bisogna tu sappia che non vi fu ombra di insidia né di bassa lotta... Egli è immune davanti a te. Non vi fu se non l'amore grande, e la libertà del dono» (1162).

La verità dà impeto alle sue parole che si fanno via via più sicure e più forti. A Virginio che la rassicura del suo amore e del suo aiuto dicendosi pronto a difenderla, Maria risponde fieramente: «Contro chi, se non temo?» (1164). È Virginio che teme prevedendo le reazioni di Corrado, certo che sacrificherà l'amore alla sua impresa, Maria invece, passato il primo sgomento, si aggrappa alla sua certezza: «Sono certa che, finché sarà necessario resterà col mio amore... quando saprà... che porto un'altra vita» (1165-1166)[5]. Su questa rivelazione si conclude il Primo Episodio. La scena del Secondo Episodio, correlativo oggettivo del temperamento di Corrado, mette in evidenza le opposte virtù dei due amici. Lo studio di Virginio parla di un lavoro costruttivo che segue un ordine logico. L'appartamento di Corrado con le sue decorazioni esotiche, con le armi e le indicazioni del viaggio, denota l'avventura, l'individualismo, la violenza intesa non a dare ordine ma ad andare oltre l'ordine per scoprire nuovi orizzonti.

Nella stanza Maria sta parlando con Corrado. È venuta a chiedere ragione di una lettera di addio, arida ed evasiva che tutto il suo essere rifiuta. Al silenzio di Corrado il suo tono cambia; dal voi con cui aveva iniziato il discorso passa al tu; dalle formule contenute alle parole della passione. È pronta ad eseguire gli ordini, a vivere o a morire per lui, può tutto accettare ma non di essere misconosciuta, non l'umiliazione di essere fraintesa nella sua tensione verso l'amore totale, quello che non chiede nulla e dà tutto. Maria sente nell'uomo l'antico sospetto, avverte i meccanismi di difesa, l'ansia di libertà, la necessità di colpire per superare l'ostacolo dell'affetto, più temibile di ogni altro. Con parole veementi protesta la purezza della sua dedizione:

> Ah, che cosa mortale è questa: che nessuna forza d'amore valga a riscattarci dal sospetto e dal disprezzo dell'uomo, e che sempre quel che fu ebbrezza o martirio debba infine apparire ingombro e perdizione! (1172)

Corrado oppone brevi parole alla foga di Maria, accenna a una «necessità» che lo obbliga a partire ma non può arrestare il suo impeto:

> Il mio cuore è assuefatto alla minaccia. Non una sera ho mancato di provare la mia felicità contro la certezza del dolore che tu non mancavi di promettermi prossimo. [...] Tu mi baci più forte quando mi dici addio che quando mi accogli. Ogni volta ho pensato: «Come mi bacerà forte quando egli dovrà partire o quando io dovrò morire». Ero alfine degna che tu mi dicessi guardandomi nelle pupille: «L'ora è venuta». Avrei fatto del mio dolore la mia gloria accompagnandoti fino al molo con passo fermo, ed il viso asciutto. E tu – perdonami, perdonami, ma lascia gridare l'anima mia per una volta! – tu, quasi a tradimento, mi metti nell'ala il tuo piombo. Non vedi in me se non la massa pesante che ha due braccia per aggrapparsi... (1173-1174)

---

[5] Nella *Lettera* l'autore commenta: «...nella donna risuona per l'ultima volta l'antica voce tirannica quando, a sostener l'amato, ella afferma la sua certezza: "Resterà col mio amore..."» (1087).

Inutilmente Corrado tenta di arginare le parole di Maria che conclude: «Mi congedi con una lettera frettolosa; sembra che tu fugga...». L'accusa è sconvolgente: «Che hai detto? Sembra che io fugga!». Non è una domanda, il punto esclamativo indica il baratro che Corrado contempla: la sua partenza pare una fuga, una sconfitta; ora le sue riflessioni si fanno amare, lo sconforto lo assale. Maria lo interroga: «Che hai fatto?» Sin dal giorno precedente ha avvertito un mutamento di cui non sa darsi ragione: «E quando ti tesi quel mazzo di violette, intravidi la tua mano che le prendeva ma non te eri già passato dalla parte della notte, dietro la porta...». Le sue domande restano senza risposta e il discorso, diretto da Corrado, insensibilmente si sposta su Virginio.

Maria racconta della sua confessione, della pena e della solidarietà del fratello. Al pensiero del giudizio di Virginio Corrado si irrigidisce ma l'impeto della donna lo travolge; Maria ha detto la sua passione e il suo tormento non per chiedere soccorso o consiglio ma per uscire dalla menzogna e offrire a Corrado anche la cosa più sacra, il suo focolare, e la verità le ha restituito la purezza del suo amore:

> Tutto diviene facile; tutto è necessità e miracolo. Sono ora con te ai limiti del Deserto e le cose remote della mia vita sono polvere e cenere per mezzo a cui ho camminato perdutamente prima di giungere a te. Il mio spirito può abitare la tua tenda. Il mio coraggio può fissare le tue nuove stelle. Mi riconosco della tua razza. Posso, come te, cantare nei supplizii. Tutto posso compiere, se tu me lo chiedi, fuorché questo: che io ti ami meglio, ché meglio non so. (1179)

Maria rivela a Corrado l'aspetto folgorante dell'amore, quando la fiamma della passione, bruciando ogni egoismo umano, raggiunge le sfera del sublime. Vinto da un'anima più forte e più pura della sua, Corrado riconosce in Maria il dono supremo del Destino, quello a cui confusamente aspirava, «il dono che si concede soltanto a colui che parte pel viaggio senza ritorno» (1118). Ma Maria scaccia i presentimenti di morte. Il momento di consonanza perfetta che vivono annulla l'attesa, il tempo, e la vittoria è certa.

Una forza immensa emana da lei. Dalla notte cieca e disperata che l'ha condotta all'orlo del suicidio è nata una volontà di lotta per il nuovo fremito di vita che ha sentito in lei. È un'energia che annulla gli ostacoli e si trasmette a Corrado; anche l'Africa si allontana:

> Avevo sempre davanti agli occhi l'immensa duna oceanica e mi sembrava di leggere nelle corrosioni spaventose, chiara come una lapide incisa, la mia pro-

fezia eroica. Ed ecco è scomparsa. Tu sei forse la mia ultima terra lontana.
Ho camminato dietro di te con una rapidità senza respiro, di vertice in vertice.
Come potrà mai il mio piede andare più lungi della mia anima? [...] Superare
il pericolo non mi vale se non a superare me stesso [...] Ora tu mi dai da re-
spirare l'aria ch'io cerco. [...] Mi esalto in te [...] Tu susciti dal mio destino
ancora un baleno, forse il più bello. Mi mostri in te l'altezza a cui io ero nato,
mentre il tuo stesso presentimento mi affonda nella notte... (1180-1181)

La potenza dell'amore travolge le ultime difese di Corrado, il suo individualismo sfrenato, la sua solitudine sprezzante, il suo supremo desiderio
di annientamento.

Corrado: ...Sento che è in te non so quale potenza...
Maria: Senti?
Corrado: Per la prima volta, per la prima volta soffro e gioisco in un'altra
          creatura, mi sciolgo dai miei mali, rinunzio alla mia solitudine.
Maria: Senti?
Corrado: Sento che le radici della mia vita non sono più in me e che l'infini-
          to è là dove tu ti volgi.
Maria: Senti?
Corrado: Non avevo più speranza; e tu palpiti come se tu non bastassi a con-
          tenere una cosa più grande di quella ch'era mia.
Maria: Amore, amore, indovini dunque? (1183-84)

La voce di Maria conduce alla rivelazione della nuova vita che è in lei, e
per Corrado è una nuova cima di esaltazione e di gioia:

Folle! Divina! [...] Quasi non oso più toccarti. Vorrei con quel che mi resta
della mia forza creare la pace e la bellezza intorno al tuo miracolo silenzioso.
Che la mia ragione eroica di vivere sia perpetuata! Che la Natura trasmetta in
carne il sogno della mia più profonda cicatrice! E che nella tua memoria io
sia assolto! (1186)

Colpa ed assoluzione non hanno significato per Maria. La certezza
dell'amore la fa vivere in un presente assoluto che annulla il passato e si
apre sull'«oltre»; per Corrado invece il futuro pare dissolversi dinnanzi
«alla realtà immediata, all'atto che non può essere distrutto» (1186). L'arrivo imminente della madre, chiamata da Virginio, obbliga Maria a lasciare Corrado che promette di raggiungerla di lì a poco, ma il bacio del commiato non le lascia dubbi: è il bacio dell'addio supremo, quello che ha at-
teso e temuto da sempre, il suggello che prelude alla morte. Maria lascia
l'appartamento barcollando. Corrado tenta di richiamarla, esita, poi con
calma determinazione riprende i preparativi interrotti; con Rudu controlla

le armi, le carica come se stesse per sostenere un attacco.

Segue un dialogo, o meglio un monologo, in cui le domande di Corrado trovano un'eco affermativa nelle brevi risposte di Rudu. È dunque possibile che un gesto, «l'atto che non può essere distrutto [...] il piccolo fatto senza sangue [...] l'ostacolo molle», possa invischiare la sua energia, arrestare il suo impeto verso la meta? e il servo fedele conferma che non è possibile.

Assorto nel dilemma tra partire o restare, Corrado interroga la sorte gettando una moneta. Per tre volte la moneta avvisa di restare e come già altra volta nell'Africa profonda, Corrado ignora l'oracolo e decide di «afferrare il destino alla gola» e seguitare il suo cammino (1202).

Una nuova visita interrompe i preparativi; è Virginio venuto non per giudicare ma per tentare di salvare «qualcosa di umano» dall'incendio confuso che distrugge tutte le sue certezze (1205). Vuole la verità. Con impeto Corrado dice la sua venerazione per la maternità di Maria, la sua ammirazione per la libertà animosa del suo spirito ma subito la gioia esultante si smorza sotto il peso dei sospetti: il cadavere del biscazziere è tra di loro. Corrado sente premere una domanda che Virginio non osa formulare e dopo una schermaglia di sfide ironiche, per appurare quanto Virginio sappia, dopo aver rivendicato il diritto di chi «degno della più disperata vittoria [...] ha osato affrettare il suo destino», finisce per riconoscere di aver commesso il crimine. Pur nella sua prostrazione, Virginio tenta ancora di «vedere qualche luce nel fondo» (1212). Con sdegno Corrado respinge quel che gli pare un invito alla redenzione cristiana: «Luce di salvezza? Non la cercare. Pentimento? Espiazione? La tua luce non è la mia» (1212). Ma la luce di Virginio è tutta umana; offre il suo aiuto e incoraggia l'amico a partire, a purificarsi nel Deserto e coprirsi di gloria.

L'animo puro di Virginio smorza la frenesia aggressiva di Corrado. Incalzato dall'amico ricostruisce ora i tempi del delitto dalla tentazione all'esecuzione. L'uscita dalla bisca nella notte greve di afa pesante, di odori nauseabondi; la sensazione di chiusura, di oppressione e la ribellione: «Basta! Basta! questo trascinio da accattone collerico. Basta! questa domesticità senza salario. Basta! questa stupida fatica di mantenere un vizio che non è il mio vizio. Andiamo! Qualunque mezzo ci valga» (1216). Poi, in uno stato di sorda ilarità la decisione di riprendersi il bottino, la revisione del conto preventivo della spedizione alla luce rossastra di un fanale, l'attesa davanti alla porta, l'arrivo del biscazziere, il suo terrore molle e l'esecuzione rapida; le due carotidi nella morsa delle mani di Corrado. Virginio non vacilla, anche il suo sacrificio è stato consumato; chiede invece dettagli pratici: qualcuno lo ha visto? ha commesso qualche errore? Per sviare le ricerche e facilitare la partenza Virginio offre di denunciarsi come colpevole; candida e generosa offerta subito scartata da Corrado che rivela l'ultimo dettaglio, quello che lo perderà inevitabilmente; ha lasciato la lista degli allestimenti per la spedizione sul luogo del delitto. Non è certo, ma teme e l'ora incalza; è tempo per lui di decidere della sua vita e della sua morte.

Corrado stronca gli ultimi tentavi di Virginio di arrestare la sua corsa verso il precipizio. Altre vite saranno schiantate insieme alla sua? – Maria ha una forza sovrumana e saprà vivere nella solitudine. Ha «disumanato l'amore»? – E un amore libero da «infermità e da catene», il cui canto sublime non potrà essere spento dai supplizi. Dicendo addio a Virginio Corrado gli confida il significato della piccola frase «cantare nei supplizii» che è il suo segno. Si riferisce a un episodio della sua impresa africana. Preso prigioniero con Rudu e torturato è riuscito ad imporsi al nemico dominando il dolore della carne e cantando nella tortura, fedele alla sua dichiarazione: «...voi non potete farmi né soffrire né morire» (1226).

I tempi precipitano; tre uomini sono alla porta. Virginio viene perentoriamente allontanato; Corrado e Rudu si preparano ad affrontare la polizia aprendo il fuoco.

È questa l'opera teatrale più controversa di cui D'Annunzio, nella *Lettera a Morello* scrive: «Nessuna delle mie opere fu mai tanto vituperata, e nessuna mi sembra più nobile di questa» (1093).

Possiamo comprendere la reazione di un pubblico e di una critica che, chiamati ad assolvere o a condannare Corrado Brando in quel lontano inizio di secolo, hanno rifiutato *tout court* l'opera come amorale. Oggi, troppi Raskolnikoff hanno attraversato la scena perché il nostro giudizio critico possa ancora basarsi su considerazioni moralistiche; eppure Corrado Brando continua a non convincere. L'eroe tragico voluto da D'Annunzio non emerge sulla scena perché la vicenda non gli offre un antagonista e di conseguenza il conflitto drammatico non si verifica.

Propongo una serie di ipotesi per identificare l'antagonista senza il quale non può esistere un conflitto drammatico: Virginio, Maria, la società, oppure il conflitto è interiorizzato.

Se la struttura dell'opera pare indicare un antagonismo tra Corrado e Virginio, l'ipotesi non trova riscontro nell'azione. Virginio non ostacola e neppure giudica Corrado. Il suo ruolo pare anzi avere una funzione di appoggio in quanto permette all'eroe di spiegare il suo canto che viene alimentato e sostenuto dal contro-canto dell'amico. La pazienza operosa di Virginio è lo schermo su cui prendono risalto le dichiarazioni di Corrado che glorificano il furore e l'audacia dell'impresa individualistica. Quanto a Maria, la sua adesione totale alla vocazione eroica di Corrado esclude il conflitto tradizionale tra l'uomo e la donna «nemica».

Secondo la logica della vicenda l'antagonista dovrebbe essere la società, denunciata sin dall'inizio per il suo clientelismo burocratico e per il suo gretto utilitarismo, quella stessa società che alla fine, assale Corrado con il suo linguaggio tecnico e i suoi agenti di polizia. La modesta inchiesta di Virginio che indaga i dettagli del crimine, deve necessariamente tradursi in una serie di nomi, aggettivi, verbi e strutture che riducono l'atto di Corrado a un fatto di cronaca nera: assassinio, furto, colpevole, rilasciato, indizio, leguleio, consulto, mentre la forma passiva «fu trovato», in cui l'agente resta inespresso, intensifica l'impressione di un meccanismo impersonale contro cui il protagonista si dibatte. Tuttavia questo potere anonimo non è sufficientemente riconoscibile; la società, presente dietro le quinte, non appare sulla scena come causa determinante della catastrofe.

A difetto di un antagonista esplicito, il conflitto deve dunque essere interiore ed incentrato sul protagonista stesso, sulla sua volontà di superare i suoi stessi limiti. Suggestione d'altronde che ci viene dall'autore. Nella *Lettera a Morello*, vera orazione in difesa del suo eroe, D'Annunzio analizza la tragedia. Nelle intenzioni dell'autore Corrado Brando è l'Ulisside, quello che va oltre i limiti imposti dalla carne con i suoi richiami, sofferenze e rifiuti per giungere al dominio totale dello spirito[6]. «L'eroe, votato all'errore e al dolore, soffre non per purificarsi di una passione criminosa, non per espiare il suo peccato e per riacquistare la sua innocenza ma per essere – di là dal terrore e dalla pietà – "l'eterna gioia del divenire"» (1072). In difesa del suo eroe, D'Annunzio stabilisce ambiziosi paralleli con i grandi eroi della tragedia classica. Come Oreste Corrado ha commesso un omicidio che deve essere giudicato, e come Oreste dovrebbe essere assolto per la sua virtù prometèa. Come l'Aiace eschileo, Corrado ha commesso una follia, «un atto risibile e turpe», e come Aiace non ha che una scelta, la morte.

Pur accettando i paragoni, da un punto di vista teatrale il dramma interiore che dovrebbe travagliare Corrado non è apparente e le fasi di una sua sofferta vittoria su un atavico senso di colpa non raggiungono la scena. Dall'inizio, quando il delitto è presentato al livello virtuale nel Primo Episodio, sino alla rievocazione dell'esecuzione materiale, l'attitudine del protagonista non si modifica. Nell'ultimo dialogo con Virginio, Corrado so-

---

[6] «La legge umana, l'ordine naturale, l'uso, il costume possono essere sovvertiti dal suo atto; ma il suo atto genera un cerchio di zone più alte, una inaspettata sovrabbondanza di vita superna» (1072).

stiene anzi che l'esecuzione del delitto non ha mutato la sostanza dell'impulso a uccidere, anche se non realizzato. I dettagli materiali che l'amico domanda non possono cambiare quanto ha detto la sera precedente: «Che mi mancò perché l'impulso si esternasse in atto irreparabile? Un nulla. Non ero nella foresta, non avevo la sabbia in pugno né la lancia nell'altra mano. I testimoni erano di troppo. E che t'importa del resto?» (1210).

Corrado non ha dubbi né rimorsi né tentazioni; non conosce gli spasimi provocati dalle «vecchie Erinni», non si è risvegliato dalla follia per contemplare attonito lo scempio che ha provocato. Il suo atteggiamento resta immutato, non si pone scelte e non subisce trasformazioni. Anche quel suo interrogare la sorte con la moneta non è convincente perché giunge troppo tardi, quando già i dadi sono stati gettati e la sua sorte è segnata. Più che un Titano in lotta contro il destino Corrado ci appare come un falco, certamente nobile, che attratto per errore da una preda volgare è rimasto impigliato in una rete da passeri e si dibatte senza via d'uscita.

È soltanto l'errore di Corrado, la lista dimenticata accanto al cadavere del baro, un piccolo errore, una svista casuale non dettata da necessità alcuna, che assume le proporzioni del destino e precipita l'eroe verso la morte. Vien fatto di pensare che il delitto di per sé sia veramente irrilevante e che se Corrado non avesse lasciato un indizio che lo accusa in modo irrefutabile, il nostro eroe potrebbe partire verso la sua avventura accompagnato dai voti di Maria e di Virginio, e la tragedia non esisterebbe. L'eroe non si dibatte né contro il rimorso né contro l'onta ma contro una miserabile svista e il conflitto drammatico non può aver luogo contro una non-entità. Ne consegue che la relazione tra la causa e l'effetto non è proporzionale; se alla causa ineluttabile sostituiamo il capriccio del caso la tragedia si dissolve nell'assurdo. Come sostiene Bárberi Squarotti, la tragedia moderna è impossibile proprio perché il moderno esclude il tragico[7]. *Più che l'amore* non è una tragedia, è un'opera eminentemente lirica,

---

[7] Il saggio, *La tragedia impossibile di Corrado Brando*, di Giorgio Bárberi Squarotti esamina la discrepanza tra il gesto tragico di Corrado e il contesto borghese a cui appartiene. La visione tragico-eroica del protagonista, sogno e memoria, si riferisce a un tempo e a uno spazio «altro» da quello reale in cui agisce. Sin dall'inizio, nella sua lotta contro la burocrazia, nelle sue preoccupazioni finanziarie, nel suo tentativo di vincere al gioco per finanziare l'impresa africana, Corrado riconosce di far parte di quella società che nega i valori per cui egli stesso si batte. Il gesto eroico è vietato proprio da questo compromesso iniziale che lo nullifica; la società borghese interpreta l'azione di Corrado secondo le sue leggi e il suo linguaggio riducendola a un assassinio basso e volgare. *Il gesto improbabile*, Palermo, Flaccovio, 1971. A proposito di Corrado Brando, eroe mancato, riporto un interessante commento di M. Baratto «[...] il personaggio di D'Annunzio è un tra-

come D'Annunzio stesso riconosce. Commentando il personaggio di Maria, l'autore nota: «Qui penetriamo nell'imo cuore del dramma, la cui vicenda è tragica, la cui essenza è lirica» (1087).

Ritornando a un'analisi della struttura, è evidente che il nucleo dell'opera non è incentrato sulle smanie di azione eroica di Corrado, cristallizzato nelle sue ossessioni, ma su Maria, delicato personaggio femminile che dalla dolcezza sottomessa perviene, attraverso la sofferenza, all'affermazione dell'amore eroico. È in lei che si attua quel processo di superamento spirituale che l'autore vorrebbe attribuire a Corrado[8]. Colpa, vergogna, affetti familiari sono vinti in lei dalla necessità dell'ascesa verso l'amore totale. Benché il ruolo di Corrado sia dilatato dal suo passato eroico e dal suo delitto, la struttura dell'opera indica in Maria il personaggio centrale, l'eroina che si muove tra i due poli opposti rappresentati da Virginio e da Corrado[9].

sgressore incapace di assumere fino in fondo e dentro di sé, la propria trasgressione [...] Quasi che D'Annunzio riconosca l'impossibilità attuale dell'immoralismo». Nella *Discussione* che conclude il «Convegno sul teatro di D'Annunzio oggi», «Quaderni del Vittoriale», n. 24, p. 147.

[8] R. Barilli, che pur sostiene il primato femminile nel teatro dannunziano, riconosce invece in Corrado Brando uno «dei rari eroi al maschile». *Op. cit.*, 166.

[9] La critica è pressoché concorde nel riconoscere la verità e compiutezza del personaggio di Maria. Cr. A. Mutterle, *Op. cit.*, p. 112; R. Iacobbi, *Il teatro di D'Annunzio oggi*, in «Quaderni del Vittoriale», n. 24, p. 20; A. Bisicchia, *Op. cit.*, p. 128; R. Barilli, *Op. cit.*, p. 168. G. Bárberi Squarotti, che pure è un sostenitore del «femminile» nel teatro dannunziano, vede invece in questo personaggio la quintessenza della donna tradizionale, votata alla maternità e alla vita, che aderendo a questa funzione «sacra» elude il richiamo tragico della morte. «[...] alla fine, lo slancio femminista di Maria, che ha assorbito in sé quello che pareva il suo destino di "personaggio per la morte", si placa altrettanto coerentemente nella borghesissima celebrazione della maternità [...]». L'episodio d'amore sarebbe un'ulteriore riprova della dissoluzione del tragico. *Il gesto improbabile*, cit., pp. 143-145. Secondo la mia analisi, Maria non subisce «la maternità» come un fatto naturale a cui si piega passivamente per tradizione atavica. La sua è una scelta eroica attraverso cui si definisce in quanto «donna», assumendo piena responsabilità del suo atto e richiedendo a Corrado lo stesso impegno. Al di là della morale «borghese» e di ogni convenzione sociale, Maria domanda l'adesione di Corrado: «Hai orrore del vincolo sacro? Vuoi che io opprima il tuo sangue che già pulsa in me? Gettami una parola. Il voto è differito di un solo giorno. La notte è prossima». Non è questa una domanda retorica ma l'affermazione di una scelta che coinvolge entrambi. Resterebbe da indagare il significato della maternità in D'Annunzio, argomento alquanto complesso e non facilmente catalogabile, che in questo caso assume certamente una connotazione positiva. Le eroine di D'Annunzio sono spesso accusate di «sterilità» dall'uomo che vede in questo una riprova della loro incompletezza. Nel teatro, soltanto Silvia, nella *Gioconda* e Maria sono donne e madri. Non ritengo dunque che questo attributo possa essere considerato una prova dell'attitudine

Secondo uno schema che D'Annunzio persegue sin dalla *Città morta*, in *Più che l'amore* un fratello difende l'immagine virginale della sorella dalle tentazioni dell'amore-passione, contendendola all'amico più caro che la ama. La vicenda non è quindi originale; la novità assoluta è il personaggio di Maria. Pur sommando in sé gli attributi della donna secondo la codificazione cristiana, vergine santa e madre dolorosa, Maria trascende i parametri tradizionali, proiettando una nuova immagine di sé nell'amore eroico. Volta a volta, Maria si sceglie e si definisce al di là del ruolo che il fratello e l'amante le attribuiscono. Affrontandoli separatamente la donna impone loro la sua nuova realtà. Distrugge prima l'immagine della vergine vestale gridando a Virginio il suo amore per Corrado, la sua passione e la sua maternità. In seguito, si ribella allo stereotipo di donna debole e dipendente a cui Corrado la assimila, rigettando il ruolo tradizionale che fa di lei un fardello ingombrante, greve di affetto e di responsabilità. Maria presenta a Corrado una nuova immagine di donna, quella che lei si vuole, forte nel soffrire, capace di un amore totale, quella che trova il suo bene nel bene dell'altro. Ed è questa la donna che vincendo l'individualismo egoistico dell'uomo e guidandolo sulle vie dell'amore si propone a lui come la più alta conquista dello spirito.

Paragonando Maria ad Alcesti, D'Annunzio la fa erede di un esempio ammirabile di dedizione; come Alcesti Maria è pronta ad entrare nel mondo delle tenebre perché l'eroe possa vivere, come Alcesti, dopo la notte in cui è assalita dalla disperazione, Maria emerge dalle tenebre e ritorna alla vita, ma a differenza di Alcesti Maria trascende la devozione passiva per indicare il cammino e andare «oltre».

«Quando la voce femminile ascende fino alle note del canto, il suo potere riesce a superare il fascino d'ogni altra bellezza; poiché, per diventare musicale, è necessario che quella voce si accordi col ritmo del nostro cuore, lo rinforzi, si perda in noi, diventi la nostra essenza stessa, si trasformi in qualcosa che prima ignoravamo e che d'improvviso ci appare come un nuovo tesoro di sangue e di anima. "Sento che le radici della mia vita non sono più in me e che l'infinito è là dove tu ti volgi"» (1089). Sono le parole di Corrado che D'Annunzio cita per celebrare questa nuova immagine di donna, una delle più belle del suo teatro[10].

---

anti-eroica del personaggio.

[10] La definizione è di R. Iacobbi, *Op. cit.*, p. 20. «L'elemento simbolista, cioè melodioso e misterico, viene introdotto in *Più che l'amore* solo dal personaggio di Maria Vesta, tra i più belli di tutto D'Annunzio per la sua strenua chiarezza, per una evidente superiorità dei suoi valori di donna, cioè di natura, sulle troppe mascherature culturali e ideologiche dell'uomo».

9.

«La nave»

Terminata la stesura di *Più che l'amore*, D'Annunzio concepisce una nuova tragedia, *La nave*, che, data alle stampe soltanto nel 1908, sarà rappresentata al teatro Argentina di Roma nello stesso anno. *La nave* è un'opera complessa in cui confluiscono la vocazione tribunizia di D'Annunzio, il sogno del teatro di Albano e l'esperienza poetica di *Maya*; progetto grandioso a impianto corale che rappresenta il massimo tentativo di creare un teatro nazional-popolare. Il tema già enunciato dal poeta:

> navigare è necessario
> vivere non è necessario [1].

è ripreso dal drammaturgo che lo rielabora in una vicenda a forti tinte sanguigne, situata agli albori storici di Venezia.

Come riferisce A. Bisicchia, è U. Falena, a quell'epoca direttore insieme a Boutet della Compagnia Stabile di Roma, a interessarsi per primo a questa nuova opera di D'Annunzio, non ancora terminata, ma annunciata dall'autore in una lettura a Fiume nel 1907.

La tragedia è una specie di *colossal* multimediale che richiede la partecipazione di trecento comparse, tre cori, danza, musica e una minuziosa presentaziome scenografica [2]. Il luogo è un'isola dell'Estuario veneto, l'anno il 552. La vicenda celebra la nascita di Venezia sullo sfondo delle

---

[1] G. D'Annunzio, *Versi d'amore e di gloria*, II, 252.

[2] Nella rappresentazione del 1938 nell'isola di Sant'Elena, che utilizzerà una messinscena a *mansions* naturali come in una Sacra Rappresentazione, il numero delle comparse salirà a cinquecento.

invasioni barbariche, tra interferenze bizantine, sanguinosi conflitti interni e confuse aspirazioni di grandezza. L'intreccio, che si sviluppa in un Prologo e tre Episodi, narra la rivalità tra due famiglie, i Faledro e i Gratico.

Nel prologo vengono introdotte le Dramatis Personae e gli antecedenti dell'azione che si configurano attraverso i commenti e l'interazione di vari personaggi. Orso Faledro, prima tribuno del popolo, è stato violentemente deposto dalla parte avversa e la vita gli è stata risparmiata soltanto per punirlo in modo più feroce: Orso è stato accecato e i suoi quattro figli hanno subito la stessa sorte. Soltanto il figlio Giovanni e la figlia Basiliola sono scampati alla furia della vendetta partigiana riparando a Bisanzio. Ora Orso, seguito dalla sua derelitta compagnia, si trascina tra le maestranze che si affaticano al compimento di varie opere intorno alla Basilica, «lungo le palafitte, sotto i loggiati, negli scali scoperti». Due navi approdano quasi contemporaneamente; una riconduce in patria Marco e Sergio Gratico, sull'altra ritorna Basiliola.

La sola presenza della giovane donna (bellissima naturalmente) è una sfida. Una carica di aggressiva sensualità si sprigiona dalla sua persona e dai suoi capelli fiammeggianti. E venuta per dare guerra e compiere vendetta dello strazio del padre e dei fratelli, ma dissimula i suoi progetti: le sue parole sono umili e insinuanti; si inchina alla diaconessa Ema, madre dei Gratici; porta doni votivi e chiede asilo al popolo. Benché Ema, che avverte in lei un'avversaria temibile, tenti di allontanarla, l'opinione degli uomini, mossi dalla sua bellezza e dai suoi doni, prevale e Basiliola è accettata dalla comunità.

Sopraggiungono intanto i fratelli Gratici reduci da una spedizione vittoriosa e riportano i Tutelari, reliquie sacre al popolo. Tra inni, preghiere e discorsi Marco è eletto Tribuno e Sergio Vescovo. Nel tripudio generale Basiliola si offre in dono al Tribuno, sarà lei «la rosa del bottino».

Attraverso le voci del coro popolare si precisa la situazione precaria dell'isola in preda a lotte cruente per la conquista del potere. Entrambe le fazioni dei Faledri e dei Gratici sono colpevoli degli stessi delitti: ferocia, nepotismo e inganni. Infatti, se Orso Faledro è accusato dal popolo di aver elevato al potere i membri della sua famiglia e del suo partito, Sergio Gratico è acclamato Vescovo grazie a una macabra messinscena orchestrata da Ema. Il vecchio Vescovo è morto, ma gli accoliti, sorreggendone il cadavere rivestito dei paramenti sacri, lo presentano alla folla come se ancora fosse vivo. Nell'eccitazione generale, l'indovino annuncia di averlo udito designare Sergio Gratico come suo successore, proprio prima di spirare, e il popolo acclama il nuovo Vescovo, Sergio. Dietro i Gratici si disegna l'ombra della diaconessa che trama in segreto per il successo dei figli all'ombra della croce.

L'azione si configura sin dall'inizio indicando la posta in gioco, il trionfo o la distruzione dei due Gratici; gli attanti del conflitto, Ema, custode della tradizione e dei valori della comunità, e Basiliola tesa come un arco alla vendetta, si affrontano. La guerra è in atto ed ognuna delle due donne si servirà di tutte le armi di cui dispone per vincere, mentre i personaggi maschili non assumono un ruolo definito. La schiera derelitta dei Faledri ha una funzione passiva e puramente visuale in quanto prova viva e presente della ferocia Gratica da cui Basiliola prende impeto per la vendetta[3]. Quanto ai fratelli Gratici, non vibra in loro la nota tragica. Marco si presenta più come un eroe epico che come un personaggio tragico. Il suo programma di unità e sforzo collettivo verso grandi imprese è ineccepibile; non si avverte nel suo discorso nessuna nota che indichi interesse privato, *hybris* immoderata o vendetta personale. È l'eroe puro, l'uomo del destino che proclama la «libertà perpetua dei Veneti», che fa appello alla giovinezza e all'ardimento del popolo, erede delle gloriose tradizioni romane a cui Dio stesso comanda la conquista del mare; «Arma la prora / e salpa verso il mondo» è il suo motto[4]. Sergio invece resta un personaggio enigmatico; durante l'arringa di Marco si limita a pronunciare qualche formula in latino lasciando al fratello la parola e l'azione alla madre.

Il Primo episodio consacra il trionfo di Basiliola poiché il tribuno Marco, soggiogato dalla lussuria, è diventato un docile strumento nelle sue mani. I torturatori dei Faledri attendono una lenta morte nel fango della Fossa Fuja e la diaconessa Ema, confinata in un isolotto deserto, è stata resa inoffensiva; Basiliola è all'apice del suo potere.

La scena rappresenta una radura; a destra si scorge una loggia che ospita i segni della nascente potenza marinara, un'ancora, un delfino, un timone; a sinistra si erge un'ara pagana decorata da un bassorilievo che raffigura una Vittoria alata eretta sulla prora di una trireme; nel centro si apre la Fossa Fuja in cui si macerano, gemono ed imprecano i prigionieri sorvegliati da un gruppo di arcieri[5]. L'arrivo di Basiliola è annunciato dal suo canto e pur senza vederla una voce dalla fossa la invoca: «Uccidimi... (io sono Gauro, / colui che t'odia e t'ama)» (II, 71-72). Basiliola si avvici-

---

[3] Basiliola offre i quattro fratelli ciechi al trionfo di Marco Gratico quasi volesse imprimersi negli occhi l'immagine della loro sciagura a sostegno per la sua vendetta (II, 63).

[4] Non si può non notare nel discorso di Marco Gratico la fraseologia retorica di cui si servirà la propaganda fascista.

[5] La Vittoria alata sulla prora della nave è un'immagine ricorrente in D'Annunzio. Anche la nave Puglia che emerge dai boschi del Vittoriale è ornata di una simile polena.

na alla fossa e i prigionieri esaltati dalla sua bellezza uniscono le loro voci a quella di Gauro chiedendo la morte dalle sue mani. Basiliola li contempla, paga del suo trionfo, ma Gauro la insulta, la provoca, cercando la morte. Basiliola resiste dapprima all'oltraggio e rifiuta di ucciderlo, ma quando Gauro le grida che lui stesso ha partecipato alla tortura del giovane fratello Marino, Basiliola cede alla furia vendicativa, strappa all'arciere il suo arco e saetta l'uomo. Gauro muore gridando «T'amo... La tua mano è santa!» [...] «Sei divina! Tutto il sangue / mi balza verso di te con una forza / che ti sorpassa» (II, 81). La follia di Gauro agisce come una febbre contagiosa. In preda ad un delirio orgiastico i prigionieri si offrono alle frecce di Basiliola, confessano i loro misfatti, le torture che hanno inflitto ai fratelli di lei; vittime consenzienti, ebbre di desiderio, invocano l'angelo della morte. In un orgasmo di sangue e in una voluttà di morte, Basiliola compie la strage scagliando le frecce ad una ad una.

Quando anche l'ultimo prigioniero è spirato compare l'eremita Trabia, emissario della diaconessa Ema, che confronta Basiliola, denuncia i suoi misfatti e la maledice. La donna si difende ritorcendo le accuse in nome dello scempio che la ferocia Gratica ha fatto della sua famiglia. Anche Marco Gratico, sopraggiunto, partecipa fiaccamente al dibattito; la sua volontà sopita stenta a vincere il letargo in cui l'ha immerso Basiliola. Soltanto l'accusa di un'intesa tra Basiliola ed il fratello Sergio, lanciata da Trabia, pare riscuoterlo, ma la donna moltiplica le sue risorse; alla fascinazione sessuale aggiunge la promessa del potere e fa intravedere al tribuno un impero per la sua gloria. Evocando un'amosfera di prodigio, Basiliola cancella le predizioni di Trabia con la sua visione:

> Ti mentì quel profeta;
> non egli vide il carro, ma io vedo
> una nave di fuoco sopra te.
> [...]
>   Arma la Nave grande;
> e salpa verso l'emula di Roma,
> lasciando dietro a te gli stagni amari.
> L'Aquila di Aquilea su la prua
> avrai per segno e per vedetta[6]. (II, 108)

Marco teme l'inganno dietro il sogno grandioso e sotto le lusinghe

---

[6] «L'Aquila d'Aquilea» è un appellativo di Basiliola, spesso detta «la Faledra» (II, 113).

sente l'odio di Basiliola, ma non sa resistere ed è nuovamente soggiogato:

> M'ami tu? m'odi tu? Che mi prepari?
> Qual fine mi prepari? Ma il tuo bacio
> sia d'amore o sia d'odio, vale il Mondo. (II, 113)

Non ancor paga del suo trionfo, Basiliola obbliga Marco a chinarsi davanti a lei per raccogliere la sua tunica mentre un sorriso di scherno le illumina il volto[7].

La scena della Fossa Fuja, per quanto molto criticata, ha un suo cupo furore forse più cinematografico che teatrale, come se volendo fare del teatro popolare D'Annunzio slittasse inevitabilmente verso il cinematografo[8]. Ciò che più colpisce in questo episodio è l'inversione dei ruoli codificati dall'iconografia tradizionale. Qui, l'estasi del Bernini appare capovolta; l'angelo dal sorriso enigmatico ha assunto le sembianze di Basiliola e santa Teresa è stata sostituita dai prigionieri che con la stessa voluttà attendono la freccia, simbolo fallico per eccellenza. Ed è la donna che ferisce, penetra, conduce all'orgasmo sublimato nell'annientamento totale. La scena iperbolica è certo un condensato delle spinte sado-masochiste della cultura *fin de siècle* in cui si sommano sesso, sangue e misticismo; erotismo volutamente selvaggio e primitivo ma anche raffinamento estremo di una società che inverte i termini di ogni rapporto nella ricerca di un nuovo equilibrio.

Nel Secondo episodio Basiliola appare impegnata in una nuova fase della lotta. La conquista di Marco è stata soltanto un primo passo verso l'obiettivo finale che non è il potere personale ma la vendetta; Basiliola, ora alleata con Sergio, tenta di aprire un baratro invalicabile tra i due fratelli e di sovvertire la religione. L'ara pagana con l'effige della Vittoria alata sorge davanti alla Basilica ed il vescovo Sergio, accompagnato da Basiliola presiede un convito che celebra Diona, l'idolo della religione esoterica di cui Basiliola è la sacerdotessa. Gran parte dell'episodio è dedicato allo scontro vocale tra gli zelatori della fede e i nuovi seguaci di

---

[7] «il volto di lei non veduto si illumina tutto di scherno vittorioso» (II, 114).

[8] Tuttavia, come nota P. Puppa, più che l'eccesso della scena ciò che disturbava il perbenismo dei critici era la «provocatoria mescolanza tra culto mariano e inno a Venere, il montaggio incrociato tra i due rituali, parallelo in fondo alla connessione tra Dioniso e Cristo, tante volte declinato dal D'Annunzio più esoterico». Paolo Puppa, *La parola alta. Sul teatro di D'Annunzio e Pirandello*, Laterza, 1993, p. 161.

Diona. Minacce ed accuse piovono sul vescovo e sulla donna; Sergio, già offuscato dal vino, beve in silenzio ma Basiliola, sicura della vittoria, irride gli zelatori e promette al popolo una danza votiva. Urla ed acclamazioni accolgono la proposta; Basiliola libera dalla clamide una spada a doppio taglio, la impugna e inizia a danzare intorno all'ara. Tra l'eccitazione crescente la danzatrice slaccia i sandali, slaccia le vesti e si abbandona a una ebrezza bacchica che si propaga tra la folla. Provenienti dall'interno della basilica intervengono gli zelatori a frenare il delirio collettivo[9]. Basiliola si ritrae presso l'ara e Sergio immoto assiste ai movimenti dei due gruppi che avanzano e si ritraggono scagliandosi invettive e anatemi. Ma ecco Marco che giunge a chiedere al vescovo ragione del tumulto. Rapida, Basiliola depone la spada nuda davanti a Sergio, e Sergio l'impugna, dice il suo odio per il fratello, rivendica il diritto di primogenitura e confessa il suo sogno di gloria guerriera. Il duello, accettato dal popolo come un giudizio di Dio, è inevitabile; Sergio cade per mano del fratello. La vendetta di Basiliola si compie nel fratricidio ma la sua audacia la travolge nella catastrofe. Scoppia un tumulto; Giovanni, l'ultimo dei Faledri, sta attaccando la città con tre mila Epiroti. Marco ordina che Basiliola sia legata all'ara e corre alla riscossa.

Nel Terzo episodio i nodi del conflitto si sciolgono. La scena rappresenta lo scalo in cui si profila la sagoma robusta della Nave grande, «Totus Mundus».

All'ara su cui brucia il fuoco sacrificale è legata Basiliola, sorvegliata dal carnefice. Riappare Ema che riprende il suo ruolo di direzione spirituale ed incita il popolo a conquistare un futuro di gloria nel segno della Croce. Riappare Marco che chiama il popolo a parlamento, rammenta le sue imprese, riconosce le sue colpe e annuncia il suo proposito di riscattarsi con pena e sacrificio. Si bandisce egli stesso dalla città e si propone di correre esule i mari; ma il popolo gli affida una missione: riportare i resti del Santo Patrono della città. Più e più uomini si offrono di essergli compagni nell'impresa; gente di tutte le stirpi, giovani e vecchi, infiammati dalla sfida gloriosa. Nell'entusiasmo generale mentre la nave sta per salpare Basiliola lancia un richiamo: «O Gratico, ricordati di me / e di quest'ara» (II, 196). Marco tace ed è Ema che risponde comandando al carnefice di eseguire la sentenza: accecamento, schiavitù e macina. Basiliola, presa dal terrore, supplica di essere sacrificata sull'ara, di poter chiudere gli occhi nella morte, ma la diaconessa Ema è feroce, non cono-

---

[9] Gli «zelatori» sono i fedeli che sostengono la religione.

sce patti e ripete con accanimento il suo sogno premonitore: «Ha detto: Ora per ora, / giorno per giorno, anno per anno. Ha detto: / Viva nella tenebra» (II, 200). Implacabile ingiunge al carnefice di tondere i capelli a Basiliola e di procedere alla tortura ma l'uomo esita, tutti gli uomini esitano. Ema, furente, chiama gli schiavi per compiere il sacrificio. Basiliola si sente perduta e si rivolge a Marco supplicandolo di darle la buona morte, di non abbandonarla alla tortura che la attende. Marco interviene e la scioglie dall'ara. Con i polsi legati dietro alle reni Basiliola tenta l'ultima seduzione; Marco trema, per un attimo sembra cedere alle lusinghe ma si riscuote con un grido e decreta che Basiliola sia inchiodata alla prua della nave. Sarà una morte degna della sua bellezza. Nel silenzio che accoglie le sue parole la voce di Basiliola si alza alta e chiara:

> Gratico, odimi. Come non fui d'altri
> se non di quelli a cui volli donarmi,
> così – per l'ara augusta e per le due
> ali del grande Arcangelo! – non sono
> se non di quella morte che m'eleggo.
> [...]
> Odimi, eroe, per le tue sette Pleiadi!
> Se coniare non potei nell'oro
> romano la mia faccia, ebbene, guarda,
> io la imprimo nel fuoco. (II, 206)

Con un rapido movimento si getta sull'ara e i suoi lunghi capelli l'avvolgono in una fiamma.

Il sacrificio è compiuto; libero ormai da ogni insidia, Marco ordina ai suoi uomini di alzare i clipei e di gridare il nome di Basiliola, rendendole gli onori che spettano a un valoroso avversario. Il nome di Basiliola risuona alto. Poi i preparativi riprendono e la nave salpa verso l'Oriente.

L'immagine della nave che prende il mare conclude la vicenda e trasmette il messaggio profetico che la tragedia postula fin dall'inizio: sul mare la città deve cercare il suo destino. L'equipaggio formato da un gruppo eterogeneo di uomini, che rappresenta simbolicamente la tradizione unita alle giovani forze della comunità, sottolinea la volontà collettiva del popolo che si riconosce nell'impresa e liberamente sceglie la sua guida. Dall'impasto di rivendicazioni, fazioni e aspirazioni confuse del gruppo originario, attraverso le fasi rituali del disordine, del fratricidio e del sacrificio purificatore, è nata la città, conscia della sua missione, forte della sua fede religiosa, protesa verso il dominio del mare.

Il progetto politico in cui l'opera si inscrive è confermato dall'accoglienza del pubblico che, nelle sue variazioni, registra il diverso clima politico del periodo in cui la tragedia viene rappresentata[10]. La prima, al teatro Argentina nel 1908, registra un vero trionfo che, come nota A. Bisicchia, deve ascriversi alla particolare temperie politica del momento nutrita di visioni di gloria e di impero. Una ripresa della tragedia nel giugno del 1915, quando già la guerra è in atto, viene invece accolta con freddezza e indifferenza. Le vaghe aspirazioni di conquista del mare e gloria nazionale hanno poca presa sul nuovo realismo che domina l'opinione pubblica. Nel 1925, nel clima politico marcato dalla retorica fascista, una nuova edizione della *Nave* incontra il favore del pubblico e finalmente nel 1938, con la messinscena nell'isola di Sant'Elena a Venezia, la tragedia, che coincide con il programma fascista di «teatro delle masse», è salutata come l'esaltazione della potenza marittima italiana. Soltanto nel 1988, con la produzione di Aldo Trionfo, viene ridotto l'impatto del messaggio profetico dell'opera per valorizzarne l'elemento drammatico[11].

Per lunghi anni l'interpretazione in chiave politica ha prevalso cancellando in certo modo la struttura stessa della tragedia. Bisicchia esamina obiettivamente il valore dell'opera mettendone in rilievo le debolezze «che sono di carattere testuale, per la prolissità dei dialoghi e per la qualità antiquaria del lessico e di carattere drammaturgico, perché la coralità dell'azione si perde in quella sorta di polifonia decadente che sta alla base di certi pregi e di molti difetti della tragedia»[12]. Proprio Bisicchia coglie tuttavia nel personaggio di Basiliola una qualità singolare che la differenzia dalla classica meretrice lussuriosa; «personaggio pre-mitico... Basiliola è più idolo che donna»[13].

Interpretazioni e commenti sono certamente pertinenti e illuminano alcuni aspetti della tragedia senza tuttavia approfondire gli elementi della struttura drammatica che appare più coerente di quanto la retorica di superficie e le lunghe disdacalie sembrino promettere.

---

[10] D'Annunzio stesso conferma l'intento politico e messianico dell'opera: «Da alcune settimane ho compiuto una tragedia adriatica intitolata *La nave*: opera singolarissima, foggiata con la melma della Laguna e con l'oro di Bisanzio, e col soffio della mia più ardente passione italica; che si cruccia di non poter varare una grande armata navale contro la quarta sponda e di non poter piantare su la prua dell'ammiraglia una vittoria fusa non di bronzo ma di un metallo di miniera intentata». *Prose di ricerca*, II, p. 395.

[11] A. Bisicchia, *Op. cit.*, p. 134.

[12] *Ibid.*, p. 134.

[13] *Ibid.*, p. 136.

L'azione drammatica è scatenata dall'arrivo di Basiliola, personaggio centrale da cui dipende il corso degli avvenimenti. Nel contesto dello sviluppo della comunità da uno stato di barbarie alla condizione di coscienza civile che caratterizza la scena finale, il personaggio di Basiliola esercita una azione positiva e necessaria. La febbre di lussuria che la donna suscita non è una diversione teatrale atta a soddisfare il gusto sadico-erotico del pubblico ma un elemento portante con una precisa funzione strutturale. La libidine agisce come un catalizzatore che scatena gli istinti repressi, fa esplodere ribellioni latenti, provoca confessioni atroci e libera aspirazioni confuse. Sergio, eletto Vescovo tramite le manipolazioni di Ema, oltre a essere indegno della carica religiosa a cui è stato elevato e che non gli compete, è un individuo frustrato, infido, che cova un odio segreto contro il fratello Tribuno[14]. I prigionieri della Fossa Fuja, compromessi nelle lotte intestine che hanno sconvolto la comunità, portano il peso di atrocità subite e commesse e, come tali, sono destinati a prolungare la catene delle vendette personali. Le vittime di Basiliola sono in realtà elementi negativi che minacciano lo sviluppo della comunità e che vengono opportunamente eliminati dal contesto, come la donna fa ironicamente notare a Marco, sgomento dinnanzi alla strage della Fossa Fuja: «Non volevi questo? / Questo fu fatto» (II, 107). La morte che Basiliola semina ha una funzione purificatrice da cui nasce la nuova coscienza civile e il suo intervento provoca un disordine necessario perché il nuovo ordine possa nascere. Nel suo rogo si consumano le scorie di rivalità e tradimenti in quanto, assumendo su di sé tutte le colpe e tutti i crimini, Basiliola conclude la catena di vendette personali che minavano lo sviluppo della comunità e con la sua morte suggella la concordia riconquistata[15].

Benché Basiliola si presenti superficialmente come l'ennesima incarnazione di Salomè, con l'inevitabile apparato di danze e l'atmosfera di

---

[14] Prima del duello Sergio rivendica i suoi diritti: «T'abbandonai la primogenitura / ma primo nacqui, primo del gran sangue / gratico; e quando a Dio òffero l'ostia, / il mio cuore è furente d'arrembaggi. [...] Sergio [...] è solo un uomo, l'ultimo di tutti / o il primo; è un uomo col suo odio, armato / per combattere» (II, 165-166).

[15] Secondo la tesi di R. Girard lo scopo del sacrificio umano nelle società primitive non è di placare qualche divinità irata ma di preservare la vita della comunità. Il sacrificio è un mezzo per scaricare gli impulsi di violenza su una vittima emissaria evitando, o almeno minimizzando, il pericolo di cieca violenza che, attraverso faide e vendette a catena, provoca un costante disordine e minaccia la vita stessa della società. René Girard, *La violence et le sacré*, Grasset, 1972, p. 17. Seguendo questa interpretazione, la condanna-sacrificio di Basiliola appare come la conclusione di una serie di vendette che apre un periodo di attività positive per la comunità.

lussuria che le compete, il personaggio è molto più complesso e si arricchisce di nuovi significati[16].

Innanzi tutto il progetto di Basiliola non è determinato da un volgare desiderio di potere personale ma da un'ossessiva fedeltà al clan familiare. Soggiogato Marco, la donna potrebbe godere di un potere illimitato, ma non è questo che cerca; il potere non è che una tappa verso la vendetta totale che mira all'annientamento della famiglia avversa e delle istituzioni che la sostengono. L'alleanza con Sergio non è che una manovra tattica; giocando sulla gelosia passionale Basiliola è sicura di provocare uno scontro mortale tra i due fratelli. Poco importa se sarà travolta nella catastrofe; posseduta da una sola passione, incurante della morte, Basiliola non esita ad affrontare il rischio estremo, punta su Sergio e perde.

Nella lotta impari in cui si misura, la donna usa le armi tradizionali del sesso femminile, seduzione e lussuria, le sole di cui disponga, ma le amministra come un esperto stratega. Si presenta nell'isola nemica, munita di qualche dono e armata soltanto della sua carica di seduzione sessuale di cui è conscia e che amministra rigorosamente secondo un calcolo logico. Gioca sullo scatenamento degli istinti ma controlla e usa il suo corpo seguendo un progetto razionale che esclude ogni partecipazione istintiva o sentimentale. Il freddo calcolo che guida la sua condotta non appare affatto «femminile», se per femminile intendiamo quel complesso di irrazionalità e di intuizione che solitamente è attribuito al genere. Basiliola agisce in un sistema di cui adotta la logica per piegare il nemico sfruttandone le debolezze. Si offre allo sguardo maschile, si denuda, danza, costruendosi visibilmente come oggetto di desiderio ma lo fa in modo cosciente e deliberato senza trarne alcun piacere narcisistico. Anche nell'amplesso non si concede; il corpo resta distinto dalla volontà che si mantiene intatta. È Marco stesso che, pur travolto dalla passione, avverte questa resistenza, questa alterità irriducibile, e la teme:

> Figlia d'Orso ti so; ti so Faledra,
> aquila d'Aquileia. Sento in te
> fremere le radici della razza
> terribile, tal volta, quando tu
> t'abbandoni. Tu m'odii, e t'abbandoni.
> M'odii e viva ti mescoli a me vivo.
> Patisti tanto orrore; e non repugni

---

[16] Basiliola è stata tradizionalmente considerata come una copia riveduta e corretta di Elena Comnèna, la protagonista della *Gloria*.

quando, avendoti presa pei capelli,
ti bacio sulle palpebre... così. (II, 105)

Secondo la didascalia che segue, «Ella rimane con gli occhi suggellati, smorta come s'egli le avesse vuotato le vene. La sua voce muta» (II, 105). Questo suo svenire è un segno di ripugnanza o di desiderio? La traccia è ambigua, ma certo la donna sa controllare odio o amore senza flettere, lotta validamente come un forte guerriero, accetta il rischio e perde. Nell'ultima scena, quando alla mercè del nemico contempla la sua sconfitta, Basiliola è pronta alla morte, ma la condanna ignomignosa la fa tremare. Invoca inutilmente pietà dalla diaconessa e infine si appella a Marco perorando la sua causa. Non nega le sue colpe, non si pone come vittima, non chiede pietà ma rivendica i diritti di un valoroso combattente che merita nella morte il rispetto e non l'ignominia.

> Ebbene, sì, ho combattuto
> con unghie e rostro, sì, con carne ed anima,
> sì, con impeto e frode; ho guerreggiato
> con tutte l'armi, sì, tutta la guerra,
> ho macchinato tutte le vendette,
> o accecatore, o strazio del mio sangue.
> E non io son dunque una guerriera
> degna che tu mi riconosca innanzi
> alla morte? Non chiedo che tu stenda
> la porpora su me (già da te l'ebbi:
> ricordatene!). ma che tu mi lasci
> questa che mi ricopre, che con me
> nacque, con me due volte coronata
> (la parola di Gauro!). Pel mio bacio
> d'amore e d'odio, che valeva il Mondo,
> dammi la morte bella! Riconoscimi
> Faledra della stirpe d'Aquileia
> romana. Non la macina, o nemico,
> non la macina! Onorami. Sii principe.
> Toglimi dalle corde; ed anche me
> prendimi su la Nave, ed anche l'ara;
> e salpa, e portaci in silenzio; e gettaci;
> e gettami nel mezzo mare, ch'io
> vada nel fondo a ritrovar la terza
> mia corona! (II, 201-202)

Sconfitta, ma non domata, Basiliola chiede «la buona morte». Il messaggio giunge a segno; Marco interviene e la scioglie dall'ara, riconoscendo implicitamente la coerenza della sua difesa. Ponendosi fieramente come soggetto autonomo e responsabile delle sue azioni, la donna chiede di essere riconosciuta come tale e l'uomo accoglie il suo appello.

Nella scena che segue il rapporto di forze che ha dominato la tragedia si altera dando luogo a una nuova configurazione. Per l'ultima volta la protagonista, Basiliola, e l'antagonista, Ema, si affrontano, la posta in gioco è la sorte di Basiliola: la morte del combattente o l'ignobile servitù della schiava. Il figliuol prodigo è ritornato all'ovile e la madre appare vincente, ma liberando Basiliola Marco rifiuta l'autorità della madre sconvolgendo l'equilibrio. La risposta di Marco ad Ema, che «irosa» lo interpella: «Che fai?», suona come un'affermazione di indipendenza: «Vedova, / sono il Tribuno dei giudizii. Attendi»[17]. «Livida... bieca», la madre attende il giudizio del figlio che le sottrae la vittima. Ema, sacerdotessa della tradizione, vuole Basiliola cieca, deturpata e schiava, priva dunque di quell'autonomia soggettiva che è una sfida alle norme della società patriarcale. La pena che ha decretato per lei e su cui insiste ferocemente, tende a riprodurre emblematicamente il modello schiava/padrone, sempre reversibile ed ambiguo, su cui è stabilito il tradizionale rapporto dei generi[18].

Contro ogni aspettativa, Marco si ribella. L'arringa con cui poco prima si era rivolto al popolo rieccheggiava i motivi del suo primo discorso all'inizio della tragedia, traboccante di buoni propositi e con in più una nota di umiltà e un progetto di espiazione. Sembrava che il personaggio, come Aligi, si fosse risvegliato da un lungo sonno e che fosse pronto a reintegrarsi nella comunità. Invece qualcosa è mutato e l'appello di Basiliola trova un'eco nella sua sensibilità. Sospendendo la condanna di Basiliola la affronta come un uguale, un nemico con cui deve ancora una volta misurarsi per affermare la sua libertà. Dopo aver resistito all'ultima seduzione della donna, certo di non esserne più lo schiavo, non la vuole schiava; la condanna come si condanna un nemico responsabile di gravi crimini spezzando così definitivamente la tortuosa catena di complicità che lega la vittima al carnefice, la schiava al padrone, la donna all'uomo. Conosce la forza dell'avversaria e rinuncia ad appropriarsene riducendola a un oggetto; sa che può darle la morte, inchiodarla alla prua della sua nave, ma non dominarla. Sarà Basiliola a scegliere la sua morte e il fuoco conferirà alla

---

[17] Sin dall'inizio della sua arringa, Marco, indegno di dirsi figlio di una madre di cui ha ucciso il figlio, si è rivolto ad Ema usando l'appellativo «vedova». Ma in questo contesto l'appellativo suona come una presa di distanza dalla dipendenza tradizionale.

[18] Rapporto codificato da Baudelaire nei versi, «l'homme esclave de son esclave».

sua condanna un'aura di sacrificio augurale. Marco le tributerà l'onore delle armi consacrandone il nome e accogliendo la sua storia come un capitolo doloroso ma necessario nella storia della città.

Se è pur vero che nella *Nave* si accumulano elementi e personaggi tipici del teatro dannunziano, la tragedia appare nuova per la ridistribuzione di forze attanziali che si verifica nell'ultimo episodio. Non soltanto la donna occupa uno spazio autonomo ma il personaggio maschile riconosce tale spazio e lo rispetta acquistando nella nuova funzione un ruolo insolitamente attivo [19]. A differenza di tanti «eroi puri», personaggi animati da gloriosi progetti ma totalmente incapaci di attuarli, Marco Gratico è un eroe non-puro che tra debolezze e colpe riesce a realizzare se stesso. Ha abdicato alle sue resposabilità di Tribuno, ha ignorato la voce della religione, è stato lo schiavo di Basiliola, ha ucciso il fratello forse per gelosia, ma ha imparato dai suoi errori una nuova umiltà. Riconoscendo «l'altra» come soggetto autonomo non assimilabile ad un'idea di possesso, il nuovo eroe definisce se stesso e si riconosce nei suoi limiti. È da questa revisione dei rapporti tradizionali che Marco trae la forza non soltanto per resistere alla tentazione della lussuria ma anche per ribellarsi al dominio della madre. L'eroe, soggetto finalmente libero ed autonomo, prende il mare con i compagni per perseguire il sogno di gloria che Basiliola stessa gli ha rivelato [20].

---

[19] Anche R. Barilli nota la novità del rapporto che si stabilisce tra l'uomo e la donna: «In questa tragedia qualcosa di molto interessante avviene per quanto riguarda il conflitto uomo-donna; il ruolo del primo è in netto rialzo, ma non nel senso di imporsi sull'altra, bensì grazie a uno staccare la presa; le due parti, in altre parole, si scindono, e il maschio si dedica sempre più a compiti virili, all'azione, alla guerra, all'esplorazione, chiedendo alla donna di sottostare alla propria libido, senza tante complicazioni sentimentali; essa a sua volta sa bene di poter contare finché può esercitare una simile attrazione, ma di dover cedere il campo non appena questa viene meno». Renato Barilli, *Op. cit.*, pp. 184, 185.

[20] Nel Primo episodio, Basiliola vince le resistenze di Marco, turbato dalle funeree profezie dell'Eremita, rivelandogli un sogno trionfale che gli promette un impero: «...io vedo / una nave di fuoco sopra te!».

10.

«Fedra»

Fedra è l'unica tragedia di D'Annunzio il cui soggetto sia tratto dalla mitologia ellenica[21]. Scritta durante gli ultimi anni alla Capponcina con ritmo frenetico, è data alle stampe e rappresentata alla Scala, con esito incerto, nella primavera del 1909[22]. L'anno seguente D'Annunzio si trasferirà in Francia e certamente l'insuccesso della *Fedra* sarà uno tra i molti motivi che lo indurranno all'esilio francese.

Per quanto la vicenda di Fedra sia nota e il soggetto tanto scontato da non permettere nessuna innovazione nello sviluppo della fabula, il testo di D'Annunzio si presenta alquanto complesso. Innanzi tutto il linguaggio,

[21] *Fedra* è una delle poche tragedie di D'Annunzio che presenti una bibliografia piuttosto ricca. Nella mia lettura mi valgo dunque di studi precedenti, molto utili e ricchi di suggestioni. Segnalo i seguenti articoli in «Quaderni del Vittoriale», n. 23, 1980: Emilio Mariano, *Il dionisiaco-afroditico come presupposto della mitizzazione totale*; Massimiliano Pavan, *Modelli strutturali e fonti della mitologia greca nella Fedra di D'Annunzio*; Giorgio Bárberi Squarotti, *Lo spazio della diversità: Fedra*; inoltre Ivano Caliaro, *D'Annunzio lettore e scrittore: le fonti della «Fedra» dannunziana* in «Annali di Italianistica», 1987. Di particolare interesse sono l'«Introduzione» di Pietro Gibellini a *Fedra*, Oscar Mondadori, 1986, pp. 7-40; i capitoli dedicati a *Fedra* da Paolo Valesio, *Declensions* in *The Dark Flame*, Yale University Press, 1992, pp. 72-83, e da Anna Meda, *Fedra* in *Bianche statue contro il nero abisso*, Longo, 1993, pp. 133-177.

[22] *Fedra* è stata rappresentata alla Scala l'11 maggio, 1909, dalla compagnia di Mario Fumagalli. D'Annunzio, in una lettera a Maria D'Annunzio, commenta la performance in questi termini: «La rappresentazione italiana fu ignobile. Soltanto Gabriellino mostrò una freschezza e un'energie inattese. Gli altri furono i "cani" di Ippolito, e latrarono con furore più che canino». In questa performance, Gabriellino, il figlio di D'Annunzio, recitava il ruolo di Ippolito. Citato da Pietro Gibellini in «Introduzione», *Fedra*, Oscar Mondadori, 1986, p. 8.

intessuto di citazioni, allusioni e riferimenti ad altre vicende mitiche, po-
polate da eroi, dei e mostri, è particolarmente denso. In secondo luogo, altri miti confluiscono nella tragedia e ne modificano l'intreccio[23].
La vicenda è ricalcata sull'*Ippolito coronato* di Euripide ma l'episodio
centrale del Primo atto, la rievocazione della morte di Capaneo ed Evadne, è ispirata da altre tragedie; *Le supplici* e *Le fenicie* di Euripide e *I sette contro Tebe* di Eschilo, sviluppano infatti questo tema che è totalmente
assente nell'*Ippolito*. A complicare il problema delle fonti subentrano
inoltre tutte le Fedre che in duemila e più anni hanno ridetto la loro storia
nelle pagine di autori diversi. Antica abitatrice della sfera mitica, Fedra
entra nella letteratura con Euripide; di poi le sue vicende hanno ispirato
una quantità di opere tale da stabilire un macrotesto di Fedra. Per citare
soltanto le tappe più note di questo percorso artistico basterà ricordare la
Fedra di Seneca, *Phèdre* di Racine e quella di Swinburne in *Poems and
Ballads*[24].
D'Annunzio è perfettamente consapevole di cimentarsi con una immane della tradizione letteraria, come risulta da una sua lettera del dicembre
1908, a Nathalie de Goloubeff, l'amata del periodo: «J'ose, après Euripide, après Sénèque, après Racine, donner une *Phèdre* nouvelle. Vous m'a-
vez donné la puissance de féconder la matrice épuisée». La stessa orgo-
gliosa consapevolezza si riscontra in una lettera a Treves del 10 febbraio
1909: «Pubblica pure quante Fedre e quanti Ippoliti sono nel mondo. Ser-
viranno a mostrare la potenza con cui ho rinnovato il soggetto»[25]. La *Fedra* è per D'Annunzio una sfida ambiziosa ad autori classici e moderni da
cui è certo di uscire vittorioso. Non si tratta dunque di una imitazione o di
un rifacimento ma di una vera e propria ricreazione. Ma per apprezzare la
novità eversiva dell'eroina dannunziana sarà bene ripercorrere le interpretazioni classiche del personaggio.
La Fedra di Euripide è la vittima prescelta da Afrodite per compiere la
sua vendetta su Ippolito, il casto seguace di Artemide che disprezza il po-

---

[23] Come già nella *Città morta*, ciò che interessa a D'Annunzio non è una vicenda mitica ma una rielaborazione del *mythos* tesaurizzato dalla tradizione scritta.
[24] P. Gibellini analizzando la poderosa tradizione attraverso cui ci è giunta la vicenda
di Fedra, nota che «le microtessere formali» di cui si serve D'Annunzio, sono «spesso fedeli fino alla parafrasi letterale di questo o di quel modello: a Euripide e a Seneca, a Racine e a Swinburne, ma anche a Omero, Eschilo, Sofocle, Pausania, Ovidio, Dante, e a...
D'Annunzio, secondo la pratica quasi ossessiva dell'autocitazione». Pietro Gibellini, *Op.
cit.*, p. 20.
[25] Entrambe le citazioni sono riportate da P. Gibellini, *Op. cit.*, p. 9 e p. 20.

tere dell'amore. Fedra, sposa di Teseo, è presa di passione per il figlio di lui, Ippolito, ma non osa confessare il suo male e si consuma invocando la morte. Interviene la Nutrice che per salvarla rivela il segreto ad Ippolito, ma l'adolescente rifiuta con orrore il solo pensiero di questo amore incestuoso. Fedra, benché vagamente cosciente del progetto della Nutrice si abbandona alle sue mene in uno stato di passività e soffre la sua passione come una colpa immonda. Angosciata dall'improvviso ritorno di Teseo, si uccide accusando Ippolito di averle usato violenza, ma non avendo il coraggio di parlare affida alle tavolette la sua terribile accusa. Teseo si vendica dell'offesa e del lutto suscitando contro Ippolito l'ira di Poseidone che lo distrugge. L'intervento di Artemide, che rivela a Teseo la verità, permette all'infelice padre di riconciliarsi con il figlio morente.

Che cosa spinge Fedra alla menzogna fatale? È l'ultimo tentativo per salvare la sua reputazione. Fedra decisa a morire e certa che l'arrogante Ippolito svelerà il segreto a Teseo coprendo così la sua memoria di vergogna, decide di trascinare con sé nella perdizione chi nella sua adamantina purezza l'ha umiliata e disprezzata. Il crimine è orribile; tuttavia, secondo i canoni della società greca, Fedra resta una donna virtuosa travolta da una passione incontrollabile; è una vittima che non si ribella al suo destino, lo subisce.

L'eroina di Seneca si presta ad un'analisi psicologica più sfumata ed ambigua. Sin dall'inizio Fedra si presenta come una vittima; rimpiange lo splendore di Creta, soffre della sua vita limitata e angusta, lamenta l'assenza di un marito infedele e impreca contro la maledizione che pesa sulle donne della sua famiglia, condannate da Afrodite ad essere preda della lussuria vergognosa. Cerca la morte, ma si lascia convincere dalla Nutrice a tentare Ippolito. Confessa infatti al giovane la sua passione e davanti al suo rifiuto gli chiede di darle la morte. Il ritorno di Teseo precipita gli avvenimenti e la nutrice ricorre alla calunnia per salvare la situazione. Ormai decisa al suicidio, Fedra, reticente dapprima, poi quasi spinta dalle insistenze di Teseo che chiede una conferma, finisce per sostenere l'accusa della nutrice.

L'ira segue il suo corso ineluttabile e Fedra attende che si compia la vendetta del padre contro il figlio prima di confessare la verità. In Seneca, il ruolo di Fedra è certamente più attivo che in Euripide, in quanto è lei che conduce l'azione. Tormentatata da impulsi contrastanti l'eroina ondeggia tra principi virtuosi e tentazioni inconfessabili; tra il desiderio di morire e quello di far morire; tra senso di colpa e accuse spietate.

Racine seguirà piuttosto il modello euripideo con una Fedra complicata dal senso cristiano del peccato e arricchita di una nuova passione, la gelosia che nutre per la giovane Aricia amata da Ippolito; movente necessario per gettare la peraltro virtuosa eroina sulla strada del delitto.

Su questa fabula mitica e letteraria codificata dalla tradizione D'Annunzio costruisce la sua eroina, portatrice di un nuovo significato. Nelle versioni precedenti Fedra appare come un personaggio ambivalente, vittima e carnefice allo stesso tempo; soverchiata dalla passione inutilmente fa appello alla ragione di cui pure sente il richiamo. La Fedra classica è irrimediabilmente sconfitta dai canoni sociali e religiosi; quella di D'Annunzio dichiara prima di morire: «Ancora vinco!» (II, 380). Nella nuova versione dannunziana il suo ruolo è completamente ribaltato.

In un'intervista a Renato Simoni, pubblicata sul «Corriere della Sera» del 9 aprile 1909, D'Annunzio, dopo aver ricostruito la genesi dell'opera in cui rievoca «la commozione che suscitarono in tutti gli studiosi le scoperte degli scavi di Creta», illustra la novità della sua opera:

> La mia eroina è come in Euripide, come nel Racine, tutta invasa dal morbo insanabile [...] Ma non è la gemebonda inferma euripidea che giace sul suo letto e non osa parlare a Ippolito né osa parlare a Teseo, ma sol morire legando alle sue mani esangui le tavolette accusatrici. né pur somiglia alla «grande dame» raciniana... La mia eroina è veramente la Cretese «che il vizio della patria arde e il suo vizio» secondo l'espressione di Seneca. «Cressa!» la chiama Ippolito per dispregio. E nata nell'isola dei dardi e del dittamo, nella terra insanguinata dai sacrifici umani e assordata dal bronzo percosso dai Coribanti, nata dall'adultera dei pascoli e da quel crudele Minos che accese una così furibonda e criminosa passione in Scilla, figlia di Niso. Ma ha, in una carne che pesa, una grand'anima alata e ansiosa di volo [26].

Escluso il ruolo di vittima, passivo per definizione, ciò che resta della Fedra classica sono le sue origini barbariche; la figlia di Pasifàe e di Minos è l'erede di istinti non-umani, di violenze enormi, di riti feroci.

La fabula non muta ma il personaggio è «altro». Le modificazioni apportate all'intreccio, anche se numerose, non mirano quindi a rinnovare la storia, ma sono indirizzate a una trasformazione essenziale dell'«eroina». Di conseguenza, anche il conflitto riguarderà la protagonista stessa dilaniata tra la sua «carne che pesa» e la sua «grand'anima alata e ansiosa di volo»; dramma interiorizzato che esclude vittimismo, moralismo e rimorso.

La prima pagina del testo rivela un notevole interesse. La tragedia è dedicata a «Thalassia», epiteto che sarà spesso rivolto a Fedra ma che qui

---

[26] *Ibid.*, p. 13.

adombra Nathalie de Goloubeff[27]. L'appellativo «Thalassia», *trait-d'union* tra il vissuto e il letterario, tra il poeta D'Annunzio e la sua Musa/Nathalie e l'Aedo Eurito e la sua Musa/Fedra, annuncia una dimensione tutto affatto nuova dell'eroina. Sul frontespizio appare inoltre la citazione dell'enigma che Fedra, novella Sfinge, proporrà a Ipponoe, la schiava tebana: «Or chi domò col fuoco il fuoco? Or chi spense la face con la face? Or chi con l'arco ferì l'arco?» (II, 211). La soluzione dell'enigma, segnalata da P. Gibellini, come «volontà di potenza» è coerente al personaggio e illumina il dramma di Fedra da una nuova angolazione[28]. Un'altra indicazione significante è la ripetizione all'inizio di ogni atto di una citazione del *Filottete* di Eschilo: «O Thanate paian», «O morte guaritrice»[29]. Queste segnalazioni, apparentemente indipendenti ed arbitrarie, una volta collegate tra loro in una costruzione *en abyme*, propongono il tema della tragedia: non la lussuria sfrenata di Fedra, ma la sua volontà di potenza che si realizzerà attraverso la poesia e approderà alla morte, spazio della libertà infinita dove la vendetta degli uomini e degli dei è inane.

Per giungere a questa immagine anticlassica di un personaggio classico, D'Annunzio proietta l'eroina in situazioni estranee al mito originale in cui la sua nuova natura può pienamente manifestarsi[30]. Tutto il Primo atto è infatti il frutto di una contaminazione con altri testi e si apre con l'episodio di Capaneo ed Evadne, centrale per lo sviluppo del personaggio[31].

---

[27] P. Gibellini mette in rilievo il parallelismo tra il vissuto di D'Annunzio e la sua scrittura in questa istanza particolare. *Ibid.*, p. 10.

[28] Riporto per intero la cogente soluzione all'enigma proposta da Antonio Bruers e citata in nota 163 da P. Gibellini: «Quale la soluzione dell'enigma proposto? È la soluzione che sarà data da Fedra stessa: è l'attributo dell'infinito e dell'immortalità, è la volontà di potenza propria alla Vita che è più che l'amore, più che la morte, per la quale sarà dato a lei domare il fuoco d'Afrodite col proprio fuoco, ferire l'arco di Artemide col proprio arco, trasfigurando la colpa alla luce dell'immortalità». P. Gibellini, *Op. cit.*, p. 217.

[29] Eschilo, *Filottete*, ed. Abrens, fragm. 105. «Anche Ippolito morente, nella omonima tragedia du Euripide, invoca la morte con le stesse parole». P. Gibellini, *Op. cit.*, nota 3, p. 211.

[30] «C'è, nella Fedra, un contrasto estremo tra ambientazione classicistica, con molti orpelli e con grande sfoggio di erudizione, e un discorso che è, invece, decisamente anticlassicistico soprattutto in quanto negazione della grecità stessa in nome della diversità e dell'essere straniera di Fedra e, correlativamente, dei miti solari della Grecia stessa, Apollo, e Zeus e Artemide e Afrodite, in nome della morte, del nulla». G. Bárberi Squarotti, *Op. cit.*, p. 141.

[31] Capaneo è uno dei sette guerrieri partiti contro Tebe. Scala le mura della città sfidando Zeus che lo fulmina. La sua figura ha ispirato Eschilo, Sofocle e Dante. L'episodio narrato da Eurito è una contaminazione di brani tratti da *I Sette contro Tebe* di Eschilo, i due *Edipo* di Sofocle e dalle *Supplici* e le *Fenicie* euripidee. Cfr. P. Gibellini, *Op. cit.*, p. 23.

A Trezene le madri piangono e lamentano la morte dei figli, i sette eroi caduti sotto le mura di Tebe, mentre si attende il ritorno di Teseo partito per ricuperarne le spoglie. Grida confuse provenienti dal gineceo vengono interpretate come un segno nefasto e le Supplici già piangono la fine di Teseo. Sopravviene Fedra, tesa, fremente, che smentisce la falsa notizia della morte di Teseo commentando aspramente: «S'egli varchi mai le sorde Porte / del Buio, non sarà per render l'animo / ma per forzar Persèfone» (II, 223). Subito dopo Fedra rampogna le Supplici per la loro lamentosa rassegnazione al cieco volere degli dei e paragona la loro pena alla sua. Le madri nel loro dolore ritualizzato troveranno una sorta di pace mentre lei, Fedra, che vive nell'onta della colpa materna, sarà per sempre dilaniata da una sofferenza senza posa. Giunge il Messo Eurito con i doni che Adrasto manda ad Ippolito: il selvaggio cavallo Arione, una schiava tebana di grande bellezza ed un cratere prezioso[32].

Eurito, già auriga di Capaneo, ancora avvolto nella sua visione, racconta alle Madri la morte dell'eroe ribelle, il «dispregiatore dei Celesti» che ha osato sfidare gli dei e quella altrettanto eroica della sua sposa, Evadne. Giunta sul suo carro vestita della veste nuziale, Evadne si è gettata sul rogo funebre di Capaneo senza cintura, come per un ultimo amplesso. Al racconto di Eurito, Fedra vibra di ammirazione per l'ardimento di Capaneo ed Evadne e sostiene e ispira la parola del Messo con domande e commenti che integrano l'evocazione epica. «[...] ella è come la Musa che, mentre accoglie, dona. Ella segue e conduce i segni dell'azione magnanima» (II, 139)[33].

Eurito narra la sfida di Capaneo sulle mura di Tebe:

> E stette. E si scoperse.
> E fu luce e silenzio di prodigio.
> E allor si udì tre volte strider l'aquila
> dall'etere sublime. E l'eversore
> allo strido levò la faccia ardente
> d'inumana virtù, simile a un nume.
> E la voce di bronzo

---

[32] Adrasto è l'unico sopravvissuto dei guerrieri di Argo. Con il cavallo Airone D'Annunzio innesta un'altra vicenda mitica. Airone è il «[...] frutto di un amore violento: lo "stupro dell'Erinni", cioè della violenza subita da Demetra invano tramutatasi in cavallo, da parte di Poseidone, così come lo riferiscono i testi antichi, ben presenti al nostro poeta, da Pausania (VIII, 25, 3 e 42,1) a Ovidio (*Metam.*, VI, 118), ad Apollodoro (*Bibl.*, 6, 8)». M. Pavan, *Op. cit.*, p. 163.

[33] Cfr. gli illuminanti commenti di P. Valesio. *Op. cit.*, p. 79.

tonò: «Adempio il giuro. Espugno Tebe».
E la destra scagliò l'asta amentata
contro l'Etere. (II, 232)

Sopraffatto dalla visione il Messo «si smarrisce e ondeggia». Ma interviene Fedra:

Segui! Segui! Uomo.
non tremare! Non perdere il respiro!
[...]
Come tendi le redini del carro,
sogna che tendi i nervi della cetera.
Alza la voce! (II, 233)

E il Messo riprende:

L'asta non ricadde.
E quel dispregiatore dei Celesti
sorrise come non sorride l'uomo.
Si chinava egli già, pronto a balzare
oltre la Porta. Il fuoco inevitabile
lo percosse nel vertice del capo. (II, 233)

Se Astìnome, la madre di Capaneo, è come trasfigurata dal racconto di Eurito, Fedra è «Fulgida di fervore», esaltata non soltanto dall'episodio eroico, ma dal potere evocatore della parola poetica. Quando Eurito narra il sacrificio di Evadne Fedra prorompe:

Vedo. Ella s'alzò,
nel rossore volubile, per farsi
più presso, ancor più presso al corpo ardente. (II, 241)

Eurito narra:

Scorgemmo le sua braccia
alte, come le faci di Persèfone. (II, 241)

E Fedra continua:

Senza cintura. E sola, o Amore!, sola
la nudità del fuoco
era su lei, sul desiderio eterno. (II, 241)

L'episodio, apparentemente estraneo alla vicenda, è fondamentale per la costruzione del personaggio di Fedra. Sin dall'inizio si chiariscono i tratti portanti del suo carattere: la posizione di «straniera» a Trezene, il risentimento contro Teseo, la vocazione all'eroico, la sfida agli dei, il disprezzo per la rassegnazione; in lei non è che rivolta verso le convenzioni di un mondo razionale che le è estraneo e ansia di gloria. Capaneo che provoca gli dei e prima di essere folgorato sorride, è l'immagine in cui Fedra si riconosce:

> [...] quel sorriso che non era d'uomo!
> Ch'io l'abbia! Che dai miei
> mali io l'esprima, e dalla mia bellezza![34] (II, 235)

Determinante per lo sviluppo della tragedia è inoltre la funzione di musa che Fedra assume durante questo episodio. Esaltata dal potere evocativo delle parole di Eurito, Fedra «vede» la scena sublime che unisce nella morte la coppia blasfema, e dona ad Eurito una cetra preziosa e lo fa aedo. Eurito la elegge a sua musa e le domanda quale canto dovrà intonare. Risponde Fedra:

> Ascolta il tuo cuore e apprendi l'arte
> dalla tua più profonda libertà.
> «Cuore, narrami l'uomo»
> sia nel cominciamento d'ogni tuo
> canto. «Narrami l'uomo che scagliò
> contro l'Etere l'asta e poi sorrise.
> Narrami la mortale che sdegnò
> Apolline e del rogo fece il talamo.
> Narrami il fuoco e il sangue, e la bellezza
> creata dalla folgore». (II, 245)

Il coro delle Supplici e l'Aedo lasciano la scena; Fedra è turbata, smania, sospesa tra «la colpa e la morte». Come i latrati dei cani annunciano il ritorno di Ippolito, il pensiero della bella schiava che lo attende getta Fedra in uno stato di furente gelosia; sogna sacrifici, sangue e ingiunge alla nutrice di condurle la giovane tebana. Tuttavia, rimasta sola, cede al potere di quegli dei che pur esecra, e invoca pietà da Afrodite. L'ombra della dea appare e Fedra la riconosce:

---

[34] Nell'immagine di Capaneo opera potente la suggestione dantesca: «Qual io fui vivo, tal son morto», *Inf.*, Canto XIV.

Dea, che vuoi dunque da Fedra? Dura
belva, con la tua bassa
fronte sotto il pesante oro scolpita,
predatrice famelica di me,
con la tua bocca sul tuo mento invitto
calda come la bava di quel mare
che ti gettò negli uomini,
o mille volte adultera del Cielo,
con l'azzurro letèo che ti vapora
intorno al losco fascino degli occhi,
o druda dell'Imberbe,
con la macchia del bacio
sopra il tuo collo forte come il collo
della cavalla tessala, e rempiuta
di sangue come di vino, e involuta
di carne come d'incendio, sì, onta
d'Efèsto, se mi guardi
ti guardo, se t'appressi
m'appresso, disperata di combattere.

Ma «il suo impeto si stronca» e dopo avere ingiuriato la dea, Fedra
chiede pietà.

No. Ti cedo. Invitta,
invitta sei. Mi snodi le ginocchia,
mi dirompi la spina
sol con lo sguardo. Sei come la morte,
e morire mi fai.
[...]
Dea, t'imploro. Perché
mi perseguiti? (II, 251-253)

Nel suo incubo Fedra rievoca l'altra preda di Afrodite, la madre Pasifàe, che sconvolta dalla dea ha voluto soggiacere al toro bianco, e la sorella Arianna, alleata, per amore, di Teseo e poi abbandonata, e il mostruoso
fratello, il Minotauro, che Teseo ha ucciso. Afrodite è muta; un passato
torbido e un presente ancora più greve si delineano in questo colloquio
con un ombra in cui Fedra «si dice» in prima persona, senza intermediari.

Il ritorno della nutrice Gorgo con Ipponòe spezza la tensione visionaria. Nell'incontro che segue, la schiava tebana si rivela non soltanto bella
ma di nobile stirpe, dotata di doni profetici, di indole nobile e fiera; una
rivale temibile che Fedra implacabile sacrifica alle divinità ctonie.

Anche questa variante, ricalcata sul modello dell'*Agamennone* di
Eschilo, in cui Clitemnestra uccide Cassandra, la schiava che come Ippo-

nòe profetizza il futuro, ha un significato nell'economia drammatica dell'opera. Lo scatto crudele di Fedra precisa la sua natura violenta, la sua gelosia feroce, la sua familiarità con il sangue, la vendetta e la morte. Fedra appartiene alla schiatta degli eroi omerici; non è un'eroina romantica, è la cretese nata in una terra cruenta di sacrifici umani, la barbara che non conosce pietà[35].

Nel Secondo atto la scena rappresenta il colonnato del gineceo. Fedra vi si trova con le sue donne e l'Aedo. Eurito è rimasto alla corte di Trezene e la sua devozione per Fedra si è trasformata in amore.

Nel dialogo che segue Fedra domanda ad Eurito come ha potuto imparare ad accompagnarsi con la cetra in così breve tempo. «Non so come», risponde Eurito e Fedra suggerisce: «In sogno?». «In sogno» conferma l'Aedo (II, 281). Il sogno riappare nuovamente come tramite della creazione poetica; è il misterioso straniamento visionario del poeta che trasforma la realtà e la sublima[36]. Fedra continua ad interrogare Eurito e dal suo linguaggio allusivo indovina il suo amore per lei: amore impossibile come il suo per Ippolito. Il poeta e la musa soffrono di uno stesso male e si confondono in una poesia che canta lo stesso «amore disperato e solo». Fedra ordina alle sue donne una corona di cipresso per incoronarne Eurito, poeta dell'amore e delle divinità infere: «Fedra / dà il cipresso all'amore. Ti corona» (II, 289). È la consacrazione del binomio Eros/Thanatos, trasfigurati in un'entità superiore dal potere della poesia. Fedra domanda: «Aedo, e che farai di me?» La risposta è significativa: «Io posso quello che non può l'amore» (II, 289).

Fedra si identifica sempre più con la sua funzione di Musa; la sua voce è pacata e trova per Eurito accenti di «crudele dolcezza» (II, 286), co-

---

[35] Fedra è un personaggio che appartiene al mondo omerico. Fedra stessa si definisce «indimenticabile», alla fine del Secondo atto, dopo il sacrificio di Ipponoe, «[...] immolata / l'ha [...] e alla Mania / insonne, su l'entrare della Notte, / Fedra indimenticabile.» (II, 276) e alla fine del terzo atto nel suo saluto estremo: «Vi sorride, / o stelle, su l'entrare della Notte, / Fedra indimenticabile» (II, 380). Ma già all'inizio una delle Supplici rivolgendosi a lei aveva usato lo stesso epiteto: «Regina / ospite, moglie cara al grande Egide, / indimenticabile,» (II, 222). «Indimenticabile» è il segno di Fedra che riallaccia il personaggio, attraverso un'evocazione subitanea, al mondo dell'*Iliade*. Achille, rifiutando ad Ettore compromessi e tregua, usa lo stesso epiteo nella traduzione di Vincenzo Monti: «Non mi parlare di patti, Ettore indimenticabile». Anche P. Gibellini nota la presenza del mondo epico e «l'impressionante frequenza di calchi omerici» in questa tragedia.

[36] Per una stimolante interpretazione del valore del «sogno» nel teatro di D'Annunzio, cfr. P. Valesio, «Il coro degli Agrigentini», «Quaderni del Vittoriale», 1982, pp. 63-92 (ora in *The Dark Flame*) e il capitolo *Declensions*, nella stessa opera. *Op. cit.*, pp. 72-83.

me se l'ansia che la rode fosse filtrata e dilatata dallo schermo poetico. L'arrivo del pirata fenicio che viene a mostrare a Fedra le sue merci preziose crea una digressione che permette sia una rievocazione delle avventurose spedizioni commerciali del periodo, vere scorribande di preda e di violenza; sia l'elogio della potenza marittima di Creta, patria di Fedra; sia infine la descrizione della bellissima giovinetta Elena che Teseo si appresta a rapire per il figlio Ippolito. Si innesta così nella storia l'immagine di un'altra rivale che suscita nuovamente la smaniosa gelosia di Fedra. Ippolito è presente e narra la sua lotta per domare il fiero cavallo Airone che è finalmente riuscito a prendere al laccio dopo sette giorni di inseguimento. Fedra, avvertita in sogno di un pericolo incombente, supplica Ippolito di rendere il cavallo al donatore, ma il giovane rifiuta; la sfida è in atto tra lui ed Airone e non abbandonerà la lotta se non vincitore. Già sente la vittoria in pugno e chiede ad Eurito di cantare il suo trionfo.

Altri sogni, altre premonizioni attraversano l'atmosfera apparentemente serena come lampi che annuncino la tempesta. Ippolito racconta i suoi due sogni; nel primo Artemide gli ha ingiunto di sacrificare un toro bianco a Poseidone prima di cavalcare Airone, ma nel secondo sull'ara del sacrificio erano «chiome virginee recise». Il toro bianco è una chiara allusione a quello di Creta. Proprio perché Minos aveva rifiutato il bellissimo animale a Poseidone il dio l'aveva punito ispirando a Pasifàe la sua insana passione. Fedra legge nel sogno una sentenza di morte che la colpisce: il toro e le chiome recise alludono a lei, Fedra, che Ippolito per volere di Artemide deve sacrificare[37]. Cerca quindi di distogliere Ippolito dal suo proposito ma le sue proteste sono respinte con sdegno, «Pasifèa» la chiama il giovane con disprezzo.

Anche il personaggio di Ippolito appare profondamente modificato. Persa è la carica di purezza adamantina dell'adolescente dedito al culto di Artemide. Il nuovo Ippolito desidera la gloria, vorrebbe emulare il padre Teseo, ma in fondo sogna soltanto ratti di belle fanciulle; è già tutto assorbito dalla sua prossima impresa, il rapimento di Elena. Alla partenza di Chelubio resta infatti trasognato a vagheggiare la bellissima preda. Appoggiato ad una colonna, con le labbra socchiuse si abbandona a fantasticherie, sospeso tra sogno e realtà. Fedra lo accarezza con le sue parole, lo possiede con gli occhi, finché cede alla passione e lo bacia sulla bocca.

Il bacio scatena la crisi, il male sotterraneo si manifesta e raggiunge

---

[37] In un primo tempo Fedra cerca soltanto di dissuadere Ippolito dalla sfida che prevede nefasta. Gli dirà l'interpretazione del sogno durante il loro confronto.

un punto senza ritorno. Ippolito la respinge, la insulta, le grida il suo disprezzo e Fedra ritorce accusandolo di essere come il padre, l'uomo che
ha sedotto e abbandonato sua sorella Arianna, che ha rapito lei ancora
bambina e l'ha caricata sulla sua nave come bottino di guerra, il predatore
violento e senza moralità che ha spinto alla morte Antelope, madre di Ippolito[38]. Ma Ippolito non crede alle sue parole, vede in lei soltanto l'adultera incestuosa; invano Fedra gli confessa il suo male e chiede pietà, invano gli offre il suo amore e gli promette il potere. Ippolito la minaccia con
la scure, già l'ha afferrata per i capelli e Fedra ebbra di morte lo invoca:

> Sì, tra l'omero e la gola,
> colpiscimi! Con tutta la tua forza
> fendimi, sino alla cintura, ch'io
> ti mostri il cuore nudo,
> il mio cuore fumante, arso di te,
> consunto dalla peste insanabile, nero
> dell'obbrobrio materno,
> sì – colpiscimi! – nero della brama
> mostruosa – colpiscimi!
> non esitare, per la pura Artemide
> che t'incorona, per la santità
> della dea che tu veneri, raccatta
> la tua mannaia e fendimi! – perché
> ben io son quella che gridavi, sono
> Fedra di Pasifàe,
> la sorella del mostro di due forme,
> la Cretese che il vizio della patria
> arde e il suo vizio; e sono
> io la donna di Teseo,

---

[38] Fedra ricorda il suo rapimento con queste parole: «Non la donna di Tèseo, / la cosa
fui del rubatore, messa / nella stiva coi trìpodi e con gli otri» (II, 335). È interessante notare che D'Annunzio usa l'immagine della donna/cosa, la donna oggetto, tipica del discorso femminista. Fedra inoltre trascura gli innumerevoli abusi di Teseo verso altri uomini
per ergersi a difesa del sesso femminile attraverso l'evocazione di due donne vittime di
Teseo: Arianna e Antelope. Il mito di Arianna è noto ma sarà bene in questo contesto rie-
vocarlo. Arianna, sorella di Fedra, che aveva aiutato Teseo a uscire dal labirinto con la
promessa che l'avrebbe fatta sposa, era stata da lui abbandonata sul lido di Nasso. L'a-
mazzone Antelope, per amore, avrebbe aiutato Teseo a sconfiggere le donne-guerriere,
aprendogli le porte della loro città, Temiscira. Teseo avrebbe poi favorito la morte di Antelope che gli aveva generato Ippolito. Fedra si presenta in questa tragedia come il campione del genere femminile, non in nome di Afrodite, secondo il ruolo tradizionale, ma in
nome della donna contro il sopruso e la violenza del mondo maschile.

e t'ho baciato in bocca
avidamente; né lambir vorranno
il mio sangue i tuoi cani su la pietra,
né tergere la pietra
potranno i servi. (II, 337-338)

In questo atto di autoaccusa in cui Fedra si dichiara colpevole di tutti i delitti, è evidente la provocazione. Fedra chiede freneticamente la morte per spezzare una catena di eventi che sa inevitabili:

Ma non sperare di vivere e di vincere,
se non m'abbatti.
[...]
Perché sol questo,
parlandoti per sogno, dirti volle
Artèmide, sol questo.
Non parlano gli Iddi per chiari segni
ma per arcani all'anima indovina.
E la Saettatrice ti segnò
nel toro bianco la Cretese. Dirti
volle: «Sull'ara dello Stadio, abbatti
la sorella del Mostro;
poi balza su la pelle del leone».
Questo è il detto del sogno. Alcuna grazia
ho nel Mare; e il mio sangue
è salso. (II, 339-340)

Ippolito esita, abbandona l'ascia e fugge verso il bosco; le ultime parole di Fedra lo raggiungono:

No! No! Bada!
        Ti perdi.
Se implacabile sei, sono implacabile.
Bada! (II, 343)

Dopo l'ultima minaccia Fedra si acquieta; è di una calma lucida e rifiuta il conforto della nutrice, pronta ad affrontare l'ultima «contesa con le dee discordi» (II, 343). Tutto è scontato e la calunnia inevitabile. Quando sopraggiunge Teseo la terribile accusa contro Ippolito sgorga naturalmente dalle sua labbra. Fedra descrive con accesi colori la violenza subita, presentandola abilmente come provocata dall'ira di Ippolito privato della bella schiava tebana. In fondo, presta al figlio i tratti caratteristici del padre, che lei ben conosce, e con cui d'altronde Ippolito si identifica. E giura per «gli Iddii del fiume stigio» di dire la verità. La maledizione di Teseo prorompe e l'azione volge verso la catastrofe.

Il Terzo atto presenta altre innovazioni. È il personaggio di Ippolito che qui subisce una profonda trasformazione. Abbandonando la tradizione, D'Annunzio immagina una fine eroica per il domatore di cavalli Ippolito[39]. Tutti i personaggi sono riuniti intorno all'ara antica dove ancora fumiga la pira in cui si consuma il toro bianco sacrificato a Poseidone. Il corpo di Ippolito coperto dal vello di leone che usava per cavalcare giace sul terreno. Etra intona il lamento funebre ma uno degli efebi domanda all'Aedo, che ne è stato testimone, di narrare la fine di Ippolito. E l'Aedo narra, e attraverso le sue parole la lotta di Ippolito ed Airone si precisa, i contorni si fanno sempre più netti sino a scolpirsi in immagini grandiose.

L'Aedo inizia la sua rievocazione dal momento del sacrificio propiziatorio del toro prima della sfida contro il feroce Airone. Il toro bianco non voleva morire e i segni erano nefasti; sembrava che la divinità rifiutasse il sacrificio. Sin dall'inizio il cavallo, presente al rito, e già pronto col morso e cinghiato, aveva dato segni di agitazione; tra gli ululati dei cani, si sentiva «il ringhio» di Airone che rispondeva al rantolo del toro. Poi, nel silenzio che aveva seguito l'immolazione, i compagni avevano supplicato Ippolito di rimandare la prova, ma il giovane, gettati nel rogo la tunica e i calzari si era avvicinato nudo al cavallo e aveva comandato di togliergli le cinghie: «E la bestia potente anch'ella fu / ignuda, e più si rivelò divina». La narrazione dell'Aedo segue tutti i dettagli della lotta immane. Arione si era prima slanciato verso il mare avventandosi contro le onde, poi si era impennato: «E tra la polvere salsa che tremolava d'oro occiduo / la bestia e il dio, fatti una doppia forza / e una bellezza sola e una criniera / sola e contra l'Ignoto un sol furore, / erti e sospesi stettero sull'ombra / lunga che il lor viluppo protendea / nel Mare» (II, 367). In un primo tempo il cavaliere era sembrato prevalere, ma Airone aveva finito per trionfare sfracellando Ippolito contro il masso dove ora è seduto Teseo, «E smosse con le froge il semivivo / nell'ombra lo fiutò; di bava intriso / l'addentò per il ventre, gli sbranò / gli inguini. / Poi, per quegli scogli, fumido / lontanò

---

[39] Il tema della lotta di Ippolito contro il cavallo è ricalcato sull'episodio della lotta di Icaro contro l'aquila in «Ditirambo IV». Il testo poetico propone inoltre un altro paragone: il rapporto Eurito/Fedra ripete infatti quello di Icaro/Pasifàe. I due soggetti maschili, esclusi dalla sfera dell'eros perché il desiderio della donna è rivolto verso un altro oggetto, dirigono il loro impulso vitale verso il sublime. Icaro nel volo, Eurito nella poesia.

come un turbine sul Mare»[40] (II, 367-368).

Anche Ippolito ha sentito la vocazione all'eroico e ha cercato la lotta malgrado i segni infausti. Anche lui ha sfidato in Airone la forza di Poseidone. È il bacio di Fedra che lo ha trasformato, che gli ha trasmesso la stessa volontà di potenza? O è la poesia che ora lo trasfigura nella rievocazione dell'Aedo? L'atroce fine di Ippolito sembra alludere a un processo di purificazione attraverso l'atto eroico e il sacrificio totale.

Orrore e pietà percorrono tutti i cuori. Teseo parla e confessa la sua maledizione; giunge Fedra e confessa la sua menzogna. Le due colpe si sommano in un'accusa contro gli dei che pur sapendo Ippolito innocente lo hanno fatto perire. Fedra controlla la situazione, ordina il sacrificio delle chiome ai compagni di Ippolito, ordina canti alle vergini e si appropria del corpo di Ippolito ricoprendolo con il suo velo. Teseo è distrutto, soltanto Etra si oppone alla cretese e cerca di sopraffarla con le accuse. Ma Fedra è ormai intangibile; c'è un che di remoto in lei e di arcano. La sua apostrofe a Teseo prende le mosse dall'accusa «Distruttore di Antiope / e d'Ariadne» ma subito si allarga, trascende l'episodio e il rancore personale per farsi meditazione e coinvolgere la natura dell'uomo:

> E tu, che hai tanto ucciso,
> non conosci l'abisso che talvolta
> s'apre in una divina piaga. E tu
> che vissuto hai sempre nel rombo assiduo
> degli impeti e degli atti
> come leon digiuno, tu non sai
> qual sapore le ceneri dei sogni
> abbiano, masticate con la bocca
> arida soffocatamente in giorni
> e in notti senza oblio.
> Né mi giova che tu conosca e sappia.
> Non puoi nulla su me, tu che puoi tutto.
> La grande clava tolta a Perifète
> non doma il mio meraviglioso male. (II, 374)

Il «male» di Fedra non è più la passione obbrobriosa, si è trasformato

---

[40] Il motivo della castrazione non trova riscontri nella tradizione e l'innovazione di D'Annunzio si presta a interpretazioni diverse. A. Meda, nel suo approccio junghiano della tragedia, assimila brillantemente questo particolare al nodo tragico. Il tema della Grande Madre è «inesorabilmente indirizzato veso la catastrofe finale: la castrazione e la morte del figlio-amante». A. Meda, *Op. cit.*, p. 155. P. Gibellini riallaccia l'episodio a un intreccio di associazioni inconsce. P. Gibellini, *Op. cit.* p. 26.

in qualcosa di grande e «meraviglioso». Con lussuria e vendetta è scesa
fino in fondo all'abisso degli istinti bruti; ha tentato Ippolito, lo ha ucciso
e ha ucciso in Teseo «la speranza»[41]. Tutto è stato consumato, neanche
Afrodite ha più potere su di lei:

> O dea.
> tu non hai più potenza.
> Spenti sono i tuoi fuochi. Un fuoco bianco
> io porto all'Ade. Ippolito
> io l'ho velato perché l'amo. È mio
> là dove tu non regni. Io vinco. (II, 377-378)

Ora Fedra lancia la sua ultima sfida ad Artemide:

> [...] quella armata d'arco
> e di dardi infallibili, che Ippolito
> là, sul limite santo, con l'estrema
> voce invocò né valsegli,
> quella che lo dilesse e lo lasciò
> perire, quella esecro. Odimi, Artèmide! (II, 378)

Fedra ricostruisce per sé la situazione di Capaneo, nella sua provocazione
blasfema, e quella di Evadne, nel suo offrirsi alla morte per ricongiungersi
all'eroe «che ama». Non la folgore di Zeus ma la freccia di Artemide la
raggiungerà e come Evadne Fedra varcherà le Porte del Buio fatta una
«sola Ombra» con Ippolito:

> Ippolito è meco.
> Io gli ho posto il mio velo perché l'amo.
> Velato all'Invisibile
> lo porterò sulle mie braccia azzurre,
> perché l'amo. O Purissima, da te
> ei si credette amato, e ti chiamò.
> Ma l'amor di una dea può esser vile.
> Mirami. Vedo porre la saetta
> nel teso arco lucente.

---

[41] Confessando di essere l'artefice della fine d'Ippolito con la sua maledizione, Teseo
dice la sua disperazione: «E me forse / anche sepellirò sotto il macigno; / perché ho ucciso quella che nessuno / degli uomini mortali e degli Iddii / uccise mai: / la speranza» (II,
390).

Nel mio cuore non è più sangue umano,
non è palpito. E giugnere col dardo
non puoi l'altra mia vita. Ancora vinco!
Ippolito, son teco. (II, 380)

Prima di abbandonarsi sopra il corpo di Ippolito, Fedra ritorna all'esempio di Capaneo:

Vi sorride,
o stelle, su l'entrare della Notte,
Fedra indimenticabile. (II, 380)

La vocazione di Fedra al sublime, espressa dal tema iniziale del «sorriso che non era d'uomo», si è compiuta; è questa la sua vittoria.

Fedra è un personaggio complesso che si realizza attraverso un travagliato sviluppo interiore. È una Gradeniga che dopo aver toccato il fondo dell'abisso si risolleva con un colpo d'ala e raggiunge il sublime trasfigurando l'impulso dell'Eros in poesia. Tutti gli episodi innovativi introdotti da D'Annunzio contribuiscono a illustrare questa traiettoria di caduta e volo che si presta singolarmente a un'interpretazione basata sulle teorie di Alfred Adler.

Secondo lo psicologo austriaco, il sentimento di inferiorità che una qualche imperfezione ispira a un individuo diviene un fattore permanente del suo sviluppo psichico e scatena una serie di processi inconsci il cui fine è permettere alla personalità di svilupparsi e compensare l'inferiorità in questione. Questo istinto di espansione della personalità, che corrisponde al freudiano «principio di conservazione», Adler chiama «volontà di potenza»[42]. Teorie nietzschiane e psicoanalitiche sembrano coincidere e potenziarsi vicendevolmente per un'interpretazione di Fedra in cui ogni dettaglio contribuisce al significato totale.

Nel quadro di questa interpretazione, il personaggio dell'Aedo assume una funzione drammatica significante. È evidente che attraverso questo personaggio l'autore esprime la sua poetica; consacrato Aedo, Eurito definisce infatti la funzione del poeta:

Io son colui 'l quale porta le parole
che traggono più presto il pianto agli uomini

---

[42] Alfred Adler, psicoanalista austriaco allievo di Freud, ha espresso le sue teorie in *Prassi e teoria della psicologia individuale* (1918) e *Temperamento nevrotico* (1919).

ma riempiono d'orgoglio il cuor nascosto
e consacrano l'ultima speranza[43]. (II, 323)

Ed è ben vero che il personaggio permette all'autore due voli epici, l'evocazione di Capaneo ed Evadne nel Primo atto e quella della morte di Ippolito nel Terzo, altrimenti impossibili[44]. Tuttavia la pressoché costante presenza scenica del personaggio ne espande e intensifica la funzione. Eurito partecipa ad ogni episodio ad eccezione di due: il lamento delle Supplici che apre la tragedia e il confronto tra Fedra ed Ippolito nel Secondo atto.

La sua è innanzi tutto una funzione epifanica in quanto porta l'annunzio della poesia che dirigerà Fedra verso il suo trionfo. Ma anche da un punto di vista drammatico il suo personaggio ha una funzione precisa. Se, come credo, il conflitto è interiorizzato, l'Aedo rappresenta scenicamente uno dei poli della tensione in cui Fedra si dibatte, tra passione distruttiva e vocazione all'eroico. Se Ippolito è l'oggetto del desiderio, verso cui è rivolta la libido negativa di Fedra, l'Aedo rappresenta invece la finalità proposta da un meccanismo di compensazione positiva; è il richiamo del «sublime» e dunque della «sublimazione» della pulsione erotica. I due personaggi risultano quindi complementari e necessari come portatori di valori nella simbologia del dramma.

Quanto al complesso di inferiorità, è evidente sin dall'inizio; Fedra è ossessionata dalle sue origini e dal suo passato, pesa su di lei la colpa di Pasifàe, l'umiliazione del ratto e l'essere stata per sette anni cresciuta «allo stupro» (II, 335). La passione incestuosa che ora la travaglia, debitamente censurata dal super-Ego identificato con Etra, «l'irreprensibile» madre di Teseo, le appare come un effetto inevitabile di quanto è stato, un male da cui mai riuscirà a liberarsi[45].

Il meccanismo di compensazione, sentito come volontà di potenza, si manifesta nell'esaltazione dell'atto eroico di Capaneo e Evadne ma anche nel feroce sacrificio di Ipponoe. Fedra è affascinata dalla parola poetica

---

[43] Il tema e le parole dei *Sepolcri* sono presenti in questa definizione del poeta.

[44] D'Annunzio era perfettamente cosciente della contaminazione tra genere epico e tragico operata in *Fedra* come risulta da una nota ritrovata negli archivi del Vittoriale (ms. 6815-16): «Credo che nessun critico fino ad oggi abbia rilevato quel che forma il più alto carattere dell'opera: la fusione, in essa, dell'epopea e del dramma. Il primo e il terzo atto sono vere e proprie rappresentazioni epiche, in cui l'elemento narrativo è drammatizzato in una maniera nuova e inattesa». Citato da P. Gibellini, *Op. cit.*, pp. 22-23.

[45] Anche in questa tragedia si delinea il noto conflitto tra la madre e la straniera che le contende il possesso del figlio. Etra, e non Teseo, si oppone a Fedra.

ma il suo ruolo non si è ancora chiarito. Ricade in preda al suo «male», il desiderio, e si umilia davanti ad Afrodite poi, per compensare il suo istinto negativo, tenta di assicurarsi una superiorità illusoria distruggendo la possibile rivale. Durante il Primo atto Fedra sembra ondeggiare tra due estremi, trascinata sia da un sentimento di inferiorità, sia da una furia di affermazione. Gli episodi sono dunque dichiarativi e presentano la personalità dell'eroina nei suoi eccessi, stabilendo così i termini del conflitto.

Dopo la pausa, all'apertura del Secondo atto, quando Fedra incomincia a prendere coscienza della sua funzione di Musa, gli avvenimenti incalzano e premono verso la catastrofe. Fedra e Ippolito sono rimasti soli. L'evocazione della bellissima giovinetta Elena, la presenza fisica di Ippolito, trasognato e vulnerabile, fanno crollare le difese dell'Ego e Fedra cede all'impulso erotico. Il bacio è l'inizio di una discesa vertiginosa negli abissi dell'inconscio e tutti gli istinti bruti esplodono: possesso carnale, vendetta, volontà di morte.

La catarsi che si verifica nel Terzo atto è l'apoteosi della volontà di potenza di Fedra che ora ha raggiunto la sua piena espressione. Ippolito, consacrato dalla morte eroica e dalla poesia, appartiene ormai alla leggenda di Fedra, che lo reclama coprendolo con il suo velo[46]. La sua stessa passione, prima sofferta come una piaga infamante, è ora accettata come un «male meraviglioso» perché è stata purificata dalla «morte risanatrice». Prima di morire, ma nella certezza della morte, Fedra costruisce ed agisce la leggenda che la rende «indimenticabile». Non la parola ma l'atto poetico la redime. Il rogo del sacrificio è spento come il fuoco della passione in Fedra che ora, illuminata da «un fuoco bianco», è «di una sublime bianchezza»; l'Eros sublimato si è trasformato in forma poetica[47].

Nella prospettiva di una dominante immagine femminile che invade prepotentemente il teatro di D'Annunzio, Fedra appare come la quintessenza della donna con tutto il suo vissuto, torbido e passionale, ma capace di trasformarlo attraverso il sacrificio cosciente di se stessa. Un sacrificio

---

[46] Come suggerisce P. Gibellini, è possibile che il particolare del velo alluda all'*Ippolito velato*, la tragedia di Euripide di cui restano soltanto frammenti. Nel *Velato* Fedra confessava apertamente l'amore al figlio. Lo scandalo suscitato da questa confessione, inammissibile secondo i canoni della morale greca, avrebbe indotto Euripide al rifacimento. *Op. cit.*, p. 23.

[47] «Alors le feu qui nous brûlait, soudain, nous éclaire». Gaston Bachelard, *La psychanalyse du feu*, Gallimard, 1949, p. 165. Il tema della luce e dell'ombra attraversa la tragedia. Per una brillante analisi del capovolgimento del rapporto luce/ombra, già notato da G. Bárberi Squarotti, *Op. cit.*, p. 121, cfr. P. Valesio, *Op. cit.*, pp. 72-83.

che non è compiuto per un uomo o in nome dell'uomo, l'eroe fondatore di società, religione e tradizione, quello che, malgrado il loro impulso vitale, tutte le altre eroine inconsciamente riconoscono; Fedra consapevolmente si sacrifica in nome di se stessa e per sé soltanto, per creare il suo mito poetico.

11.

«Le martyre de Saint Sébastien»

Durante gli anni dell'esilio francese, D'Annunzio si dedica nuovamente al teatro ma rinnovandone sia le forme sia il contenuto. Abbandonata la forma «chiusa» della tragedia classica, l'autore rielabora la forma «aperta» della rappresentazione liturgica medievale, sostituendo all'azione drammatica uno sviluppo scenico statico, rivolto ad illustrare più che a rappresentare la vicenda.

Il nuovo esperimento è facilitato, e in certo modo incoraggiato, dall'internazionalismo della capitale francese, dai fermenti delle avanguardie del tempo, e dal fascino che esercita su D'Annunzio la lingua francese per le sue qualità liberatorie rispetto alla lingua madre. Scegliendo di scrivere in un francese antico di sua invenzione, D'Annunzio alleggerisce infatti la parola delle sue proprietà connotative per accentuarne le qualità melodiche ed evocative[1]. Da queste premesse nasce *Le martyre de Saint Séba-*

---

[1] Il linguaggio francese creato da D'Annunzio per il *Martyre* ha suscitato interesse, polemiche e giudizi contrastanti. Per un'accurata analisi del francese arcaico del *Mystère* e delle fonti linguistiche rimando all'articolo di Guy Tosi, *D'Annunzio écrivain français: le travail du style dans «Le martyre de Saint Sébastien»*, «Quaderni del Vittoriale», 1977, pp. 104-139. G. Tosi cita un chiarimento inviato da D'Annunzio a Hérelle che riflette le intenzioni dell'autore: «Mon mystère n'est pas écrit en vieux language... j'ai écrit mon poème en langue "synoptique"! suivant le mot d Léon Blum; c'est à dire que j'ai tâché de fondre dans le feu du style, tous les éléments. Mais comme vous le verrez, la "pâte" est moderne». *Ibid.*, p. 138. Tra le varie interpretazioni del linguaggio cito quelle di De Michelis, Bárberi Squarotti e Barilli, particolarmente interessanti perché assimilano la scelta della lingua alla novità dell'opera teatrale. «[...] è evidente che la scelta di tale linguaggio risponde anch'essa, come dilettazione in margine, al sovrappotere decorativo; e come la sensualissima scrittura non contrasta a nessun'altra volontà di costruzione e di

stien, l'opera che segnala incontestabilmente una svolta nella drammaturgia dannunziana.

Il primo esperimento teatrale di D'Annunzio in francese, frutto della
collaborazione con il compositore Claude Debussy, è un'opera in versi
prevalentementi ottonari, ricalcata sulla struttura delle sacre rappresentazioni del Cinquecento francese[2].

La prima rappresentazione del *Martyre* ha avuto luogo a Parigi nel
maggio del 1911 con la partecipazione di Ida Rubinstein, la famosa danzatrice russa nel ruolo del santo, e la scenografia di Léon Bakst[3]. Benché
il lancio di D'Annunzio come scrittore «francese» fosse sostenuto dalla
collaborazioni di artisti eminenti la cui fama era già solidamente stabilita,
l'esito dello spettacolo non fu trionfale; anche il sofisticato pubblico pari-
gino rimase sconcertato dalla totale mancanza di azione drammatica e dalla lentezza che ne caratterizzano lo sviluppo.

L'opera, preceduta da una dedica a Maurice Barrès, è divisa in un pro-
logo-preghiera e cinque *mansions* (stazioni). L'azione si riferisce ad un
avvenimento accaduto (forse) alla fine del III secolo d.C. durante l'impero
di Diocleziano e Massimiano e concerne il martirio di un cristiano, capo
degli arcieri dell'esercito imperiale, che la professione di fede militante
conduce al supplizio e alla morte.

Nel Prologo, il Nuncius introduce il tema dell'opera e presenta gli «ar-

racconto, come viene incontro per parte sua alla frammentarietà della favola, così aiuta la
musica verbale in cui ogni momento tende a dissolversi [...]». E. De Michelis, *Tutto
D'Annunzio*, cit., p. 369. G. Bárberi Squarotti mette in rilievo come attraverso l'uso di
una lingua straniera, D'Annunzio può liberamente offrire l'esemplarità orfica dell'invenzione della parola, perseguendo il «Mito della lingua vergine e radicalmente reinventata
che è di tanta letteratura del Novecento». *La scrittura verso il nulla*, cit., p. 273. Anche R.
Barilli sottolinea il valore determinante della lingua francese: «E forse proprio l'adozione
del francese, per di più in veste preziosamente arcaizzante, gli consente una distanza critica, un grado maggiore di artificialità». *Op. cit.*, p. 187.

[2] Nel 1911, la fama del compositore Claude Debussy, il più eminente interprete musicale del movimento simbolista, era solidamente stabilita. Il metro ottonario della versificazione è ripreso dalla rappresentazione sacra del Cinquecento francese.

[3] Bisicchia descrive vivacemente l'atmosfera, le aspettive e le polemiche suscitate
da questa Prima, fornendo i dati concernenti la messinscena dello spettacolo: 70 attori, 80
coristi, 150 comparse, 150 esecutori musicali. A. Bisicchia, *Op. cit.*, p. 157. Ida Rubinstein, interprete di *Shéhérazade* nel 1910, era già nota per il suo ruolo nei Balletti russi di
Diaghilev. Oltre al *Martyre*, sarà l'interprete di un'altra opera di D'Annunzio, *La Pisanelle* e del film *La nave* di Gabriellino D'Annunzio, nel 1920. Il nome di Léon Bakst è legato
alla sua attività di scenografo per i Balletti russi. E stato definito il rinnovatore della de-
corazione teatrale per aver risvegliato la scena dalla sua letargia naturalistica. Secondo
Bisicchia, Bakst era stato «il vero trionfatore» della serata inaugurale. *Ibid.*, p. 157.

tigiani» che hanno contribuito alla creazione dell'opera: Bakst, «l'artisan
de ces cinq verrières», e gli autori: D'Annunzio, che si autodefinisce «un
Florentin en exil», con chiara allusione alla sua ascendenza dantesca, e
Claude Debussy, di cui segue un lungo elogio[4].
La vicenda del santo è così presentata:

> Douces gens, un peu de silence!
> Soyez recuieillis en présence
> de Dieu, comme dans la prière:
> car vous connaîtrez, par mystère,
> ici la très sainte souffrance
> de ce Martyr adolescent
> qui puise à jamais sa jouvence
> dans la fontaine de son sang. (II, 388)

Enunciato il soggetto, l'azione non più subordinata alla sequenza cronologica di un Primo, Secondo e Terzo atto, si sviluppa in cinque *mansions* (stazioni) pressoché indipendenti che illustrano la vita e l'opera del
santo. Libero dal modulo narrativo, D'Annunzio si abbandona alla melodia verbale che pare confondersi con le note musicali, mentre il tenue filo
che lega l'azione è affidato all'impatto visuale della scenografia e alla
danza. Lo scenario sfarzoso e intensamente coloristico, la partecipazione
di innumerevoli personaggi divisi e suddivisi in cori, le scene di danza,
tendono infatti a creare un tipo di teatralità autonoma che si realizza fuori
dei parametri del classico conflitto drammatico[5].
La prima stazione, «La cour des lys», si apre su una scena minuziosa-
mente descritta da lunghe didascalie, in cui una turba innumerevole di cit-
tadini, legionari, schiavi, cristiani e adoniasti si prepara ad assistere al
supplizio dei due gemelli cristiani Marco e Marcellino. Il Prefetto imperiale, impietosito dalla loro giovinezza, tenta di convincerli a rinnegare la
fede per risparmiarli, ma il capo degli arcieri, Sébastien, dopo essersi dichiarato cristiano lui pure, li incita a resistere. La folla, costernata dalla
subita rivelazione e dall'ardire del giovane, popolare per la sua avvenenza
e per la sua amicizia con l'imperatore, tenta di ricondurlo alla ragione in
nome della sua bellezza e giovinezza «– Secoue-toi! / Tu es trop beau.

---

[4] *Les verrières* alludono alle cinque vetrate di chiesa che Bakst aveva allestito per la
scenografia.
[5] D'Annunzio riprende più liberamente alcuni motivi, come la rappresentazione corale, che già aveva sperimentato nella *Nave*.

Renie, renie / ton sacrilège» (II, 430). Sébastien, ignorando gli appelli, invaso dal suo fuoco di amore per il Cristo, si offre come vittima volontaria e si lancia, o meglio danza con leggerezza, sulle braci ardenti già preparate per il supplizio dei fratelli, quasi fossero un tappeto di gigli, «Je danse sur l'ardeur des lys. / Gloire, ô Christ roi!» II, 463). Il delirio e l'estasi in cui è avvolto si propagano tra la folla: la madre di Marco e Marcello si converte alla fede, una cieca riacquista la vista, una donna fino allora muta grida a Sébastien: «Tu es saint! Tu es saint!» (II, 460).

La seconda stazione, «*La chambre magique*», presenta un episodio in cui Sébastien lotta contro i maghi custodi delle antiche pratiche pagane e abbatte le porte della «*chambre*» in cui era stato nascosto il tesoro dei riti magici. Alla folla che vuole una prova, un'immagine del Dio che guida le azioni del santo, Sébastien oppone la fede che viene dallo slancio mistico. L'*impasse* è superata grazie all'arrivo della *fille malade des fièvres* che porta su di sé il sudario di Cristo[6]. Sébastien saluta in lei un'emissaria del Cristo e la convince a mostrare il lenzuolo sacro, la prova che la folla attendeva. Il popolo si prosterna, si ode una voce celeste e le porte del tempio pagano si aprono; rapito in un'estasi divina Sébastien penetra nella «*chambre*» dove ora risplende la Vergine.

Nella terza stazione, «*Le concile des faux dieux*», Sébastien è trascinato in giudizio. In un dibattito appassionato, tra l'Augusto e il santo, si sviluppa il solo momento drammatico del *Mystère*; l'imperatore, che ama il bellissimo arciere, rifiuta di riconoscere le colpe di cui Sébastien è accusato:

> Je ne crois pas, je ne veux pas
> croire aux délits dont on t'accuse,
> Chef de ma cohorte légère.
> Tu es trop beau. Et il est juste
> qu'on te couronne, devant tous
> les dieux. Je ne veux pas savoir
> si tu fais des rêves. Je t'aime.
> Tu m'es cher. [...]. (II, 340)

Il santo rifiuta tutti i doni che l'imperatore via via gli propone per distoglierlo dalla sua fede, il trionfo, le ricchezze, la divinizzazione. Ad ogni ripulsa l'imperatore irato lo condanna a un supplizio più feroce, ma sempre cede davanti alla bellezza dell'adolescente e raddoppia le sue offerte: «Mais comme il beau! Il est trop beau» (II, 348). Travolto da un delirio

---

[6] La *fille malade des fièvres* è una visionaria, illuminata dalla grazia divina.

d'amore, l'imperatore offre infine a Sébastien il potere; tendendogli il globo che sostiene la Vittoria lo supplica:

> Prends la Victoire impériale
> dans ton poing fort et décharné
> comme la griffe de mes aigles.
> Ce globe est l'orbe de la Terre
> et la pomme des Hésperides.
> Or tu es dieu, tu es César,
> tu es Prince de la jeunesse:
> tu es la puissance et la joie,
> la merveille tissée des songes
> pour vêtir ton corp ambigu,
> les perles et les laurier-rose
> pour tes tempes étincelantes.
> Tu auras tout, tu auras tout.
> [...]
>   Tu auras
> le monde tremblant dans le creux
> de ta main comme l'alouette
> dans le sillon avant le jour.
> [...]
>   Tends le poing,
> prends la Victoire! (II, 559-560)

Lentamente, come in sogno, Sébastien, tende il braccio e riceve nella mano il globo, simbolo del potere. L'imperatore esulta, la folla degli adoniasti celebra con un inno di gioia la gloria di Sébastien e nel canto risuona il leitmotif che accompagna la sua persona: «Tu es beau, tu es beau, Seigneur!». All'improvviso risuona un grido terribile; il santo invoca l'aiuto divino per resistere alla tentazione:

> Jésus, Jésus, Jésus, à moi!
> Au secours, Seigneur! A mon aide,
> ma force, ma flamme, mon Roi!

Risvegliandosi dal letargo in cui la tentazione lo aveva gettato, Sébastien scaglia il globo ai piedi dell'imperatore maledicendolo e annunciando l'avvento di Cristo. Il furore dell'imperatore esplode ma subito si spegne nel compianto. La condanna è ora inevitabile, ma l'amore vuole una morte degna di tanta bellezza. Sébastien, destinato alla morte, viene deposto su una cetra, lo accompagnano le parole dell'imperatore:

> Etouffez-le sous les couronnes,
> étouffez-le sous les colliers,
> sous les fleurs, l'or et la musique,
> sous les désirs, l'or et les plaintes,
> car il est beau.

e il lamento del coro:

> Il descend vers les Noires Portes.
> Tout ce qui est beau, l'Hadès morne
> l'emporte. Renversez les torches,
> Eros! Pleurez![7]. (II, 567)

Nella quarta stazione, «*Le laurier blessé*», Sébastien, legato ad un albero di alloro, attende il supplizio e sono gli arcieri di Èfeso, di cui Sébastien era il capo, che devono ora eseguire la sentenza trafiggendolo di frecce. Ma gli arcieri fedeli che lo amano e che già una volta lo hanno sottratto alla morte, rifiutano di obbedire all'ordine; offrono la fuga al loro capo adorato, si dicono pronti a seguirlo, ma Sébastien anela al martirio per ricongiungersi a Dio e chiede loro la morte come suprema prova d'amore:

> Des profondeurs, des profondeurs
> j'appelle votre amour, élus!
> Chaque flèche est pour le salut,
> afin que je puisse revivre.
> Ne tremblez pas, ne pleurez pas!
> Mais soyez ivres, soyez ivres
> de sang, come dans les combats.
> Visez de près. Je suis la Cible.
> Des profondeurs, des profondeurs
> j'appelle votre amour terrible.
> Béni soit le premier! Bénie
> soit l'étoile première! (II, 580)

A lungo gli arcieri rifiutano; poi, travolti dalla passione di Sébastien, ebbri dello stesso delirio, incominciano a scagliare le frecce mentre la voce del

---

[7] «Renversez le torches» è un segno luttuoso che rimanda alla *Fiaccola sotto il moggio*. Anche Gigliola ha detto «Spegnete / le fiaccole, volgetele, / spegnetele nell'erba, / o uomini» (I, 1063).

martire li sostiene con il suo fuoco d'amore: «Votre amour! Votre amour! / Encore! / Encore! / Encore! [...]» e il sacrificio si compie (II, 581)[8]. Giungono gli adoniasti a ricevere le spoglie martoriate del santo. Miracolosamente le frecce si staccano dal corpo e si figgono nel lauro offrendo il corpo di Sébastien intatto all'adorazione dei pagani[9].

Nella brevissima quinta stazione, «Le paradis», che rappresenta l'epilogo, l'apoteosi si compie e l'anima di Sébastien è accolta in Paradiso dai cori angelici. Tra lodi e benedizioni, nel coro angelico risuona ancora una volta il leitmotif che accompagna Sébastien: «Tu es beau. Prends six ailes / d'Ange et viens [...]» (II, 589).

La vicenda illustrata dai cinque *tableaux vivants* offre una parvenza di conflitto drammatico nella terza stazione quando Sébastien pare esitare tra l'amore dell'imperatore e l'amore di Dio e, per un attimo, il potere terreno sembra vincere sulla grazia divina. Ma la tentazione si risolve in rinnovato ardore e si conclude con il lamento funebre della moltitudine che piange la sua condanna. Ognuno vede in lui ciò che desidera vedere: per i pagani Sébastien è l'immagine vivente di Adonis, per i cristiani è la figura del Cristo. Tutti, popolo e imperatore, donne e uomini, vergini e arcieri, adoniasti e fedeli, Dio stesso, presente nei fatti miracolosi che accompagnano il santo, lo amano. Ogni conflitto si dissolve nella totalità di slanci amorosi che converge su di lui, per il fascino polivalente che emana dalla sua persona. Nell'adolescente dal corpo ambiguo e dalla fede ardente è celebrata la perfezione della bellezza fisica e spirituale che deve morire per divenire immortale.

Gli elementi di cui lo spettacolo si avvale, parola, musica, danza, coreografia, scenari sontuosi, sembrano indicare la realizzazione dello spettacolo totale preconizzato nel *Fuoco*, ma la nuova opera è ancora più complessa in quanto introduce la dimensione pittorica che Effrena non aveva previsto[10]. Il fulcro del *Mystère*, il motivo unificante che salda i va-

---

[8] Si tratta evidentemente di un *remake* dell'episodio della Fossa Fuja nella *Nave*. La situazione è rovesciata quasi a riprova che il rapporto erotico/mistico tra la vittima e il carnefice è reversibile.

[9] Il lauro allude a un noto *topos* letterario: l'amore sublimato dall'arte trascende la morte e conferisce l'immortalità. Qui l'allusione è arricchita dal richiamo al mito di Dafne come indica una notazione dei *Taccuini* che si riferisce agli anni 1911-1912: «S. Sebastien à l'arbre – une Daphné. L'unité des êtres – les limites entre les espèces sont abolies – la feuille et le bec –». *Taccuini*, ed. Forcella-Bianchetti, Milano, Mondadori, 1965, p. 603.

[10] L'universo di D'Annunzio è dominato dalla parola; parola scritta, orale, incisa nella pietra, iscritta sui muri. L'artefice, in una trasformazione prodigiosa, ha reso in parole

ri frammenti della vicenda è l'immagine di San Sebastiano secondo il codice iconografico che i pittori del Quattrocento ci hanno trasmesso. Riferimenti, commenti e allusioni ad opere pittoriche si trovano costantemente integrati alla scrittura di D'Annunzio e l'*Isotteo* e la *Chimera* sono probabilmente le due opere più note per le loro corrispondenze con le arti figurative[11]. Ma è soprattutto nel teatro che la citazione dell'opera pittorica si fa più pregnante, proprio a causa del genere che implica a priori un livello visuale in cui l'immagine si integra organicamente alla struttura stessa dell'opera.

La presenza della dimensione pittorica è talvolta enunciata nella dedica, come accade nella *Figlia di Iorio*, oppure è integrata nel testo come nella *Città morta*[12]. Altrove, come nella *Gioconda*, la citazione esplicita di un'opera pittorica attraverso un gioco di rimandi allude a un'altra opera che resta sottintesa[13].

Il caso limite di questo processo di appropriazione ed integrazione iconografica è Le *Martyre de Saint Sébastien*; in questa opera nessun accenno esplicito allude al sustrato pittorico del testo, benché l'immagine del santo vi sia a tal punto integrata da rappresentare il fulcro di irradiazione dell'intero spettacolo[14].

---

avventure esistenziali, rapimenti dello spirito, stimoli intellettuali, sentimenti, sensazioni, fantasmi della memoria, presenze reali, e naturalmente immagini, immagini naturali e immagini pittoriche.

[11] Il processo di assimilazione iniziato nell'*Isotteo* si intensifica nella *Chimera* dove la parola si adegua coscientemente ad esprimere forme plastiche, in una serie di citazioni che si conclude nell'epodo dedicato ad Andrea Sperelli con una meditazione sull'ambiguo sorriso di Monna Lisa. Cfr. le brillanti note di Niva Lorenzini a questo proposito. *Versi d'amore e di gloria*, I, p. 1060.

[12] Bianca Maria è paragonata con insistenza alla Nike che si allaccia i sandali, un'immagine che aveva colpito D'Annunzio durante il suo viaggio in Grecia.

[13] Nella *Gioconda* la dedica a Eleonora «dalle belle mani» è esplicitata nel testo dal riferimento alle mani, quelle di Silvia, simili a quelle già dipinte da Verrocchio, mentre titolo e personaggio alludono invece alla pittura di Leonardo che non viene mai nominata. La poesia «Due Beatrici» è l'esempio più noto di questo complesso gioco di appropriazioni, integrazioni e rimandi. *Versi d'amore e di gloria*, I, p. 462.

[14] Nella dedica a Maurice Barrès D'Annunzio accenna a un'immagine, ma evita l'accostamento pittorico tra il suo Sébastien e l'iconografia quattrocentesca del santo: «Mon Sébastien – que j'ai dessiné ayant sous les yeux cette plaquette d'Antonio del Pollaiuolo, où un svelte centaure domine du poitrail les archers a deux pieds – [...]», II, 385, dove il nome del pittore suggerisce l'opera senza nominarla. A questo proposito, G. Tosi riporta un commento di Robert de Montesquieu che avrebbe colto una somiglianza tra Ida Rubinstein e «un Sébastien de l'école ombrienne. Lequel?». Guy Tosi, *Op. cit.*, p. 107, nota 11. E possibile che D'Annunzio si sia ispirato a una pittura particolare per quanto ritenga che

La genesi del *Martyre* è incerta. Benché alcune note di D'Annunzio tendano a far risalire l'intenzione di quest'opera alla sua prima giovinezza, i primi accenni controllabili risalgono al periodo tra il 1908 e il 1910. D'Annunzio ne parla nel 1908 in una delle sue lettere all'editore Treves, sempre ricoccanti di promesse, e il santo è ripetutamente nominato anche nella sua corrispondenza con Nathalie de Goloubeff[15]. La data più probabile per fissare l'incipit del progetto resta probabilmente il 1910, un anno circa prima della rappresentazione dell'opera. Tuttavia, in una curiosa annotazione di un tardo *Taccuino* (1923-1926) cogliamo la prima scintilla dell'interesse di D'Annunzio per il santo. Ricordando il suo amore tempestoso per Febea (la giornalista Olga Ossani) D'Annunzio scrive: «A diciannove anni (secondo un'altro punto del taccuino a ventun'anni, cioè nel 1884, data che pare più esatta) ...Febea – vedendomi nudo addossato al tronco di un albero, nella selvetta pensile della Villa Medici, fra terrazza e belvedere esclamò: "San Sebastiano!"». Un aneddoto che indica l'ambigua posizione del santo tra erotismo e misticismo nella sensibilità dannunziana. Un altro episodio dello stesso sapore si riferisce al primo incontro di D'Annunzio ed Ida Rubinstein nel camerino dell'attrice, nel 1910. Incontro fatidico, secondo le parole di D'Annunzio: «vedendo da vicino le meravigliose gambe nude, mi getto a terra – e bacio i piedi, salgo su pel fusolo alle ginocchia [...] e mormoro, come trasognato: Saint Sébastien?»[16]. E dunque la visione fisica della danzatrice che catalizza ricordi e vaghe ispirazioni; epifania plastica in cui si sommano le componenti dell'invenzione poetica che domina il *Saint Sébastien*: l'androginità. L'aspetto efebico di Ida Rubinstein, la danzatrice celebrata per le lunghe gambe e il busto quasi virile, corrispondono singolarmente a un ideale femminile vagheggiato da D'Annunzio sin dai tempi della *Chimera*, e la coincidenza non stupisce[17].

Tuttavia, gli aneddoti possono stabilire l'occasione, determinare il momento dello scatto immaginativo, ma non tracciare la genealogia dei moti-

nel caso specifico si tratti di una immagine codificata più che di un esemplare singolo.

[15] Guy Tosi, *Op. cit.*, p. 106.

[16] Entrambi gli episodi sono citati da E. De Michelis, *Tutto D'Annunzio*, cit., pp. 365-366. La fonte citata dall'autore è la seguente: *Dialoghi*, Roma, 1953, pubblicato da Cimmino. Il secondo episodio è rielaborato in termini pressoché uguali nelle *Cento e cento e cento pagine..., Prose di ricerca*, Milano Mondadori, 1968, vol. II, pp. 902-903.

[17] Secondo E. Raimondi, il fascino, «il mistero della danzatrice» è «un archetipo dell'immaginazione simbolistica». Ezio Raimondi, *Dal simbolo al segno*, in *D'Annunzio e la poesia di massa*, Bari, Laterza, 1978, p. 147.

vi che conducono alla creazione artistica. In questo *remake* di motivi e suggestioni, come lo definisce Barilli, pare necessario risalire alle origini dell'ispirazione per identificarne il tema[18].

L'unica fonte letteraria del testo del *Martyre* è un documento conservato al Vaticano che fa parte della *Vita dei Santi*. Si tratta di una *passio* scritta da un anonimo autore del V sec., quando già la figura di Sebastiano trascolorava nella leggenda. L'ascendenza letteraria del soggetto trattato è pressoché nulla. Tuttavia la critica letteraria ha colto innumerevoli presenze nel *Mystère*; opere di erudizione e opere letterarie: da Chateaubriand alle *Metamorfosi* di Apuleio, da l'*Histoire des Persécutions* di Paul Allard al Flaubert di *Salambò* e delle *Tentations de Saint Antoine*, a Swinburne e Oscar Wilde. È evidente che questi autori offrono tutto il materiale necessario a D'Annunzio per drammatizzare una vicenda ambientata sullo sfondo esotico di una Roma decadente, invasa da sette religiose orientaleggianti in cui lussuria, crudeltà e misticismo si confondono. Un'atmosfera in fondo non molto diversa da quella in cui si situa D'Annunzio, tutta percorsa da aspirazioni mistiche, dissacrazione religiosa, contaminazioni, perversioni, angelismo e satanismo.

Tuttavia queste presenze letterarie riguardano il tessuto verbale dell'opera e ne forniscono il dettaglio erudito ma non indicano l'ascendenza dell'ispirazione che mette Sebastiano al centro della creazione. Perché proprio Sebastiano?

Se la genealogia letteraria è muta la genealogia iconografica offre invece una profusione di indicazioni tale da condurre allo scatto creativo.

Nelle prime immagini del martire nei cimiteri di Calisto e di Ravenna, che risalgono al V e al VI secolo, non c'è traccia di frecce. Infatti la *passio* riporta che Sebastiano, pur essendo stato condannato al supplizio delle frecce, non ne era morto. Raccolto da una pia donna e risanato era ritornato a predicare sulle pubbliche piazze ma, avendo rimproverato pubblicamente l'imperatore per le persecuzioni contro i cristiani, sarebbe stato gettato nella cloaca massima. Tuttavia, a partire dal 680, anno in cui la peste travaglia Roma, i dettagli iconografici mutano. Le frecce sono il simbolo stesso della peste e il martire, assimilato al suo primo supplizio e assunto

---

[18] Barilli coglie la novità del *Martyre* e ne registra le qualità innovatrici: «[...] a proposito del *Saint Sébastien* siamo attratti in primo luogo dalle varie novità formali, di didascalie, di nomenclatura scenotecnica: ci sentiamo piacevolmente invitati a muoverci su una scena assai diversa da quella della tradizione moderna, in un esperimento i cui compiaciuti arcaismi pre-moderni si rovesciano nei termini del *remake* postmoderno». R. Barilli, *Op. cit.*, p. 188.

a protettore contro l'infezione, è d'ora in poi rappresentato trafitto da frecce. Un mosaico del VII secolo, in San Pietro in Vincoli, lo rappresenta infatti con la gola trapassata da una freccia, vestito di una tunica rigida e con una barba grigia e tonda.

È soltanto nel Quattrocento che la rappresentazione del martire cambia radicalmente e si colora di toni di giovinezza, bellezza efebica e languore. Negli anni tra il 1475 e la fine del secolo, l'iconografia di San Sebastiano si arricchisce enormemente. L'immagine del santo è dipinta da una serie di artisti: Antonello da Messina, Mantegna, Pollaiolo, Perugino e Giovan Antonio Bazzi detto il Sòdoma, soltanto per elencare i più noti. Ma la lista potrebbe certamente essere arricchita di altri nomi celebri e meno celebri.

In queste pitture San Sebastiano è costantemente raffigurato come un giovane di straordinaria bellezza; è nudo, i fianchi castamente coperti da una leggera sciarpa, eretto o legato ad un albero. Il giovane è trafitto da frecce e protende il viso al cielo rapito in una visione estatica. Il corpo è in riposo, non si notano contrazioni di muscoli, nessuna traccia di sofferenza turba l'eleganza del corpo levigato e sinuoso come quello di una donna; solo nel collo si nota una tensione. L'espressione del volto dai lineamenti delicati è soffusa dal languore di un'estasi mistico-erotica in cui il santo pare esprimere l'offerta suprema di se stesso.

Il particolare interesse suscitato dal santo in questo periodo, benché confinato alla sua rappresentazione pittorica intesa come *locus* privilegiato di una ricerca espressiva, può facilmente essere ricondotto all'idealismo neoplatonico che permeava lo spirito dell'epoca. Celata sotto l'innocuo aspetto di San Sebastiano, la tensione verso un'ideale perfezione fisica e spirituale conduceva inevitabilmente alla figurazione dell'Androgino, in cui il maschile e il femminile si sommano e diventano l'aspetto di una molteplicità di opposti che tendono verso l'integrazione.

La frequenza di quest'immagine, la sua concentrazione in un determinato periodo storico e la similarità delle varie rappresentazioni di San Sebastiano rappresentano chiaramente una codificazione iconografica, ed è appunto su quest'immagine formalizzata che si incentra il *Mystère* di D'Annunzio. Il suo Saint Sébastien, totalmente indipendente dalle fonti storiche o pseudo-storiche, è infatti rappresentato secondo i canoni della pittura quattrocentesca, nel suo carattere emblematico di figurazione dell'ideale Androgino.

Basandosi sulla corrispondenza consacrata dalla tradizione umanistica tra il mitico Ermafrodito e l'immagine del martire, D'Annunzio procede nel *Martyre* ad un'ardita operazione visuale: il santo, impersonato dalla donna, rappresenta plasticamente l'unione dei due sessi in uno spettacolo che è tutto giocato sull'ambiguità. Ambiguità tra erotismo e misticismo, tra simboli sacri e profani, tra amore divino e amore sensuale, tra Adonís e Adonaï. La condanna di Sébastien è lamentata con uguale pietà da adoniasti e da cristiani; l'Augusto, che infiammato d'amore offre a Sébastien la ricchezza, la divinizzazione e il potere pur di salvarlo, lo contende al Cristo; Sébastien danza davanti all'imperatore per rappresentare la Passione di Cristo e la folla vede in lui il divino Adone; i pagani ne accolgono le spoglie mortali e gli angeli del paradiso cristiano ricevono la sua anima; culto della bellezza e culto cristiano si alternano e si confondono in un'esaltazione collettiva.

In questo contesto la parola amore assume significati contrastanti che culminano nella scena della morte di Sébastien. I fedeli arcieri destinati ad ucciderlo lo amano e lo implorano di fuggire. Tutto è pronto e tutti, per amore di lui, sono pronti a seguirlo ma Sébastien in nome del loro amore li supplica di dargli la morte, perché lui stesso arde d'amore per il Cristo. Desidera la morte: «Je meurs de ne pas mourir» (II, 572), e il sacrificio si compie in un'ebrezza d'amore e di sangue. Nell'ultima stazione, quando Sébastien è accolto in Paradiso il doppio registro, bello e divino su cui il suo nome si iscrive, si manifesta ancora una volta e pare superimporsi nel saluto del coro degli angeli: «Tu est beau; prends six ailes d'Ange et viens...»

Il montaggio incrociato di professioni di fede e di invocazioni blasfeme si regge sulla metafora centrale dell'ambiguità, rappresentata da Ida Rubinstein nel ruolo di Sébastien; potente metafora iconografica che illustra e unifica l'azione. Il bellissimo Androgino dipinto dai quattrocentisti sotto le sembianze di San Sebastiano, la figura efebica in cui si fondono la forza maschile e la bellezza femminile, è il fulcro strutturale da cui nascono gli ambigui significati dell'amore; amore omosessuale, amore eterosessuale e amore mistico.

Tutti questi significati coesistono, ma se nella cultura del tardo Ottocento e del primo Novecento il vagheggiamento dell'Androgino vela un complesso di tendenze diverse, per quanto riguarda D'Annunzio non ci sono dubbi: è un'altra faccia del femminile. Tra le molte citazioni possibili basterà un solo verso:

> Ella era l'ideale Ermafrodito
> era il pensato Androgine[19].

---

[19] *Versi d'amore e di gloria*, I, p. 589.

12.

«Parisina»

Il primo interesse di D'Annunzio per la storia di Parisina risale al 1902, durante la composizione della *Francesca da Rimini*, ed è documentato dalle notazioni dei *Taccuini*[1].

Parisina Malatesta è un personaggio storico e le cronache del tempo ne riportano la vicenda. Andata sposa di Niccolò d'Este nel 1418, Parisina fu condannata a morte per adulterio e decapitata nella Torre del Leone nel 1425, con l'amante Ugo, figlio bastardo di Niccolò e di Stella dei Tolomei; i due amanti «furono sepolti nel Cimitero presso la vecchia torre campanaria di S. Francesco»[2]. Il suggestivo parallelismo tra il destino di Parisina e quello di Francesca non poteva che colpire l'immaginazione di D'Annunzio.

Immediatamente dopo la rappresentazione della *Francesca da Rimini* nel 1903, D'Annunzio aveva infatti annunciato un ciclo di tragedie «I Malatesti» che avrebbe dovuto comprendere tre tragedie: Francesca, Sigismondo e Parisina. La tragedia «Sigismondo» resterà soltanto un'intenzione, quanto a «Parisina», il progetto sarà realizzato nel 1912, dopo un lungo intervallo e in una mutata temperie intellettuale[3].

Il ritorno al tema dantesco può essere spiegato da una concomitanza di cause intellettuali e pratiche. La presenza di Dante, sempre viva nell'im-

---

[1] *Taccuini*, cit., pp. 439-443.
[2] *Ibid.*, p. 439.
[3] Nel 1912 la scrittura di D'Annunzio è ormai orientata verso la prosa di memoria. La «favilla» per Dario che si intitolerà poi *Il compagno dagli occhi senza cigli*, viene pubblicata sul «Corriere» dal dicembre del 1912 al febbraio del 1913. Lo stesso anno vede la pubblicazione della *Leda senza cigno*.

maginazione di D'Annunzio, si fa particolarmente acuta in questo periodo, mentre la causa occasionale è fornita dall'invito della Casa musicale R. Sonzogno a collaborare con Mascagni per la produzione di un'opera su questo soggetto[4]. Il progetto è rapidamente realizzato e la prima di *Parisina*, con musica di Mascagni e testo di D'Annunzio, è allestita alla Scala nel 1913 con esito parecchio contrastato[5]. Solamente nel dicembre del 1921 la tragedia, come testo autonomo, viene rappresentata per la prima volta al Teatro lirico di Milano, riportando un trionfo[6].

Nelle sue linee essenziali la fabula di *Parisina* sembra ricalcata su quella di *Francesca*, ma non si tratta di un *remake*; più di dieci anni sono trascorsi tra le due opere e lo scarto si avverte nella struttura che si è fatta più scarna, più essenziale, meno teatrale, e più intensa. Tra le due opere c'è di mezzo la lezione di *Fedra*, della *Nave*, del *Martyre* e soprattutto della *Figlia di Jorio*; le soluzioni compositive, l'atmosfera, il linguaggio sono nuovi e diversi.

La tragedia si articola in quattro atti che scandiscono i tempi della vicenda: primi turbamenti d'amore, passione travolgente, scoperta dell'adulterio, condanna e morte.

Il Primo atto, che si svolge nella «Villa Estense nell'isola del Po», funziona come introduzione per presentare i personaggi e il contesto in cui si svolge l'azione. Siamo nella villa campestre di un munifico Signore all'inizio del Quattrocento. La corte si diverte: stornelli, giostre, cacce. Mentre Niccolò è impegnato in una partita di caccia, la giovane marchesa si intrattiene con le sue donne in canti e musica. Ma l'atmosfera gioiosa è

---

[4] Per un'acuta analisi della pervasiva presenza di Dante nella scrittura di D'Annunzio rimando a Paolo Valesio, *D'Annunzio versus Dante*, in *The Dark Flame*, cit., pp. 87-114. In «Appendice», Valesio ha pubblicato uno scritto di D'Annunzio pressoché sconosciuto: *Dant de Flourence*, che risulta particolarmente suggestivo in questo contesto. *Ibid.*, pp. 199-209.

[5] Il connubio D'Annunzio-Mascagni non sembra infatti propizio, soprattuto per questo testo tutto avvolto in un'atmosfera onirica quanto mai lontana dall'acceso naturalismo del compositore. De Michelis attribuisce la collaborazione all'indifferenza di D'Annunzio che avrebbe accettato il nome del musicista scelto da Sonzogno senza neppure discuterlo. E. De Michelis, *Op. cit.*, p. 399. È noto d'altronde che D'Annunzio non nutriva molta stima per Mascagni e che la ripresa di *Parisina* come testo autonomo suscitò proteste da parte del compositore che lo considerava sua proprietà esclusiva. Andrea Bisicchia, *Op. cit.*, p. 91. Anche E. Guidorizzi considera la collaborazione con Mascagni di poco rilievo. Ernesto Guidorizzi, *D'Annunzio e la musica*, «Quaderni del Vittoriale», 1980, p. 126.

[6] A. Bisicchia conferma il successo di pubblico e critica citando le recensioni del «triumvirato» della critica teatrale dell'epoca: Praga, D'Amico e Simoni. A. Bisicchia, *Op. cit.*, pp. 90-91.

soltanto superficiale e sin dall'inizio prevale una nota tragica: gli stornelli narrano storie di amore e morte e l'atmosfera è colma di tensioni.

Ugo, il figlio bastardo che ancora gode dei favori del padre, si esercita alla balestra con altri giovani cortigiani, ma manca ogni colpo; è irrequieto e provoca i compagni senza ragione apparente. All'amico Aldobrandino che lo interroga, Ugo confessa le sue aspirazioni confuse; ha mangiato «il miele selvaggio», ha voglia «di *cantare e di combattere*»; all'ardore di vita che lo brucia si mescola la cupa fiamma della morte e il ritornello che torna alle sua labbra ripete le antitesi misteriose della passione d'amore:

> Che foco è questo ch'arde e non consuma?
> Che piaga è questa che sangue non getta? (I, 720)

Sopraggiunge Stella de' Tolomei, la madre di Ugo, che impetuosamente sembra prendere possesso del figlio. Lo abbraccia, lo interroga, lo coinvolge nei suoi disegni, e in nome dell'amore figliale gli impone di odiare la sua rivale Parisina, la giovane sposa di Niccolò che l'ha spodestata. Ugo tenta di comunicarle le sue ansietà personali, ma la madre, chiusa nel suo desiderio di vendetta, tesa ad affermare il suo possesso del figlio e a dominarne la volontà, non sente e non vede. Stella vuole la morte di Parisina, Ugo arde di un altro fuoco di cui vorrebbe bruciare e morire; ma ognuno di loro persegue una linea di pensiero in cui le parole dell'altro incidono soltanto per rafforzare il proprio modo di sentire.

L'atto termina con i quattro personaggi principali in scena: giunge Parisina con le sue donne accolta dagli insulti di Stella e dal silenzio di Ugo, giunge Niccolò dalla caccia. Ne segue un alterco tra padre e figlio che si conclude con la partenza di Ugo. Tutti si pronunciano ma nessuno è inteso; la più totale incomunicabilità regna tra i personaggi.

Nel Secondo atto lo scenario rappresenta il Santuario di Loreto. Attraverso la porta spalancata si scorge la Vergine nera, scolpita nel legno di cedro e dietro il Santuario brilla il mare Adriatico. La marchesa di Ferrara è appena giunta per una solenne cerimonia. Vestita di abiti regali, coperta di gioielli preziosi, Parisina si prepara ad andare al Santuario per spogliarsi di tutti i suoi ornamenti e farne dono alla Vergine. Divorata da una febbre di penitenza e di umiltà Parisina vorrebbe tutto donare alla Vergine, anche i suoi capelli. Mentre si acconcia per la cerimonia, La Verde, sua dama di compagnia e confidente che ha intuito il segreto che la travaglia, forza la sua confessione: Parisina è venuta al Santuario per esorcizzare i desideri e i sogni di voluttà e di peccato che la tormentano e mettersi sotto la protezione di Maria.

L'aria del Vespro è piena di canti. Due cori si alternano: quello delle

donzelle e quello dei marinai. E nelle litanie di lode alla Vergine risuona
insistente la parola «amore». Cantano le donzelle:

> Per te, o Amore,
> Languisco nel cuore.
> Or vientene Amore
> e non far dimoranza. (I, 747)

Sul doppio sfondo di accesa religiosità e di passione amorosa, la parola
assume un significato ambivalente mistico/erotico, carico di suggestioni
ambigue. La cerimonia procede e Parisina intona la sua preghiera e il suo
lamento:

> Bene morrò d'amore,
> bene morrò d'amore
> per te, mistica Rosa, e pel tuo Figlio.
> Per te, aulente Giglio,
> morrò d'amore.
> Io sospiri ti mando,
> io mercé ti domando,
> Maria, dolce Maria.
> A te faccio lamento
> con gran tormento
> di questa vita mia.
> Caduta in tenebrìa
> sono; in prigione
> incatenata,
> dentro serrata, né so la cagione;
> ché tutto è cecità, cieca tenzone,
> notte funesta,
> fame di tempesta,
> simiglianza d'errore,
> guerra infinita.
> O Luce della vita,
> Vergine pura,
> che mai cosa oscura
> a tua figura
> non lasci approssimare,
> Luce gioconda,
> fammi l'anima monda,
> e amar senza fallura
> per teco dimorare. (I, 745)

La scena di devozione è bruscamente interrotta da clamori di battaglia. I corsari sono sbarcati per saccheggiare il Santuario e Ugo d'Este con i suoi compagni, accorsi alla difesa, li fronteggiano. Tra lo scompiglio generale, un carro su cui è stato posto un simulacro pagano, spinto da braccia vigorose e tenaci, guadagna la sommità del colle su cui sorge il Santuario. L'idolo verde e azzurro con occhi di smalto, che rappresenta una deità del mare profondo che adesca i marinai, è l'Eros primitivo che si contrappone ora alla Vergine.

Lo scontro si risolve con la vittoria di Ugo che soppraggiunge ferito e coperto di sangue. Parisina lo conduce per mano a rendere grazie alla Vergine e a consacrarle la sua spada. Insieme si inginocchiano e il sacerdote li benedice. Tutto sembra accadere come in sogno. L'ardore della battaglia è ancora vivo e alla luce dei ceri votivi quando Parisina abbraccia il figliastro baciandolo sulla gota, in atto di riconciliazione, la sua tonaca bianca si tinge del sangue di Ugo. Il rosso della passione contamina la purezza in un presagio di morte.

Nella tenda dove Parisina lo conduce per prendere cura della sua ferita, Ugo ebbro di sangue e di vittoria assale Parisina con il suo ardore e le dice come abbia combattuto e vinto con il suo nome sulle labbra. Parisina, inebriata dalle sue parole, si sente invadere da un torpore della volontà da cui tenta di risvegliarsi; si ribella, invoca la Vergine, chiede un miracolo per frenare l'impeto che la spinge verso Ugo. Inginocchiati uno di fronte all'altro pregano, ma il miracolo non si manifesta. Le loro labbra si uniscono e insieme si ripiegano al suolo.

Sullo sfondo della notte si stagliano i due simulacri della Vergine nera e dell'idolo verde-azzurro.

Il simbolismo iconografico adombra il conflitto in cui Parisina si dibatte. Nell'economia scenica, i colori opposti dei due simulacri ne determinano il significato stabilendo un'opposizione binaria. La Vergine non è soltanto l'immagine idealizzata della madre di Dio; il nero la ricongiunge alla divinità primitiva della Madre Terra, alla tradizione ancestrale, alla funzione procreatrice della donna e alla passività del genere femminile. L'idolo verde-azzurro, immagine di una Venere primitiva, è dipinto dei colori del mare da cui proviene, e significa la diversità e il dinamismo, la ricerca e la libertà[7]. I due simulacri si fronteggiano imponendo una scelta; Parisina invoca il sostegno della Madre, ma piega sotto l'onda della passione.

---

[7] L'idolo è una deità femminile in cui la femminilità non è ancora disgiunta dalla maternità.

Nel Terzo atto l'atmosfera onirica che già avvolgeva la scena del Santuario si intensifica e penetra nel tessuto stesso del dialogo. Nella sua ricca stanza nel Palazzo di Belfiore, Parisina attende Ugo e inganna il tempo leggendo il *Romanzo di Tristano* mentre la Verde veglia con lei. Un vago rumore la fa sobbalzare e la stanza pare popolarsi di fantasmi. Il discorso di Parisina si fa agitato, irrazionale; visioni la assalgono e si mescolano alla realtà come «pensieri vivi». Sogni, visioni e premonizioni si alternano nella sua mente turbata. La Verde, che nutre sospetti reali, vorrebbe scuoterla da questo suo vaneggiare, e lo paragona a quello della Isabetta del *Decameron*; paragone funesto perché in sogno Isabetta ha visto la realtà come ora Parisina nel suo.

> Dici che sogno? Non so quando io chiusi
> gli occhi, non so da qual mai lungo sonno
> io mi svegli; non so,
> non so di quale vita
> io viva in verità. Tutto ritorna
> dal profondo. Commessa fu la mia colpa,
> patito il mio dolore,
> sofferto il mio spavento;
> sospesa fu la mia sciagura, inflitta
> la mia morte. Non sogno,
> o meschina, non sogno: mi rimemoro.
> Non vivo: di mia vita mi sovviene,
> mi sovviene di me come discesa
> nel mondo io sia pe' rami
> d'un nero sangue.
> A Rimino sposata fui, menata
> a Ravenna il dì due d'aprile. Intendi?
> Feci a ritroso la sua via. Rifeci
> la via mala. Il suo pianto fu ripianto
> entro me senza lacrime... (I, 770-771)

E alla Verde che le chiede chi la tormenta, Parisina risponde:

> Francesca! Francesca!
> Or ell'è tra la lampada e la notte.
> E mi guarda; e la guardo
> come se me medesima
> io mirassi in funesto
> specchio; ché, com'io m'ebbi a mezzo il petto
> quella macchia vermiglia,

a mezzo il petto una profonda polla
di sangue ell'ha; che fumiga e del tristo
vapore m'empie il mio respiro[8]. (I, 771)

Francesca rivive in Parisina e la vicenda si ripete nelle sue fasi irreversibili di amore, colpa e morte. Parisina riprende a leggere la storia di Isotta. Giunge finalmente Ugo, reduce da un colloquio con la madre, e narra la sua lotta per resistere alle richieste di Stella che avvolgendolo in «un'onda amara / e calda» di emozioni, vorrebbe spingerlo alla vendetta. Oppressi dalla realtà, gli amanti vagheggiano la morte e si abbandonano a sogni di vita. Nel duetto che segue, «O mia vita, o mia morte», i due segni opposti sono le figure intercambiabili dell'unione totale.

Gli avvenimenti seguono il loro corso preordinato. Come nella *Francesca*, gli amanti sono sorpresi dall'improvviso irrompere del marito tradito, ma a differenza di Gianciotto, Niccolò non conosce l'identità del rivale. La scoperta di Ugo, nascosto tra le cortine del letto lo schianta e il padre non ha il coraggio di fare vendetta sommaria del figlio. Qui la tragedia abbandona le tracce della *Francesca* e pare seguire piuttosto la linea della *Figlia di Jorio*. Parisina, sul modello di Mila, tenta una difesa disperata di Ugo accusandosi di aver corrotto il giovane con l'aiuto di arti e filtri magici. Ma Ugo la interrompe con un grido d'amore e di ammirazione, e rivendica la sua piena responsabilità nel peccato commesso.

> Ah, com'è bella! La vedete voi?
> [...]
>   Non riarso,
> e non avviluppato,
> né beverato fui
> di filtri o di veleni,
> ma dall'anima mia
> inebriato d'un divino sogno
> che noi sognammo
> in doglia e in gioia,
> che sogneremo
> fino al trapasso,
> finché tutto il mio sangue

---

[8] Nell'interpretazione di Valesio vediamo delinearsi il doppio sogno di Parisina: «The object of the dream is a completely displaced action, an action that does not take place before the eyes of the chorus. It is [...] the dream of an action». P. Valesio, *Op. cit.*, p. 49.

non balzi incontro al suo,
come segnale e pegno di vittoria. (I, 786-787)

Come alla fine del Secondo atto Parisina ed Ugo si piegano in ginoc-
chio e attendono la condanna. Niccolò è affascinato dalla loro dedizione
totale come da cosa «mostruosa e inesplicabile»; cade la sua ira, con voce
grave decreta che i due amanti siano decapitati insieme sì che il loro sangue si confonda.

Nel Quarto atto, i due amanti abbracciati attendono l'esecuzione. Avvolti nel loro sogno straniante in cui vita e morte sono le fasi di un'ascesa
verso il congiungimento supremo, avulsi dall'esistenza comune, formano
ormai un'unica entità. Neppure un ultimo tentativo di Stella di strappare
Ugo a Parisina e ricuperare sia pure per un solo attimo il figlio riesce a
separarli. Stella accusa Parisina della catastrofe, le grida il suo odio, chiama imperiosamente il figlio poi, davanti al silenzio di Ugo, lamenta il suo
strazio, chiede pietà, invoca un ultimo bacio. Le sue parole non hanno risonanza e si infrangono contro la cerchia invisibile che isola i due amanti.
Ugo non sente la voce della madre. Parisina quasi lo sospinge verso Stella
che tende le braccia al di là dell'inferriata, ma Ugo non può avanzare, come ipnotizzato si riallaccia a Parisina che lo conduce lievemente al ceppo
dove il giustiziere li attende. Insieme si inginocchiano per l'ultima volta.

La concitazione drammatica di Stella contrasta con la serenità trasognata di Ugo e Parisina e dà pieno risalto al tono lirico-elegiaco del loro
linguaggio. Il pensiero della morte imminente li assale ma subito trascolora in immagini di vita, fresche e leggere; e vedono acqua di sorgente, fa-
stelli d'erba, un mare senza amarezza. Attendono la morte in uno stato di
stupore magico che esclude ciò che sta per accadere e ciò che è accaduto.
Nel loro sogno di morte e di vita, l'attimo si dilata e abolisce il tempo; sospesi in un presente assoluto Parisina ed Ugo vivono un momento di unione totale, liberi da vergogne e da timori. La voce di Stella che grida la
realtà del suo strazio di madre non può incrinare la perfezione assoluta del
loro sogno[9].

La nota tragedia di amore e di morte assume colorazioni inattese nella
nuova ottica dannunziana, ma per apprezzare le innovazioni di *Parisina*
sarà utile un breve paragone con la *Francesca da Rimini*, il modello evidente a cui la nuova tragedia rimanda[10].

---

[9] La voce straziata di Stella evoca la disperazione della Madre di Jacopone da Todi.
A. Bisicchia, *Op. cit.*, p. 90.
[10] R. Barilli vede in *Parisina* un *remake* di *Francesca*, ma commenta: «[...] ciò non

A livello scenico colpisce immediatamente la novità dell'approccio. La ricchezza della scenografia, la varietà delle scene, la moltitudine di attori e l'atmosfera accesa della *Francesca* scompaiono per fare luogo a un tono pacato e intimo, a scenografie schematiche e simboliche. Alla corposità dell'ambiente comunale si sostituisce la leggerezza di una corte del Quattrocento, all'azione si sostituisce il linguaggio: tutto si risolve in parole dette, scritte, lette. Gli avvenimenti che nella *Francesca* si svolgono su un piano di realtà sono qui trasferiti a un livello onirico. L'azione si condensa e si alleggerisce di dettagli; interi episodi, come quello del matrimonio mercanteggiato e pattuito e quello della battaglia, non sono più rappresentati sulla scena ma narrati.

Sul piano tematico l'elemento religioso, praticamente assente nella *Francesca*, si intensifica e assume connotazioni erotico/mistiche, il motivo dell'incesto si acuisce. Anche la composizione dei personaggi e la loro psicologia muta drasticamente. Francesca analizza la sua passione, Parisina ne è travolta. E Niccolò III non è più Gianciotto, l'uomo d'armi che vendica l'offesa con la spada; il nuovo Signore rappresenta la legge e pronuncia una sentenza secondo cui l'esecuzione dei due amanti assume un valore esemplare; in lui, è più lo strazio che l'ira. Quanto a Ugo, il nuovo personaggio ha in comune con Paolo soltanto la passione e la morte; per il resto è più simile ad Aligi; ne ha lo stesso sonnambulismo, lo stesso senso di non-appartenenza, lo stesso dilemma emotivo, ma è un Aligi più fiero e più nobile. Finalmente, scompare il personaggio di Malatestino e compare quello di Stella.

Quest'ultima variante implica profondi cambiamenti strutturali e tematici. Stella, a differenza di Malatestino, non ha un ruolo attivo nello sviluppo drammatico. Non lei, infatti, ma una dama di corte, personaggio tutt'affatto anonimo e secondario, denuncia l'adulterio a Niccolò.

Se in un primo tempo Stella può apparire come la concubina spodestata, piena di odio e di desideri di rivalsa, nell'ultimo atto il suo personaggio si definisce: Stella è la madre che grida il suo odio per «l'altra», la straniera che le ha tolto il figlio, è la voce della tradizione ancestrale materna che lotta per assicurare al figlio sicurezza, eredità, potere. In lei, la valenza materna prevale sulla valenza femminile; più che la giovane rivale che l'ha spodestata, Stella vede in Parisina la sposa di Niccolò III d'Este, una donna capace di procreare e di opporre alle rivendicazioni di Ugo,

---

toglie che la trama, benché appunto contratta, appaia più suggestiva e sappia innescare sentimenti più squisiti». Renato Barilli, *Op. cit.*, p. 172.

il bastardo, dei figli legittimi. Il suo ruolo, anche se limitato a due scene, è fortemente teatrale e necessario allo sviluppo tematico della tragedia. Tuttavia né le sue azioni, né le sue parole influiscono sullo sviluppo dell'azione. La sua presenza è viva ed attiva soltanto nella coscienza del figlio che si dibatte tra l'affetto per la madre e l'amore per Parisina.

Scompare quindi l'antagonista oggettivo e il conflitto drammatico segue un diverso sviluppo.

Il conflitto che Ugo sente a livello emotivo, come una lacerazione del suo essere tra affetto filiale e ardore passionale, è vissuto da Parisina a livello spirituale, ed è scenicamente rappresentato nel simbolismo scenografico del Secondo atto. La Vergine nera, simbolo della Madre, e l'idolo pagano, figurazione dell'Eros, che dominano la scena, sono i due poli tra cui la coscienza di Parisina si dibatte. La Madre la difende dal peccato ancorandola ai valori della società patriarcale; l'idolo, affascinante e indecifrabile, le propone la libera scelta e la pienezza della vita nell'appagamento dei sensi. In Parisina si affrontano le due valenze tradizionali del genere femminile: la maternità e la femminilità. Parisina invoca la Madre per preservarla dal peccato, ma Maria è muta; oppure è Parisina che non può udirla, resa sorda dal rombo del suo sangue? Sia per mancanza di intervento divino, sia per mancanza di volontà umana il miracolo invocato non avviene ed è l'Eros, la divinità degli impulsi vitali profondi, che trionfa.

Il conflitto ipostatizzato dai due simulacri è ribadito nel linguaggio scenico dell'ultimo atto. Il confronto tra Stella e Parisina si conclude ancora una volta con la vittoria dell'Eros. Ugo ignora le invocazioni di Stella che, come Candia della Leonessa, tenta di riportare il figlio alla vita; sarebbe forse sufficiente che Ugo, cedendo alle sue pressioni imperiose rinnegasse l'adultera per ottenere il perdono del padre, ma Ugo sceglie Parisina e la morte. La madre è sconfitta ed è «l'altra» che trionfa. Dietro lo schermo della vicenda di Francesca, si delinea la storia di Mila. *Parisina* che, per le sue premesse avrebbe potuto essere una tragedia incentrata sul conflitto padre/figlio con tutti i suoi risvolti edipici, si risolve invece in un nuovo confronto tra la madre e l'amante. Ma se nelle tragedie precedenti la madre riaffermava il suo possesso del figlio e trionfava ricostituendo i valori della società patriarcale, è ora Parisina la vincitrice incontestabile, anche se il suo trionfo è celebrato nella morte.

Il conflitto è interiorizzato e gli avvenimenti esteriori sono colti nella loro risonanza nell'anima di Parisina e Ugo; ciò che si oppone alla loro unione è per entrambi l'emblema della Madre percepita nei suoi molteplici attributi. La vicenda non offre antagonisti reali: tutto è già stato vissuto, tutto è già stato detto. L'azione segue un percorso inevitabile che non può proporre mutamenti o sorprese e di conseguenza anche l'elemento conflittuale scade e si riassorbe in una sorta di riflessione poetica sull'inevitabilità di un destino che si ripete. I personaggi, prigionieri della storia che li determina, non possono influenzare gli avvenimenti ma solo subirli e ripeterli in uno stato di trasognata lucidità. Se all'inizio Parisina tenta di sottrarsi al destino che presagisce e chiede una grazia che non le è concessa, in seguito sa di non poter sfuggire alla sua sorte.

Nel gioco di specchi della tradizione letteraria, Parisina si rispecchia nella Francesca dannunziana che si rispecchia nella Francesca dantesca, fino a Ginevra ed a Isotta, e si riconosce in loro. Ma a differenza delle altre eroine che nel testo letterario vivono la loro vicenda in un presente che esclude la conoscenza del futuro, Parisina conosce la sua storia. È Parisina stessa che indica la differenza tra lei e Francesca:

> Et anche
> il mio peccato
> scritto è in quel libro, come il suo nel libro
> ch'ella lesse. Ma ella s'interruppe,
> e convien ch'io lo legga sino in fondo... (I, 771)

Francesca ha interrotto la lettura del libro Galeotto, ma Parisina sa che è inutile tentare di ignorare, e legge ad alta voce la storia di Isotta fino alla sua conclusione. Al richiamo di Tristano, Isotta esclama:

> Ah, che vuoi tu? ch'io venga? No. Sei folle.
> Ricordati del giuro. Taci, taci,
> ché la morte ci agguata...
> E che mi cal di morte? Tu mi chiami.
> Tu mi vuoi. Ecco, ora vengo,
> or teco vengo a morte, a eternità!

Parisina conosce non solo la storia ma anche il ruolo che le è stato assegnato; nel meccanismo drammatico non può quindi essere la protagonista ma soltanto l'interprete della tragedia che si svolge sulla scena. Come in un canovaccio della Commedia dell'Arte, Parisina sceglie per sé un'interpretazione nobile e ariosa, scegliendo le citazioni letterarie che meglio le convengono: la forza indomita di Mila, gli atteggiamenti di Fedra, consapevole della maledizione ancestrale, le parole più dolci di Francesca, il fatalismo di Isotta, il trasognato linguaggio arboreo di Isabella.

Parisina non si ribella all'autore, come già Paolo aveva fatto, anzi lo asseconda coscientemente nel suo gioco combinatorio parlando il suo lin-

guaggio. Da questa somma di tratti psicologici e di citazioni che appartengono ad altre eroine nasce il suo personaggio poetico. Interprete di una
storia leggendaria, voce lirica dell'autore, Parisina è la cifra in cui si inscrive questa creazione teatrale tutta basata su un gioco serrato di intertestualità, di richiami, di echi e di allusioni, in cui la parola trionfa e nulla
accade perché è già accaduto e può essere rappresentato solamente come
il sogno di una realtà già vissuta.

13.

«La Pisanelle, ou le jeu de la rose et de la mort»

Perseguendo la sua nuova ambizione letteraria iniziata con *Le mystère de Saint Sébastien*, D'Annunzio scrive una pièce in francese antico, *La Pisanelle*, che viene rappresentata a Parigi nel giugno del 1913, con l'interpretazione della Rubinstein, scenografie di Bakst, e musiche di Ildebrando Pizzetti[1].

Unica tra tutte le opere teatrali di D'Annunzio, *La Pisanelle* è definita «une comédie»[2]. La definizione aderisce probabilmente alla divisione dei generi secondo il canone retorico per coerenza con la finzione letteraria che vuole fare appartenere l'opera al periodo tumultuoso aperto dalla Prima Crociata nel Mediterraneo orientale.

Pur non appartenendo al genere «alto», la pièce non offre tuttavia nessuno spunto comico; è una favola tragica, ispirata dal dramma pastorale di Honoré D'Urfé, *La Sivanière ou la mort vive*, in cui riecheggiano alcuni motivi del *Decameron*, sapientemente rielaborati, oltre a una gamma di citazioni intertestuali. Il linguaggio, un francese falso-antico, la versificazione e la messa in scena tendono a ricreare un'età lontana e un luogo esotico dove tra avventurieri brutali, profumi d'oriente, misteri pagani e misti-

---

[1] Nelle scene sontuose, per cui Bakst aveva rappresentato quattro immense miniature di messali, i colori si alternavano: azzurro per il Prologo, rosso per il Primo atto, bianco per il Secondo e verde e oro per il Terzo. Nella scena della danza nel Terzo atto, il costume della Rubinstein era viola e oro. Cfr. Andrea Bisicchia, *Op. cit.*, p. 162.

[2] *La Pisanelle où le jeu de la rose et de la mort*, è il titolo nell'Edizione Nazionale del 1935, prima edizione in volume dell'opera. Nella prima versione, apparsa a puntate sulla «Revue de Paris» tra il giugno e il luglio del 1914, e anche nel cartellone teatrale, il titolo era leggermente diverso: *La Pisanelle ou la mort parfumée*.

cismo cristiano, meretrici e sante sembrano confondersi [3].

L'opera è divisa in tre atti e un Prologo che comportano ognuno un cambiamento di scena e numerose comparse: soldati, mercanti, servitori e schiavi. Invocazioni corali, danza, musica e motivi lirici della poesia cortese contribuiscono a produrre uno spettacolo più suggestivo che drammatico. Nel Prologo sono introdotti i personaggi principali, il contesto e la situazione. Siamo a Cipro, durante il regno dei principi di Lusignan. Un grande banchetto nel palazzo del re ha riunito vescovi e principi, il fiore della cavalleria oltre agli emissari di Venezia e Genova. Presiedono il convito la regina madre e Sire Huguet, il re adolescente, ma è il principe di Tiro, connestabile del regno e zio del sovrano, che dirige gli intrighi di questa corte eterogenea.

Sire Huguet, malato di malinconia, sembra assorto in qualche suo vago sogno e si anima soltanto al racconto di una strana storia d'amore. Rinier Lanfranc, un gentiluomo pisano da poco sposato, volendo preservare l'anello nuziale dai rischi di un gioco violento, lo aveva tolto e infilato al dito di una statua di pietra raffigurante una donna, pronunciando scherzosamente il voto: «Femme, de cet anneau je t'epouse». Quando, dopo il gioco, aveva voluto riprenderlo non aveva potuto; la mano di pietra si era richiusa sull'anello e lo conservava gelosamente. Nella notte poi, la statua lo aveva raggiunto e aveva preteso di giacere con lui nel letto coniugale. La giovane sposa era morta dal terrore e da allora la statua si presentava ogni notte trasformandosi per qualche ora in una donna amante. Caduto in potere di Venere, Rinier viveva ormai soltanto per la sua sposa di pietra.

All'eccitazione di Sire Huguet che vorrebbe invitare Rinier al palazzo per conoscere «les songes de son royaume», uno dei vescovi latini avverte che un simile sortilegio pesa sul giovane re, lui pure diverrà una preda di Venere. La regina madre tronca la funesta predizione annunciando lo scopo della riunione. La baronia è stata convocata per scegliere la sposa del re. Gli ambasciatori inviati a tutte le corti d'Europa sono di ritorno e propongono un gran numero di candidate, tutte belle, tutte di alto lignaggio;

---

[3] E. De Michelis accenna alla pubblicazione di un canovaccio in italiano della *Pisanelle*, datato 1912, nell'Edizione Nazionale del 1934. È probabile tuttavia che si tratti di un abbozzo di libretto d'opera che D'Annunzio aveva preparato per Puccini. Cfr. Eurialo De Michelis, *Op. cit.*, p. 433. La collaborazione tra il musicista e il poeta non si realizzerà. Come nota A. Bisicchia «la verbosità del testo e la materia che oscillava tra vita e sogno, mal si adattavano al genere pucciniano». Andrea Bisicchia, *Op. cit.*, pp. 161, 162. Effettivamente, un connubio tra il realismo drammatico di Puccini e l'arte di D'Annunzio pare alquanto improbabile.

ma Sire Huguet le rifiuta. Sogna di trovare lui stesso la sposa perfetta nella povertà e nell'umiltà[4].

Ed ecco, una mendicante giunge al palazzo annunciando con il suo canto l'arrivo di Alétis, «la Sainte Vagabonde, la sueur de Pauvreté». Giungerà su una nave corsara e sarà legata con corde di sparta. La mendicante chiede in dono un pane e una rosa e Sire Huguet, infilando un anello d'oro nel gambo della rosa prima di tenderla alla mendicante, fa voto solenne di sposare la povertà. Il Prologo si conclude su queste oscure predizioni che accomunano il segno di Venere e quello della povertà.

La scena del Primo atto rappresenta il porto di Famagosta. Tutti i navigatori del Mediterrraneo convengono in questo porto franco in cui si concludono mercati e si complottano rapine. Sul molo è ammassato un ricco bottino che sette galee cristiane hanno conquistato in una battaglia contro tre navi saracene. Ora i comandanti stanno spartendolo, ma una contesa nasce tra di loro per assicurarsi la rosa del bottino, «une jeune femme blanche, presque nue, merveilleusement belle, liée avec des cordes de sparte» (II, 664). Ognuno la vuole per sé, ognuno è pronto a sacrificare parte del bottino per ottenere la «rosa»; viene infine deciso che dopo la spartizione la prigioniera verrà messa all'asta come schiava. Uno dei contendenti, gravemente ferito, e già presso alla morte, preso da una sorta di delirio si dice pronto a cedere tutti i suoi possessi pur di ottenere la donna. Muore infine davanti a lei e subito la sua febbre di desiderio e il suo stocco vengono raccolti da un giovane sconosciuto, Psillude cretese, che sfida gli astanti a duello per impossessarsi della donna.

L'arrivo del connestabile, circondato da un gruppo di menestrelli e di meretrici, tronca sfide e rivalse; forte del suo potere nell'isola, il principe di Tiro si aggiudica la prigioniera con il suo corredo principesco di vesti,

---

[4] Nella ribellione di Sire Huguet al progetto materno di nozze imminenti, R. Barilli legge una situazione analoga a quella di Aligi, forzato al matrimonio dalla madre. In entrambi i casi le nozze suonano come un richiamo ad uscire dalla letargia e dalla malinconia dell'adolescenza per consumare l'atto sessuale ed entrare nella maturità. Aligi non sa rifiutare, Sire Huguet si ribella apertamente. Il personaggio di Sire Huguet, per quanto appena abbozzato, è ricco di sfumature. Sotto il candore e l'apparente debolezza il giovane principe nasconde una straordinaria carica immaginativa e una forte tempra; forte perché l'innocenza gli impedisce di valutare fino in fondo la corruzione degli altri. Ogni suo atto è un'affermazione di se stesso: si ribella al volere della regina madre, sfida e uccide senza esitare lo zio, figura paterna, quando gli contende la Pisanelle, ignora le trame di corte e difende imperturbabile il suo sogno. R. Barilli assimila il suo personaggio al «mito» di un innocente che si trova a prendere il potere; mito che si svilupperà nella *Favola del figlio cambiato* di Pirandello e nel *Codice di Perelà* di Palazzeschi. Renato Barilli, *Op. cit.*, p. 192.

mantelli e strumenti musicali. Ma neppure il principe potrà possederla; il corteo di Sire Huguet invade la scena e il re riconosce nella bella prigioniera legata da corde di sparta, Alétis, la santa Vagabonda, la sposa promessa dalla profezia. Tra inni di ringraziamento il re conduce la donna al monastero di Santa Chiara.

Nel Secondo atto la sconosciuta, non più «rosa del bottino»[5] ma «beata», attende nel chiostro l'arrivo del re in vesti monacali. La beata si intrattiene gaiamente con le giovani suore, ripete i loro nomi e si nutre con riconoscenza del pane e dei fichi che le sono offerti. Il chiostro è adorno di festoni di fiori, cespi di erbe aromatiche e vasi di basilico; parole lievi e ringraziamenti al Signore riempiono l'aria[6].

È un breve intervallo di serena calma; la violenza batte nuovamente alla porta. Le meretrici del principe di Tiro hanno riconosciuto nella «beata» una nota cortigiana di Pisa e il principe accompagnato dalle accusatrici irrompe nel chiostro per riprendere la sua preda. Assalita dalle voci sguaiate che rievocano episodi e situazioni, la donna tace e si sottrae alla mano del principe che la invita a seguirlo; le suore tentano di difenderla ma sarebbero certo sopraffatte senza l'intervento di Sire Huguet che giunge tempestivamente. Questa volta il principe-zio e il re-giovanetto si affrontano. Il principe rivela l'identità della donna e deride la puerile infatuazione del nipote; ma Sire Huguet, con la determinazione dei semplici di spirito per cui non esistono zone d'ombra e di dubbio, respinge la mostruosa verità che lo offende. Quando il principe tenta di farsi strada trascinando con sé la donna, Sire Huguet snuda la spada e lo trafigge[7]. Le ultime parole del morente accennano alla presenza della donna di pietra; il giovane re è caduto in potere di Venere.

Il Terzo atto si svolge nella loggia del palazzo della regina che si apre su un giardino pensile traboccante di rose. La messa in scena evoca un luogo di lusso e di delizie: tappeti orientali, bassi divani ricoperti di cuscini, frutta, confetti e vini rari. Dignitari, cameriste, cartomanti, dame di compagnia si aggirano per la loggia e sette schiave nubiane vegliano immobili. La regina gioca a scacchi con il suo favorito, quello Psillude cre-

---

[5] Tra i personaggi elencati all'inizio di ogni atto la sconosciuta viene indicata con nomi diversi; «La rose du butin» nel Primo, «La béate» nel Secondo. Il nome «La Pisanelle» compare solamente tra i personaggi del Terzo atto.

[6] Nei vasi di «basilico» si può cogliere un'allusione alla Isabetta di Boccaccio, con chiaro intento premonitore; il basilico segnala la morte.

[7] La situazione è analoga a quella della *Figlia di Jorio*; Aligi e Sire Huget consumano il parricidio.

tese che voleva battersi per la «rosa del bottino», e intanto trama contro il re e la sua compagna, la Pisanelle. Gravi sono le notizie dal reame: «Tout est rapine et ruine» (II, 771). Disordini e miseria si sono abbattuti su Cipro; la corte è invasa da pisani, lucchesi e senesi e il re si diverte tra «jeux, festins et chants de ménestrels» (II, 775).

La regina promette ordine e vendetta. Tutto è stato predisposto; ha inviato alla donna di Pisa doni e perdono con un invito a palazzo, e l'inganno ha avuto successo. La Pisanelle ha accettato l'invito ed ha promesso di non farne parola a Sire Huguet. La regina l'attende fremente. La morte della compagna del re è già stata decisa ma non il mezzo; una freccia o un leopardo? Impaziente, la regina invia la camerista Odiart sulla torre per sorvegliare la strada, ingiunge alla cartomante di interrogare le carte e infine convoca le emissarie che ha inviato alla Pisanelle per interrogarle; entrambe confermano che la compagna del re verrà senza indugi. È credula

> Comme une enfante, qui aime
> tout ce qui est au loin,
> tout ce qui est étrange
> et tout ce qui la change. (II, 788)

La regina si ritira nel giardino pensile con una delle schiave nubiane e le parla in segreto; poi, mentre si intrattiene con il suo favorito in giochi amorosi, le cameriste assalgono di domande Blanceflor che, insieme a Dame Echive, ha portato il messaggio della regina alla donna di Pisa. È vero tutto quello che si dice della compagna del re? La risposta è ambigua: «Rien n'est vrai, tout est vrai, / sages pucelles» (II, 799) È veramente lei la causa di tutto? Blanceflor narra della Pisanella e del suo fascino, indicibile come il miracolo della rosa, che è nulla e che è tutto: «Et il n'y a rien d'autre. / C'est la cause de tout» (II, 801). Viene l'annuncio di Odiart: la Pisanelle sta arrivando. Blanceflor piange, Psillude si fa più pallido, tutte le cameriste tremano.

«La reine cruelle» si fa al balcone e invita la Pisanelle a salire con dolci parole: «ma douce!... ma toute belle!... rose de Toscane,... glaïeul blanc de Pise, ma claire Pisanelle» (II, 811)[8]. La regina crudele e la candida cortigiana si scambiano baci e complimenti; poi giunge il seguito di musici con i doni: muschio prezioso, pellicce rare, un'arpa dorata, e uc-

---

[8] G. Bárberi Squarotti vede un sentimento di antagonismo e di gelosia della regina verso la giovane donna, in quel considerarla e contemplarla. Giorgio Bárberi Squarotti, *Invito alla lettura di D'Annunzio*, Milano, Mursia, 1982, p. 172.

celli sapienti. La Pisanelle ha portato in dono ciò che lei stessa ama, ciò che tocca i sensi: «de bonnes / choses à flairer, à gouter, à toucher» (II, 821). Il suo cicaleccio spensierato si spezza bruscamente; assalita da un presentimento di morte, la Pisanelle respinge la coppa di vino che Psillude le offre con mani tremanti, un sogno atroce ritorna alla sua mente. Ma la regina la rassicura con parole suadenti e il sereno ritorna. La Pisanelle riconosce in Psillude l'audace che voleva conquistarla con la spada e ne loda la bellezza; per lui danzerà la «Danse basse de l'Épervier».

Prima di far segno ai musici, la giovane narra la storia di Federigo degli Alberighi, ma in una nuova versione. Federigo amava una dama crudele e per compiacerla le aveva sacrificato il suo bel falcone. Colpita da tanta devozione la dama si era risvegliata all'amore e aveva danzato con tanta intensità che il miracolo si era compiuto; alla fine della danza il falcone era ritornato vivo sul pugno guantato della bella dama. Nella danza della Pisanelle il miracolo dell'amore pare rinnovarsi e richiamare l'immagine del falcone. Incoraggiata dalle lodi, la Pisanelle dimentica di angosce e premonizioni gusta le leccornie che la regina le offre, beve il vino aromatico e parla volubilmente delle cose che ama:

> Ah, que c'est bon!
> Ah, que la vie est bonne
> à gouter, à flairer,
> à toucher, à tenter!
> Mais l'amour est le meilleur,
> jeune homme. Et même
> la plus mauvaise
> partie en est plus douce
> que ces choses, que toute
> autre chose, vraiment[9]. (II, 834)

Nel suo chiacchiericcio lieve, la Pisanelle accenna al suo passato, alle sue umili origini, ma quando la Regina le chiede il suo vero nome evade la domanda; la sua identità è molteplice come i nomi che le sono attribuiti: Arodaphnuse, Alétis, «Amour» per Sire Huguet. Il nome di Alétis ri-

---

[9] Le parole della Pisanelle ritornano nella *Licenza*, così come il motivo, «la vita è bella», che punteggia la seconda parte dell'operetta: «La vita non è un'astrazione di aspetti e di eventi, ma una specie di sensualità diffusa, una conoscenza offerta a tutti i sensi, una sostanza buona da fiutare, da palpare, da mangiare». *Prose di romanzi*, vol. II, p. 1065. *La licenza*, che ora segue *La Leda senza cigno*, è una lunga prosa, scritta da D'Annunzio nel 1916, a guisa di dedica del racconto a «Chiaroviso», Madame Boulanger.

chiama alla sua memoria il porto di Famagosta, quando liberata dalle corde aveva sentito pulsare in lei la vita potente. Ombre e luci, sogni e ricordi si alternano in un libero gioco di associazioni di idee. Riscuotendosi dalle sue fantasticherie la Pisanelle richiede nuovamente la musica. Ora la candida cortigiana danza per la regina crudele; la fine si appressa. Le sette schiave nubiane, con braccia cariche di rose, assecondano i suoi movimenti seguendo il ritmo della musica; poi, poco a poco, la stringono nell'angolo sul basso divano e la soffocano sotto i fasci di rose[10]. La Pisanelle lotta, invoca Sire Huguet, poi la sua voce si spegne. Odiart annuncia l'arrivo del re[11].

Nella favola drammatizzata della meretrice di Pisa l'impianto drammatico è alquanto inconsistente. Il motivo di Alétis, la Santa Vagabonda, è bruscamente abbandonato; la povertà esemplare della sposa promessa non trova riscontro nel lusso da cui è circondata la Pisanelle; il personaggio di Psillude, totalmente gratuito, non riempie alcuna funzione e il ruolo dell'antagonista, la regina, si inserisce troppo tardi nello sviluppo dell'azione. Anche il simbolismo dei presagi si disperde senza giungere al segno.

L'autore ha puntato su uno spettacolo di danza, musica e messa in scena fastosa più che sulla coerenza drammatica[12]. Tuttavia, al di là di queste debolezze drammatiche, si possono notare intuizioni geniali, sapienti citazioni e un personaggio nuovo nella drammaturgia dannunziana, la Pisanelle.

Nella favola si intersecano due linee direttrici; la vicenda di chiara impronta boccaccesca, è una rielaborazione di Alatiel, la protagonista della settima novella della Seconda Giornata del *Decameron*, mentre l'atmosfera onirica apparenta la *pièce* alla matrice simbolista dei *Sogni*[13].

La rubrica del *Decameron* che concerne la storia di Alatiel sintetizza così le sue avventure:

---

[10] Come nota E. De Michelis, in questa *pièce* importa non la morte ma il modo. Eurialo De Michelis, *Op. cit.*, p. 435.

[11] Nella conclusione si legge: «Explicit Magnae Meretricis Fabula» (II, 841).

[12] Evidentemente Ida Rubinstein è al centro della produzione che pare ideata per valorizzare le doti della celebre danzatrice. Tuttavia la *pièce* non è né intende essere un canovaccio scenografico. Secondo R. Barilli, «la *Pisanelle* [...] offre quasi una sintesi finale, in una chiave di preziosismo stilizzato, di schiacciamento in superficie, le passioni, altrove incandescenti, qui risultano intessute come in un arazzo», Lo «schiacciamento», la mancanza di rilievo, confermano per lo studioso l'appartenenza dell'opera al clima del Simbolismo. Renato Barilli, *Op. cit.*, p. 189.

[13] Seguendo un noto gioco di richiami intertestuali, D'Annunzio non fa alcun riferimento alla novella di Alatiel, ma la suggerisce attraverso le fitte allusioni al testo di Boccaccio.

Il Soldano di Babilonia ne manda una sua figliola a marito al re del Garbo, la quale per diversi accidenti in spazio di quattro anni alle mani di nove uomini perviene in diversi luoghi; ultimamente, restituita al padre per pulcella, ne va al re del Garbo, come prima faceva, per moglie[14].

La nave che portava Alatiel al regno di Garbo, travolta da una tempesta si schianta contro gli scogli di Maiorca. Tutti gli uomini dell'equipaggio muoiono e Alatiel resta esposta al capriccio della fortuna. È qui che incominciano le sue avventure. Secondo un meccanismo ripetitorio, Alatiel è rapita e posseduta violentemente da otto uomini. Non appena la giovane si accomoda della situazione e incomincia a nutrire una certa affezione per il suo rapitore, un altro uomo si accende di passione per lei, uccide il possessore di turno, la rapisce e la possiede. Ogni volta Alatiel piange amaramente, ma rapidamente si consola tra le braccia del nuovo amante. Di uccisione in uccisione, di rapimento in rapimento, Alatiel compie il periplo del Mediterraneo orientale e approda a Cipro, dove incontra il fedele Antigono, un gentiluomo che apparteneva alla corte del re suo padre. Antigono le promette aiuto e inventa una bella storia edificante, con tanto di monastero e monachelle, per colmare i quattro anni durante i quali la principessa è scomparsa. Alatiel è così restituita al padre felice che immantinenti manda la sempre-vergine figlia in sposa al re del Garbo; e il viaggio di Alatiel ricomincia là dove la bufera lo aveva interrotto.

Per quanto né il lieto fine, né le avventure erotiche della bella principessa sembrino adeguarsi alla storia della cortigiana di Pisa, è certamente questa novella che ha ispirato a D'Annunzio il personaggio della Pisanelle.

La sconcertante storia di Alatiel ha sollecitato i giudizi più disparati da parte dei critici letterari, che hanno interpretato la novella in chiave tragica, ironica o addirittura farsesca. Tra tante opinioni, ritengo che l'analisi strutturale di Cesare Segre renda giustizia al testo senza forzarne il significato. Secondo Segre, «la grande trovata del novelliere [Boccaccio] è di aver reso praticamente muta Alatiel, data la differenza di lingua con i suoi rapitori»; ed è proprio questo silenzio che avvolge sia la principessa sia la cortigiana che stabilisce il raccordo tra la novella di Boccaccio e l'opera teatrale di D'Annunzio[15].

Difesa dalla barriera della lingua, Alatiel mantiene costantemente l'incognito. Nessuno sa chi lei sia e nessuno conosce le sue precedenti avven-

---

[14] Giovanni Boccaccio, *Decameron*, Milano, Mursia, 1970, p. 128.

[15] Cesare Segre, *La novella di Alatiel*, in *Le strutture e il tempo*, Torino, Einaudi, 1974. p. 151.

ture. Soltanto con Antigono si confida perché spera di poter ricevere aiuto ed anche lui prega di mantenere il segreto.

Seguendo questa traccia, la breve vita della Pisanelle potrebbe apparire come un possibile sviluppo della novella di Boccaccio, una storia in cui il re del Garbo, a cui va sposa la bella principessa, avrebbe per madre una regina crudele, smaniosa di voluttà e di potere.

La Pisanelle e Alatiel sono due creazioni letterarie alquanto simili. Come Alatiel, la Pisanelle non ha ambizioni; vive immersa nel presente, paga di sensazioni naturali tra cui la più dolce è l'amore, e come per Alatiel, la sua bellezza è un segno di morte. Al suo primo apparire un uomo muore sognando di possederla, un altro si dice pronto a sfidare la morte per lei; e il principe di Tiro, come il principe della Morea della novella, è ucciso dal nipote per il suo possesso. Come Alatiel, la Pisanelle non è una seduttrice, non tenta di dominare la partita usando la sua bellezza; tace e osserva con occhi intenti il gioco della sorte che decide del suo destino. Il suo passato è annullato dal suo silenzio e il futuro è incerto; solo il presente è vivo e intenso nel dolore e nel piacere.

Nella lista dei personaggi che precede ogni atto, la protagonista viene indicata prima come «la rose du butin», poi come la «béate»; soltanto nel Terzo atto appare il personaggio della «Pisanelle». Nei primi due atti la cortigiana di Pisa, connotata dal suo passato irredimibile non esiste, proprio perché non è nominata.

Nel Primo atto la prigioniera tace, e il mistero che l'avvolge aumenta il suo fascino. All'annuncio della vendita all'asta della «schiava bianca» i mercanti di Famagosta commentano:

> – Crois-tu qu'elle est pucelle
> Faisan?
> – A mon avis elle est pucelle.
> Toutefois, Pelestrin, je n'en voudrais
> mettre mon doigt au feu.
> – Elle ne souffle mot, ne bouge pas.
> – Elle est taillée en oliphant de l'Inde.
> – Hé, femme, qui es-tu?
> Dond es-tu?
> – Elle est sourde
> et muette.
> – Si c'est comme je dis,
> je mets la folle enchère et je l'épouse.
> Crois-tu qu'elle est chrétienne,
> Faisan?

> – A mon avis elle est chrétienne.
> Toutefois, Pelestrin, je n'en voudrais
> mettre mon doigt au feu.
> – Je mets ma main au feu qu'elle est la fille
> du grand soudan de Babylone. (II, 676-677)

E già si favoleggia del suo passato; per il principe di Tiro «Elle est une princesse enlevée en Egypte» (II, 696) o forse «...elle est une Infidèle docte / qu'on a mise aux écoles / d'Occident» (II, 697). *Le roman du roy Mellyadus* ritrovato nel suo corredo conferma la sua raffinata istruzione: «J'ai bien dit qu'elle est docte» (II, 704) e l'arpa dorata è un'altra prova che «Elle est une princesse / accomplie» (II, 704).

La prigioniera non parla e pare non comprendere[16]; neppure l'intervento di Sire Huguet che liberandola pronuncia il voto, «...pour Dieu et pour l'Amour, tout mon vivant, / serai soumis à votre obéissance», le strappa un grido (II, 710). In silenzio si allontana con il corteo reale.

Nel Secondo atto, «la béate» ha ritrovato la voce ed è un gran parlare di nomi, sia per identificare le nove monachelle, sia per decidere con quale appellativo rivolgersi alla beata; «Béate Alétis»? o «Sainte Vagabonde»? Entrambi gli appellativi sono rifiutati dalla beata che preferisce essere chiamata «soeur d'outremer». È evidente che per la donna il nome corrisponde a una scelta di identità, ma un nuovo nome la investe, gridato dalle meretrici del principe di Tiro che irrompono nel chiostro: «la Pisanelle». Glorie e miserie della sua vita di cortigiana sono rievocate: la povertà, le amiche, i doni ricevuti[17]. La donna si rinchiude in un mutismo che, come una torre d'avorio, la difende dal fiotto di parole. A gesti si schermisce dal principe di Tiro che vuole trascinarla con sé e neppure invoca Sire Huguet; il silenzio è la sua difesa.

Nel Terzo atto Alétis è scomparsa, sopraffatta dal passato della Pisanelle, reale perché detto, perché la parola ha chiamato all'esistenza un groviglio di sogni sognati in una vita anteriore. Qui termina la storia di Alétis/Alatiel.

Le avventure erotiche che segnano il passato di Alatiel non esistono perché una volta confessate sono subito state sepellite nel segreto di un cuore fedele. La bella principessa è rimasta avvolta nel silenzio; gli uomini che di volta in volta l'hanno posseduta ignoravano tutto di lei e ogni

---

[16] «Elle ne parle pas; / elle ne comprend pas notre parler» (II, 699).

[17] Si parla anche del guanto intessuto di perle ricevuto in dono da Loys Oldrade per la sua interpretazione della «Danse basse de l'Épervier».

avventura è stata cancellata dalla seguente senza lasciare sedimenti. Gli avvenimenti, invece di stratificarsi verticalmente, si sono allineati orizzontalmente lungo il percorso circolare che ha riportato Alatiel al punto di partenza formando una parentesi chiusa. Basterà sostituire la tessera che corrisponde alla parentesi e il mosaico del passato potrà essere abilmente ricostituito; Alatiel, restituita al padre potrà riprendere il viaggio verso il suo sposo, là dove era stato interrotto.

La storia della Pisanelle deve inevitabilmente seguire un altro percorso; il suo passato gridato dalle voci sguaiate delle cortigiane esiste in tutto il suo spessore e determina il futuro.

Quando giunge al palazzo della regina, la Pisanelle è agitata, febbrile, nelle sue parole i piani temporali si confondono: loda il presente e teme il futuro ma è immersa nel passato. Dal suo erratico cicaleccio emergono i luoghi dell'infanzia, la musica della giovinezza, le frivolezze; e ai ricordi si mescolano sogni e premonizioni di morte. Nel modo dell'enunciazione, spezzato e interrotto, si riconosce l'elemento alogico dello *stream of consciousness*[18]. La sequenza temporale è spezzata e il passato, evocato dalla voce stessa della Pisanelle, invade il presente e lo sommerge; l'incantesimo del silenzio è rotto e neppure Sire Huguet potrà salvarla.

La *pièce* di D'Annunzio rielabora la struttura della novella di Boccaccio sviluppando ulteriormente il tema del linguaggio come creatore di realtà. La favola si organizza infatti su una struttura binaria di detto/non detto che ne determina lo sviluppo e fornisce una coerente chiave interpretativa. Tuttavia, l'insistita atmosfera fiabesca esclude il dettaglio realistico della narrativa di Boccaccio per riallacciarsi alla dimensione onirica dei *Sogni*.

Premonizioni, sogni e deliri percorrono la vicenda: il principe di Tiro morente vede accanto al nipote l'immagine della donna di pietra, simbolo del potere di Venere; Sire Huguet vuole conoscere i «sogni del suo reame» e riconosce Alétis perché l'ha vista in sogno; anche i ricordi spezzati della Pisanelle emergono dal passato come in sogno.

---

[18] Un commento di Emanuella Scarano a proposito della scrittura «notturna» di D'Annunzio pare adattarsi particolarmente al discorso della Pisanelle: «Ma la realtà formale di molte pagine "notturne" non sta soltanto nella nuova configurazione sintattica della prosa, bensì nella solidarietà tra questa scelta stilistica e la presenza di una tematica nuova, o meglio di un nuovo modo di presentare la realtà, e si potrebbe dire addirittura della scelta di un piano di realtà finora sostanzialmente inedito nella prosa dannunziana. Una realtà che potremmo dire esclusivamente sensoriale e psichica, fatta di acquisizioni e di elaborazioni fortemente soggettive, isolate e presentate come valide in sé, private di un referente esterno, oltreché avulse da qualsiasi rapporto reciproco che non sia quello della libera associazione psichica». Emanuella Scarano, *D'Annunzio*, Bari, Laterza 1990, p. 95.

Per la scrittura della *Pisanelle*, oltre a Boccaccio, D'Annunzio fa ricorso alla sua stessa opera e l'intertestualità di certi motivi è evidente. Il sortilegio di Rinier Lanfranc, che pesa su Sire Huguet, è reminiscente della leggenda di Donna Dianora in cui Isabella, nel *Sogno di un mattino di primavera*, si riconosce. E il personaggio della regina ripete i tratti di Gradeniga, in *Sogno di un tramonto d'autunno*. La «reine cruelle» condivide la stessa lussuria, la stessa smania di vendetta della dogaressa, e perfino il suo stesso *entourage*: cameriste, cartomanti e vedette. Anche nel candido ardore di Sire Huguet potremmo riconoscere la purezza del fedele Virginio e del migliore Aligi[19]. Ma il personaggio della Pisanelle non è ricalcato né su quello di Donna Isabella, né su quello di Pantea; è un volto nuovo nel teatro di D'Annunzio[20].

La fresca sensualità della Pisanelle ha un che di ingenuo e puro[21]. La sua bella persona non eccita la lussuria ed anche quando giace seminuda tra le ricchezze del bottino, la sua immagine non suscita fantasie erotiche. Mercanti e gentiluomini la immaginano «pucelle», una donna di alto lignaggio, che desiderano ma che non concupiscono in modo volgare. In lei i sensi, tatto, gusto, vista, olfatto e udito, vissuti con singolare intensità significano una gioia di vivere secondo le leggi della natura, in un presente assoluto che annulla passato e futuro[22]. Possiamo immaginare che Sire Huguet e la Pisanelle nel loro palazzo di delizie, come Adamo ed Eva prima del peccato, abbiano vissuto un breve sogno di felicità perfetta, un sogno che sembra ricondurre sulla scena «la favola breve» della stagione alcionia.

---

[19] Il personaggio di Sire Huguet ha molti tratti in comune con quello di Aligi: sentimento di estraneità verso la società a cui appartengono, rivolta contro il padre, casta unione con la donna che amano. Ma l'annuncio dell'arrivo del re che conclude la *Pisanelle*, non fa presagire il ritorno del figliol prodigo. Evidentemente Huguet è in posizione forte, il re non può essere giudicato; tuttavia quanto sappiamo del suo comportamento esclude un sentimento di colpa per il parricidio. A differenza di Aligi, Sire Huguet è serenamente certo dei suoi diritti.

[20] Donna Isabella e Virginio compaiono in *Sogno di un mattino di primavera*; Pantea è la giovane rivale di Gradeniga in *Sogno di un tramonto d'autunno*.

[21] La cospicua mancanza nella *Pisanelle* di quella sensualità accesa che caratterizza altre opere è stata messa in rilievo da A. Bisicchia: «Il terzo atto si libera quasi di quelle componenti sensuali che avevano contraddistinto le storie della Comnena, di Mila, di Fedra, di Basiliola, per dissolversi nella dimensione della favola e del sogno». Andrea Bisicchia, *Op. cit.*, p. 164. Se per «sensuale» intendiamo «sessuale» il commento è esatto. I sensi son infatti magnificati in quest'opera in cui l'Eros appare sublimato.

[22] La gioiosa levità della Pisanelle è sata notata da R. Barilli che commenta: «In lei, insomma, non compaiono le pulsioni di thanatos, queste risultano interamente cancellate». Renato Barilli, *Op. cit.*, p. 191.

14.

«Il ferro»

L'opera teatrale di D'Annunzio si conclude con *Il ferro*, scritto durante l'estate e l'autunno del 1913. Anno di crisi che segnala un rinnovamento della scrittura e che segna il limite estremo di una fase dell'arte di D'Annunzio, non soltanto per il genere drammatico ma anche per la lirica e il romanzo[1]. Il trapasso è evidente in tutti gli scritti del periodo e in particolare nelle *Faville del maglio*, e nella *Leda senza cigno*, «il romanzo dell'esilio dorato francese che metteva alla prova in modo coerente la nuova poetica "dell'arte notturna" e la sua virtù disegnativa, la sua freschezza liquida e nervosa»[2].

Confinando un vasto discorso che investe tutta la scrittura di D'Annunzio al genere teatrale, un segno manifesto di questa evoluzione è la definizione «dramma» che D'Annunzio attribuisce al *Ferro*. Unico dramma dunque di tutta la sua produzione teatrale anche se *Le Chevrefeuille*, la versione in francese dell'opera, è invece definito «tragedia»[3]. Si tratta probabilmente di un gioco di apparenze inteso a mantenere un'omogeneità con le opere precedenti, su cui D'Annunzio probabilmente contava per

---

[1] *Le Faville del maglio*: serie di prose autobiografiche che vengono pubblicate sul «Corriere della sera», a partire dal 1911 fino al 1914.

[2] Gabriele D'Annunzio, *Prose di romanzi*, vol. II, «Introduzione» di Ezio Raimondi, p. XLII.

[3] Pierre de Montera ricostruisce su una documentazione rigorosa le fasi della stesura dello *Chevrefeuille* e del *Ferro*. A differenza di quanto la critica ha per anni ritenuto, l'opera originale è *Il ferro*. *Le Chevrefeuille* non è che la traduzione pressoché contemporanea del testo italiano, redatta da Illan de Casafuerte, sotto la direzione di D'Annunzio stesso a Moulleau, dall'agosto al novembre del 1913. Pierre de Montera, *Du «Ferro» au «Chevrefeuille»*, «Quaderni del Vittoriale», 1977, pp. 287-300.

strappare il successo sulla scena francese.

Il confronto dei due testi rivela qualche modificazione alquanto superficiale, probabilmente adottata dall'autore per presentare la vicenda come
il fatale ripetersi di fatti leggendari già narrati da Marie de France, e inse-
rire così la sua opera nel quadro della tradizione francese. *Le Chevrefeuille* è infatti corredato da una messa in scena di gusto medievale e il titolo
si ricollega a un «lai» di Marie de France, la cui conclusione è ripresa in
epigrafe[4].

Tralasciando i fattori biografici e personali, resta il fatto che *Il Ferro* è
stato concepito e sentito come «dramma» e non come «tragedia» secondo
quanto ne dice l'autore in una lettera a Treves: «18, agosto 1912 + 1 – Mi
rimetto al lavoro che faccio rappresentare a novembre a Parigi e in Italia,
il mio dramma moderno intitolato Il Ferro»[5]. Nella versione italiana la
rievocazione medievale scompare dalle didascalie, come pure l'epigrafe
che riallaccia le *Chevrefeuille* all'opera di Marie de France. e compare invece una dedica, «Alla memoria di Gigliola de Sangro»[6].

L'allusione all'eroina della *Fiaccola* conduce in tutt'altra direzione; a
un gioco di intertestualità di cui D'Annunzio certo si compiace, ma che
non manca qui di un sapore ironico. Il mito di Elettra vissuto da Gigliola,
l'eroina della *Fiaccola*, in un'epoca moderna si era già risolto in uno scacco dell'atto tragico, ora lo stesso tema, riproposto in forma di «dramma»,
nulla ritiene del «sublime» associato al genere tragico[7].

Superficialmente, tuttavia, *Il Ferro* ripete puntualmente la situazione
di *La fiaccola sotto il moggio*; il nucleo centrale dell'azione è rappresentato dalla morte del padre avvenuta in circostanze sospette e persino i personaggi sono ricalcati fedelmente sul modello iniziale.

---

[4] Marie de France: poetessa vissuta durante la seconda metà del XII sec. alla corte
di Alienor d'Aquitaine. Della sua opera letteraria restano *L'Isopet*, una raccolta di favole
rielaborate su quelle di Esopo e una dozzina di poemi narrativi, detti «Lais», che sviluppano brevemente temi dell'amore cortese. Il titolo e l'epigrafe della tragedia di D'Annunzio si rifanno al «Lai du Chevrefeuille».

[5] «Archivio del Vittoriale», copia dattiloscritta delle lettere di D'Annunzio a Treves,
18 agosto, 1912 +1.

[6] L'epigrafe è una citazione: «"Goutelef" l'apelent Engleis, / "Chevrefeuille" le
nument Franceis. Marie de France» (II, 841).

[7] Nella *Fiaccola*, Gigliola vuole vendicare la morte della madre che è stata uccisa da
Angizia, la donna che il padre Tibaldo ha sposato in seconde nozze. Decisa al gesto estremo, Gigliola predispone il suo stesso suicidio prima di compiere la vendetta ma la sua
azione è frustrata dall'intervento del padre che la precede e uccide Angizia. Gigliola
muore senza aver potuto realizzare il suo ruolo quasi-sacerdotale di vendicatrice.

Un rapido esame comparato dei personaggi può esemplificare la ripetività della vicenda:

Fiaccola	*Ferro*
Gigliola	Mortella
Tibaldo / padre	Costanza / madre
Angizia / matrigna	Gherardo / patrigno
Simonetto / fratello	Bandino / fratello
Bernardo / fratello di Tibaldo	Giana / moglie di Bandino
Donna Aldegrina / nonna	Salvestra / governante
Serparo	non c'è corrispettivo
non c'è corrispettivo	Rondine

A parte il rovesciamento del genere dal femminile al maschile, in quanto si tratta di un «padre» da vendicare e non di una «madre», si può notare qualche altra variante. Nel *Ferro* in luogo di Bertrando troviamo Giana, la cognata di Mortella. Quanto a Salvestra e a Donna Aldegrina, le due vecchie donne esplicitano la funzione di un coro di cui non rimane che una vaga parvenza. Scompare il Serparo, in quanto il suo ruolo di sacerdote e custode dei valori della stirpe non ha più significato nel nuovo spazio drammatico, né il nuovo personaggio della Rondine intende ripeterne la funzione.

Il dramma, in tre atti, presenta le fasi successive dell'azione attraverso cui il conflitto si sviluppa lineare, dalle premesse alle conseguenze. Il Primo atto riunisce tutti i personaggi alla Guinigia, la tenuta avita che è stata recentemente riscattata da Giana, la moglie di Bandino. Tre anni sono trascorsi dalla morte del padre e il ritorno alla vecchia casa offre l'occasione per un primo incontro tra i figli, Mortella e Bandino, e la madre, Costanza. Il lungo periodo di separazione è stato determinato dal matrimonio della madre con Gherardo Ismera, l'amico più caro del padre. La loro visita, segretamente organizzata da Bandino, coglie di sorpresa Mortella che tenta di sottrarsi al confronto, ma le pressioni aumentano e i tempi incalzano; l'incontro avviene e scatena una serie di reazioni e tensioni che condurranno al conflitto. L'allusione profetica al dio bifronte, implicita nel nome di Giana, si realizza; la riapertura delle porte della casa avita, tempio degli affetti famigliari, segna la fine di una tregua e la riapertura delle ostilità.

I ruoli si definiscono rapidamente sin dal Primo atto. Mortella è al centro dell'azione; è a lei che si rivolgono gli altri personaggi e il suo odio esplicito per il patrigno indica immediatamente in Gherardo Ismera l'antagonista. Le altre forze attanziali, ancora incerte, si configureranno in seguito a favore di uno o dell'altro degli antagonisti, secondo gli sviluppi dell'intrigo.

Nel Secondo atto i sospetti di Mortella, che ritiene il patrigno colpevole della morte del padre, si rivelano fondati. Incalzato dalla furia accusatrice della giovane, Gherardo ammette la sua responsabilità, ma dichiara di aver agito per motivi di ordine superiore. Intanto Giana pare essere sensibile al fascino di Gherardo e diviene lei stessa sospetta di adulterio agli occhi di Mortella che vede, o crede di vedere, il ripetersi dello stesso dramma. Secondo la sua ottica, Gherardo che ha ucciso l'amico dopo averne sedotto la moglie, ha nuovamente teso le reti, e la sua prossima vittima sarà il figlio dell'amico. Mortella è convinta ormai di dover compiere due missioni: salvaguardare il fratello e vendicare il padre[8].

Il Terzo atto, che dovrebbe concludersi con la vendetta di Mortella e il trionfo della verità, presenta invece una soluzione imprevista. In un incontro drammatico con Mortella, la madre sconvolta dalle accuse di complicità, che soltanto ora comprende, giura la sua innocenza. È stravolta dal sospetto che pesa su di lei, ma le rivelazioni di Mortella sulle nuove trame che Gherardo intesse con Giana trasformano la sua prostrazione in furore e la voce di Gherardo che sopraggiunge nella notte chiamando Giana a voce sommessa, è per Costanza la conferma della sua colpa. Accusato dalle due donne, Gherardo svela il suo segreto: è stato il padre stesso, morente di una malattia senza speranza, che in pegno supremo di amicizia gli ha chiesto di affrettare la sua fine. Le sue giustificazioni non trovano eco; Costanza, sorda ad ogni ragione, colpisce Gherardo con lo stiletto che ha precedentemente sottratto alla figlia. Mortella estrae l'arma dalla ferita e, rivendicando per sé l'atto annuncia a Giana che sopravviene «Io! Io l'ho ucciso con questo». Costanza, un personaggio mantenuto finora nell'ombra, viene alla ribalta e porta il dramma alla sua conclusione. Non v'è dubbio tuttavia che se è la mano di Costanza che colpisce, chi la guida è Mortella.

L'azione segue punto per punto la parabola stabilita nella *Fiaccola*, fino alla vendetta compiuta, ma per mano altrui, tanto da poter sembrare un approfondimento ulteriore della stessa vicenda; in realtà si tratta di una situazione conflittuale nuova e distinta[9]. Le motivazioni dei personaggi so-

---

[8] In questo «ripetersi» di una stessa vicenda potremmo leggere la lezione di *Parisina*, ma gli avvenimenti del *Ferro* sono immersi in una realtà contingente che esclude la dimensione onirica.

[9] Nella *Fiaccola*, non Gigliola ma Tibaldo ha compiuto la vendetta così come ora

no altre e si traducono in un linguaggio teso tra evocazione onirica e acre ironia che stravolge il significato del conflitto pur mantenendo intatta la trama dell'azione[10].

L'analisi testuale del comportamento dei personaggi, attraverso ciò che dicono e ciò che fanno, mette in evidenza il nuovo significato dell'opera.

La Rondine, il cui vero nome è Gentucca, con chiara allusione alle sue qualità consolatorie, non trova riscontro nella *Fiaccola*[11]. Il suo personaggio è piuttosto ricalcato su quello della Sirenetta nella *Gioconda*: ne ha le stesse caratteristiche di levità gioiosa, di vitale legame con la natura. È amica dei fiori, degli animali, della pioggia e del sole mattutino. Ma in questo dramma il suo ruolo si arricchisce di altre connotazioni. L'amica d'infanzia è anche l'alter ego di Mortella, quella che avrebbe potuto essere e non è. L'amicizia tra le due giovani è tutta legata da questo filo: «Volevo dirle addio – dice Mortella – rivedermi in lei quale già fui, dire addio a me, a me, a quella Mortina dolce» (II, 1055). La Rondine è una creatura che appartiene al mondo alcyonio e sembra trovarsi per sbaglio nella tormentata realtà del dramma; ma vi porta un'alternativa di vita, un soffio di innocente purezza, e la sua gioia di vivere «la favola» dell'illusione poetica (II, 1001).

Il personaggio di Bandino non presenta sostanziali cambiamenti rispetto al suo modello nella *Fiaccola*; ha la stessa fragilità di un Simonetto adulto che la malattia avrebbe risparmiato. Debole ed insicuro, vive nell'ansia di perdere la moglie che ama. Anche la Salvestra, nella sua saporosa parlata toscana, riecheggia gli stessi motivi dei discorsi di Donna Aldegrina in chiave popolare; c'è nelle sue parole la stessa saggezza senza illusioni. Alla Rondine che spera l'amore per la sua amica, Salvestra ribatte: «E arriva il dolore» (II, 1049).

Quanto a Giana, a parte la simmetria dei ruoli, non ha nulla in comune con il Bernardo della *Fiaccola*; il personaggio è molto più complesso. Il suo nome segnala non soltanto la riapertura del conflitto, prima sigillato nella pietra, è anche il segno della personalità ambivalente di Giana, pratica e realistica nel linguaggio e nei modi, misteriosa ed impenetrabile nel suo essere profondo. I suoi tentativi di stabilire un'affettuosa fraternità con Mortella, la sua intenzione di riportare la pace nella famiglia distrutta

Costanza e non Mortella esegue la condanna.

[10] Il diverso significato che assumono i fatti nel nuovo registro linguistico sembra quasi un esercizio di stile alla Quenau.

[11] Dante, *Purgatorio*, Canto XXIV.

sembrano sinceri, ma le sue dichiarazioni d'amore per il marito sono già
venate da una nota di insoddisfazione. Ricomprando la Guinigia e riconducendo il marito alla sua casa e ai suoi sogni d'infanzia, Giana confessa
di aver avuto un suo confuso desiderio: «Alla mia condiscendenza si me-
scolava non so che voglia di novità, non so che speranza di rinfrescare il
mio amore, di vedere aumentare la sua bellezza» (II, 1005). È un discorso
di donna insoddisfatta e infatti, subito dopo, Giana appare affascinata dalla personalità di Gherardo. Quando Gherardo accenna a ritirarsi per evitare la sfida che si profila con Mortella, Giana, forte della sua posizione di
padrona di casa, lo invita a restare. Vuole veramente riportare la pace in
famiglia o desidera esplorare nuovi sentieri verso cui la spinge la sua ansia di novità? Per ora è soltanto l'ombra di un dubbio, che però si fa sospetto nel Secondo atto.

Dopo una notte passata nel parco, «in guato» come intuisce Salvestra,
Mortella accusa Giana di menare il suo gioco «...con la menzogna a due
facce, che sembra essere e non è... con l'ipocrisia accorta che fa le misce-
le di bene e di male, di falsità e di verità, di veleno e d'unguento, per ec-
citare sé e intormentire gli altri» (II, 1067). Poi, le sue velate allusioni si
precisano: «Con l'ospite non è di nuovo entrato un amante?» (II, 1078).
Giana, ansiosa di sapere fino a che punto si è compromessa, interroga
Mortella che le oppone frasi sibilline: «Tutto ho udito, tutto ho veduto»
(II, 1071)[12]. Ma che cosa precisamente ha visto Mortella? Le domande di
Giana: «Dove? come?» si fanno ripetitive, incalzanti, fino ad ottenere una
piena risposta: «Dov'eri ieri sera con lui? In fondo alla scala dei Delfini,
lungo il muro delle Cariatidi...» (1072) La reazione di Giana esplode inequivocabile: «Vergognati!». È indignata, oltraggiata di essere stata spiata,
ma non nega. Gli occhi allucinati di Mortella hanno certamente visto i fatti attraverso lenti d'ingrandimento; resta il fatto che Giana si è incontrata
la notte precedente con Gherardo e che il suo contegno ineccepibile cela
una vita segreta.

La caratterizzazione di Costanza invece, è tutta giocata su di un solo
registro e il crescendo che la conduce al delitto nella scena finale è fine-
mente orchestrato su un solo motivo. Sin dall'inizio il personaggio è carico di un potenziale drammatico che si precisa ed aumenta d'intensità nei
tre colloquii con Mortella. Nel Primo atto Costanza viene a Canossa in

---

[12] Nel linguaggio di Mortella, riecheggiano spesso le parole di Gigliola de Sangro.
Entrambe hanno visto tutto, e i loro occhi senza ciglia e senza lacrime sono bruciati dal
dolore. Cfr. *La Fiaccola sotto il moggio*, p. 973.

abito di penitente e, cosciente di avere tradito la memoria del padre risposandosi, chiede invano pietà e perdono. Nel Secondo atto l'atteggiamento sdegnoso di Mortella, le sue vaghe accuse, l'attesa, la tensione crescente, la gettano nello sgomento; sente di essere presa in un vortice che rischia di annientarla. È già in uno stato di crisi quando nel Terzo atto è folgorata dalle parole della figlia che la accomuna al criminale che ha ucciso il padre: «...ho riudito dentro di me le tue parole buie, e in un lampo ho compreso.... Tu mi accusi d'essere la sua complice...» (II, 1107). Mortella le infligge un nuovo colpo e l'accusa di aver tradito non la memoria del padre, ma il padre vivo e dolente, ancor prima che la malattia lo inchiodasse al suo letto di morte. Non basta, una terza accusa schianta le sue ultime resistenze logiche; ora, per aver portato nella casa «l'ospite atroce» è la responsabile del male del figlio. Mortella è implacabile: «...quel che fu fatto contro il suo padre, sarà fatto contro di lui. Tu l'hai preparato, tu l'hai voluto» (II, 1112). Costanza non è più che una massa fremente di emozioni; la voce di Gherardo che chiama Giana a voce sommessa, provoca lo scatto che determina l'azione. Inaccessibile ormai alle giustificazioni di Gherardo, Costanza è solamente cosciente del suo pubblico, Mortella, che la osserva e la giudica. Tentando di identificarsi con il ruolo di vendicatrice della famiglia offesa grida: «Figlia, figlia, guarda! Il mio amore, la mia passione, la mia perdizione, tutta me, ecco te l'offro. E a te figlio!». Ma nel momento in cui compie il gesto si rende conto del suo vero movente. Alla domanda di Gherardo che, attendendo la morte, le chiede: «Chi vendichi?» Costanza risponde: «L'amore», e dopo averlo colpito crolla invocandolo: «Ti amo, ti amo! Verrò dove tu sarai...». (II, 1122-1123).

Il personaggio di Costanza è perfettamente coerente; l'amore per Gherardo è il movente unico delle sue azioni, non certo la vendetta in nome del suo passato, del futuro di Bandino o del presente di Mortella. È per questo amore che non ha capito la sofferenza del padre, che ha respinto le accuse della figlia, ed è ancora per amore e gelosia che ora uccide Gherardo. Il delitto di Gherardo non è nulla per lei, in confronto al suo tradimento. Costanza ripete il gesto di Tibaldo; anche se la sua furia passionale esclude ogni sospetto di calcoli meschini, non per questo le sue motivazioni appaiono pure e sublimi.

E veniamo a Gherardo Ismera, la controfigura di Angizia nell'economia dell'intrigo, ma quanto più complesso ed enigmatico! Ismera è un personaggio nuovo nel repertorio dannunziano, che si rivela gradualmente in tre scene: una con Giana, nel Primo atto, una con Mortella nel Secondo, una con la madre e la figlia nel Terzo. Ma ancor prima di apparire è descritto da Mortella in un colloquio con Giana:

GIANA: Com'è egli?
MORTELLA: Dolce.
GIANA: Come?
MORTELLA: Come chi fa il male se non per tentar se stesso e per essere un
               altro.
GIANA: Ah, so la specie.
MORTELLA: Sembrava alzato sopra ogni cosa e capace di ogni cosa.
GIANA: Anche bella?
MORTELLA: Forse. Conduceva i sogni.
GIANA: Te ne dava?
MORTELLA: Sapeva disarmare la forza e addormentarla.
GIANA: Con mani magnetiche?
MORTELLA: Con mani di donna.
GIANA: Belle?
MORTELLA: Mani d'avvelenatrice. (II, 1010-1011)

Ciò che più colpisce in questa vaga descrizione di Gherardo è l'accento
sulla sua natura femminea, come se in termini junghiani, l'«anima» preva-
lesse in lui sull'«animus». È un parlatore raffinato, un fine psicologo che
incanta le donne con i suoi discorsi pacati e suadenti, senza ombra di ag-
gressività o di violenza. In fondo è quasi una vittima del suo potere di seduzione.

Gherardo ha le sue ragioni per giustificare il crimine di cui è accusato
e le espone a Costanza e a Mortella pur sapendo che la sua verità non potrà raggiungerle. Il padre, cosciente di essere prossimo alla morte e di essere stato sostituito da Gherardo nel cuore di Costanza, ha imposto all'a-
mico il dovere di liberarlo da entrambe le sofferenze, evitando lo scandalo
di un suicidio. Gherardo rievoca le parole dell'amico:

Bisogna che io muoia, o che tu muoia. Quel che è, è irreparabile. Sento che
questo male non mi perdona. Ma perché io ti perdoni, bisogna che tu affretti
il destino. ...Tu mi devi questo, me lo devi. Per riscattarti non hai che questo
prezzo. È il prezzo che t'impongo da pari a pari. Non ne conosco di più terri-
bili». (II, 1121)

E Gherardo non si è sottratto a quello che ha sentito come un dovere, ac-
cettandone il peso di «dolore,... amore,... colpa,... rimorso,... e bellezza»
(II, 1122). Le sue parole riecheggiano la morale di Corrado Brando, ligia
soltanto alle sue leggi, al di là del giudizio comune[13]. E il suo discorso

---

[13] Corrado Brando, il protagonista di *Più che l'amore.* di cui Gherardo cita testual-

può parere retorico, ricalcato come è sulla falsariga di note dichiarazioni del superuomo dannunziano, ma non il fatto in sé; l'eutanasia ha un valore etico indiscutibile che distanzia il crimine di Gherardo dal delitto di Brando e gli conferisce un alone di nobiltà e di necessità. L'ultimo «eroe» di D'Annunzio potrebbe essere l'ennesima incarnazione, e forse la più convincente, dell'uomo superiore, l'eroe dell'atto puro. La novità del suo personaggio è una nota di più profonda umanità, la stanchezza, la fatica di vivere e forse rivivere le stesse cose. Mortella ha ben letto in lui questa faccia, e Gherardo conferma: «Stanco sono, voi dite, per aver troppo preso. Più spesso io ho donato, e non ho quel che ho donato» (I, 1100). Non si ribella, non lotta; sa che non sarà creduto e si offre stoicamente al sacrificio, pronto a pagare lo scotto per aver vissuto secondo i suoi principi.

Il personaggio è ricco di vita interiore e la sua pacata sicurezza sembra porlo in una situazione privilegiata rispetto agli altri personaggi in preda a un'isteria collettiva. Pure anche su di lui sorge l'ombra di un dubbio che mette in causa la purezza delle sue motivazioni. Durante il colloquio con Mortella, nel Secondo atto, Gherardo sembra crollare sotto il peso di una minaccia imprevista. Mortella ha avuto una consultazione con il dottore che ha curato il padre ed è ora certa che il veleno iniettato da Gherardo nell'ultima iniezione fatale potrebbe essere rivelato da un'autopsia. Alla notizia, «Egli si lascia cadere su una sedia, come in una specie di ottenebrazione repentina» (II, 1096). Il suo sacrificio è dettato da una stoica rassegnazione o dal timore di essere scoperto? L'episodio del dottore consultato da Mortella, che sarebbe altrimenti gratuito, ha la precisa funzione di creare la possibilità di leggere un'altra verità anche in questo personaggio.

Resta ora da analizzare la protagonista, Mortella; il caso più clamoroso di quella doppia verità che è la cifra del dramma. Il suo movente dichiarato, ripetuto, martellato in modo più o meno sibillino ad ogni scena, è la vendetta della morte del padre. Ed è proprio questa ripetizione ossessiva che lascia perplessi. L'accanimento di Mortella ha qualcosa di anormale, di morboso, è «una libidine mortuaria», come la definisce Barilli[14]. Potremmo immaginarla folle, impazzita di dolore se dall'inizio non si facesse manifesta un'incrinatura nella sua corazza di adamantina devozione figliale. La madre chiedendole ragione del suo odio verso il patrigno le ricorda l'affetto, l'adorazione quasi, che prima nutriva per lui quando le

---

mente le parole: «Se questo mio è un delitto, io voglio che tutte le mie virtù s'inginocchino davanti al mio delitto» (I, 1209).

[14] Cfr. Renato Barilli, *D'Annunzio in prosa*, cit., p. 184.

raccontava «le belle storie». Invece di gridare la sua delusione, come sarebbe normale, Mortella, con «un bagliore quasi bieco nell'occhio», nega recisamente il fatto, lo rifiuta come il ricordo di una debolezza che vuole cancellare, sradicare da sé come qualcosa di impuro, qualcosa che potrebbe macchiare l'abito bianco da sacrificatrice che si prepara ad indossare per la vendetta. Le didascalie che accompagnano questa scena sottolineano l'urto emotivo che subisce Mortella al solo ricordo della sua ammirazione per Gherardo. La madre l'osserva: «La fiamma cupa che subitamente era salita alla faccia dell'avversaria si spegne in un pallore d'ira repressa» (II, 1028). Perché Mortella è indicata come «l'avversaria»? Perché questa reazione eccessiva? Un accenno a «un segreto d'amore» un giorno creduto vicino, uno stralcio di conversazione con Gherardo, «Per distruggere in me il ricordo di quello che fu, sarei già morta, se non mi fossi imposto il compito di vivere per assolvere il mio voto», sono indizi sufficienti per rivelare l'altra faccia della verità di Mortella (II, 1101). È la gelosia, la frustrazione, l'odio nato da una passione non corrisposta che la spingono alla persecuzione; non il padre vuole vendicare ma se stessa. Il suo amore di adolescente per Gherardo si è tramutato in «pulsione mortuaria», l'Eros bloccato e respinto la spinge a distruggere quello che era stato l'oggetto del suo desiderio[15].

Mortella è la più feroce delle vergini dannunziane; non per caso «...vivi son di certo i suoi capelli come se si rammentassero di essere stati serpi...» (II, 1047). Quando la madre ansante affronta Gherardo con il pugnale, l'immagine si fa viva e palpabile, ed è la voce di una Erinni che istiga Costanza a colpire: «Uccidi! Uccidi!» (II, 1123).

Questa componente del personaggio di Mortella, apparente nel testo ma non evidente, era esplicitamente sottolineata nella versione originale del dramma. Nel manoscritto autografo un paio di battute illuminano questo aspetto della vicenda. È Gherardo che parla: «O Mortella, ora penso al bacio d'una sera piena di lampi. Perdonami se la tua sera non è venuta». Dopo una pausa Mortella risponde: «E se mia madre fosse là, dietro la porta?»[16]. Anche se le battute sono eliminate nella redazione finale, le ca-

---

[15] In un'acuta analisi del personaggio di Vana, prototipo delle vergini dannunziane in *Forse che sì forse che no*, Barilli traccia il percorso dell'Eros represso da impeto vitale a volontà di distruzione; in questa prospettiva suicidio o assassinio assumono lo stesso valore. *Ibid.*, p. 208.

[16] «Archivio del Vittoriale», ms. 122. Pierre de Montera, riferendosi allo stesso manoscritto, spiega le ragioni dell'omissione di alcune battute nel testo finale. Le sue osservazioni sono basate sulla corrispondenza tra D'Annunzio e Le Bargy, il futuro interprete

ratteristiche della personalità di Mortella sono impresse nei suoi atteggiamenti e nel suo linguaggio; come tutti gli altri personaggi, anzi più di ogni altro, la protagonista non è mossa da un'intenzione pura, da una passione sublime[17]. La verità apparente e proclamata della missione figliale è deformata dall'emergere di una verità più profonda che nasce dai recessi di una psiche turbata. Mortella non è un'eroina, è un caso patologico[18].

Il fatto conferma l'ipotesi iniziale circa lo scarto che separa la tragedia dal dramma. Soltanto l'azione tragica richiede l'elemento eroico che con la sua spinta totalizzante stabilisce un livello di realtà teatrale assoluta, mentre il dramma, seguendo i meandri tortuosi dei processi psichici consci o inconsci, nega l'assoluto e relativizza moventi e scopi riconducendo eroi ed eroine a proporzioni umane[19].

Sono passati anni dalla stesura della *Fiaccola sotto il moggio* e l'evoluzione della scrittura di D'Annunzio è viva e presente nel *Ferro*. Più che la tragedia del 1905, è il breve romanzo del 1913 che pare stare a monte di quest'opera. Una similarità di situazioni, vocaboli e nomi stabilisce un legame tra *La Leda senza cigno* e *Il ferro*; improvvisi rovesci di pioggia si succedono nel parco della villa toscana in cui si svolge l'azione del *Ferro* e nella landa della *Leda*, i pomeriggi di primavera sono «torbidi», il nome Mortella, che la Rondine a più riprese trasforma in Mortina, ha la stessa radice di quello del protagonista della *Leda*, Desiderio Moriar; la morte, la notte, il richiamo dell'ombra sono, in entrambe le opere, entità suggestive

dello *Chevrefeuille*. Secondo Le Bargy tre donne, la madre, la nuora e la figlia, soggiogate dal fascino di Pierre Dagon (alias Gherardo Ismera) erano troppe. Il suo giudizio era inoltre avvalorato dalla stessa reazione negativa mostrata da Léon Blum, un noto critico teatrale dell'epoca. *Op. cit.*, p. 292.

[17] Mortella tuttavia si atteggia ad eroina, Nell'intarsio di citazioni intertestuali le parole di Mortella «Io ho combattuto la buona guerra» (II, 1097), richiamano la fiera dichiarazione di Basiliola nella *Nave*: «Ebbene, sì, ho combattuto / con unghie e rostro [...] ho guerreggiato / con tutte l'armi, sì, tutta la guerra» (II, 201).

[18] Pur lodando il dramma che ritiene la migliore opera teatrale di D'Annunzio, A. Bisicchia non riconosce in Mortella le qualità dell'eroina. In relazione al suo personaggio commenta: «...la sua vendetta non ha caratteri eroici, non celebra la virtù del coraggio, è la conseguenza dell'inesorabile soffrire». Andrea Bisicchia, *D'Annunzio e il teatro*, cit., pp. 171, 172.

[19] Questa distinzione non implica un giudizio negativo sul dramma. Ritengo al contrario che il meccanismo teatrale del *Ferro* sia eccellente, come d'altronde sottolinea A. Bisicchia nella sua analisi dell'opera. Commentando le reazioni della critica del periodo Bisicchia nota giustamente: «Ormai era diventato un vezzo liquidare le novità dannunziane esaltandone il valore poetico a scapito di quello drammaturgico». *Ibid.*, p. 167. È incredibile come questo «vezzo» abbia perdurato fino ai nostri giorni.

e presenti[20]. Anche l'impianto narrativo del romanzo e la struttura del dramma suggeriscono un paragone analogico. Il tenue intreccio della *Leda* è basato su una materia di letteratura d'appendice, prostituzione, sfruttamento, polizze d'assicurazione, delitto; i tipici ingredienti di un romanzo poliziesco. Tuttavia la conclusione sostituisce alla certezza che ci si attende da questo tipo di romanzo una domanda senza risposta. Così il dramma, configurato come un processo scandito da una serie di termini giudiziari, indizio, prova, verità, denunzia, testimone, assassino, con tanto di pubblico accusatore, difesa e verdetto finale, sprofonda in un gorgo di ambiguità, in cui tutti i personaggi sono travolti come «le cose che inghiotte il mare: il rottame e l'annegato» (II, 1087).

La doppia realtà che percepiva lo sguardo di Desiderio Moriar si trasforma nello spazio drammatico in uno sdoppiarsi della verità[21]. Ogni situazione, ogni atto, ogni pensiero si iscrivono su un doppio registro, e non è menzogna perché più che tentare di ingannare gli altri, ogni personaggio tende ad ingannare se stesso. L'ultimo romanzo e l'ultimo dramma di D'Annunzio si aprono «sul fondo vacuo della vita», su «un male simile a una verità o a una menzogna profondissima»[22].

---

[20] Per un commento di *La Leda senza cigno* rimando alle belle pagine di Ezio Raimondi, *Prose di romanzi*, II, pp. XLII a L.

[21] Cfr. il «Commento» di Niva Lorenzini a *La Leda senza cigno*, cit., p. 1399.

[22] Riporto per intero le due citazioni tratte da *La Leda senza cigno*: «Feci la notte in me per cogliere i bagliori che la musica spandeva di tratto in tratto sul fondo vacuo della vita». *Prose di romanzi*, II, p. 929. «Ogni forma d'umanità pareva abbassata verso terra, privata di vertebre, scolorata e strascinante, tranne quella che in piedi m'era dinanzi, intera, silenziosa, piena d'un suo male simile a una verità o a una menzogna profondissima che le tenesse vece di vita». *Ibid.*, p. 898.

CONCLUSIONE

L'analisi delle quindici opere che costituiscono il teatro di D'Annunzio rivela un'imponente galleria di ritratti femminili, complessi e differenziati, che non corrispondono all'immagine compatta e liquidatoria dell'enigmatica e perversa Salomè che la critica tradizionale aveva coniato per «la donna di D'Annunzio»[1]. Una rapida rassegna dei ritratti ne dice tutta la varietà: ci sono donne delicate ed ardenti, come Anna; donne devastate dalla violenza come Isabella o smaniose di vendetta come Gradeniga, donne «specchio», che rimandano al protagonista maschile la sua immagine non celebratoria ma realistica, come la Comnèna; donne castranti nella loro dedizione o stimolanti per il loro vitalismo, come Silvia e Gioconda; donne sublimi nel loro sacrificio, come Mila; donne che giudicano e condannano, come Gigliola; donne che lottano usando tutte le armi, come Basiliola; donne coscienti e fiere della loro carica trasgressiva, come Fedra; donne che danno liberamente, ignorando istituzioni e tradizioni, come Maria; donne che seguono la loro passione contravvenendo i ruoli istituzionalizzati, come Francesca e Parisina; donne che vivono la loro femminilità con fresca naturalezza, come la Pisanelle[2].

Il teatro di D'Annunzio, pur così vario nella sua incessante sperimen-

---

[1] Contro questa semplificazione, che si rivela inconsistente anche ad una lettura superficiale dei testi dannunziani, si sono levate voci autorevoli che hanno proposto una rilettura dei testi libera da preconcetti e falsi schematismi. Cito i nomi degli studiosi che si sono più specificamente dedicati al teatro di D'Annunzio: Emilio Mariano, Giorgio Bárberi Squarotti, Renato Barilli, Paolo Valesio, Andrea Bisicchia.

[2] Mancano da questa questa rassegna i nomi di Sébastien, per la sua ambiguità, e di Mortella, perché la definizione di «eroina» non conviene al suo personaggio.

tazione, presenta tutta una gamma di situazioni e conflitti che pertengono alla figura femminile. Ed è proprio la varietà dei volti che il personaggio assume e la continuità della sua funzione nell'economia drammatica che permette di cogliere nella sua portata significante il tema fondamentale che attraversa il corpus del teatro di D'Annunzio: il protagonismo femminile.

Considerando le fasi preparatorie della svolta verso il teatro dell'autore e i molteplici fattori che vi hanno contribuito, si può concludere che il fenomeno non è stato originato da scelte ideologiche bensì da esigenze dettate dal genere drammatico. Ed è anche lecito ipotizzare che la scelta non sia stata aprioristica ma che corrisponda invece a un graduale coinvolgimento dell'autore nella prassi teatrale e, di conseguenza, nelle vicende del personaggio.

Trascinato dal suo personaggio nel nuovo spazio autonomo aperto dall'opera drammatica, l'autore esplora situazioni e nodi conflittuali noti ma rinnovati dalla prospettiva che il genere implica. Non più condizionato dal suo «io» biografico e letterario, assente dal conflitto come voce diretta, l'autore restituisce ai personaggi una certa autonomia e quasi permette che la vicenda si sviluppi secondo una sua logica interna. Ma allo stesso tempo, la nuova distanza acquisita gli consente un giudizio complessivo sulla vicenda che si concretizza nel messaggio finale in cui si sommano le azioni e i discorsi dei personaggi.

L'ipotesi concernente il percorso seguito dall'autore nel farsi del progetto teatrale è suggerita dalle speculazioni di Stelio Effrena nel *Fuoco*, che rappresentano la prima formulazione del teatro futuro. Secondo il programma iniziale, D'Annunzio intendeva riportare sulla scena lo spirito della tragedia con un teatro di forme e situazioni assolute, rappresentando l'eterna lotta dell'«eroe» contro il «Fato», non nella «sua forma antica», ma «in una forma nuova» che ne avrebbe rinnovato i modi e le situazioni. Secondo queste premesse, «L'Atto puro» dell'eroe avrebbe consacrato la vittoria dell'uomo sull'antico Destino[3].

Ma per ciò che riguarda la proiezione scenica dell'eroe, la realizzazione della *Città morta*, rappresenta il primo scacco. La trasposizione della vicenda dalla narrativa, in cui gli avvenimenti sono mediati da una voce interpretante, alla realizzazione teatrale, in cui i personaggi si esprimono in presa diretta, rivela l'insufficienza drammatica del protagonista maschile. Paragonata al progetto iniziale, la tragedia presenta infatti variazioni

---

[3] Cfr. le pagine del *Fuoco*, *Prose di romanzi*, vol II, pp. 356-368.

sostanziali che marcano la trasformazione. L'intreccio si arricchisce di nuovi episodi, il nodo drammatico stenta ad incentrarsi su uno dei personaggi maschili, e dalle incertezze emerge il personaggio della cieca Anna su cui finiscono per convergere le linee tematiche e sceniche dell'opera. Sin dalla prima opera il ruolo dell'eroe preconizzato da D'Annunzio fallisce e cede il passo a quello dell'eroina.

La vicenda teatrale di D'Annunzio prosegue con la creazione di un «Poema tragico», *Sogno di un mattino di primavera*, concepito per l'arte di Eleonora Duse. La protagonista, Donna Isabella, nel suo dolce svagare tra sogno e realtà, domina la scena esprimendosi con un linguaggio allusivo intessuto di cose non dette e di silenzi più significanti dell'enunciato.

Forse è da questa doppia esperienza di scrittura quasi contemporanea che nasce, per D'Annunzio drammaturgo, la rivelazione della gamma di possibilità teatrali offerta dal personaggio femminile in quanto portatore di una verità tragica, sofferta ed autentica[4]. Certo, tutta la serie delle tragedie che seguono è costantemente ispirata da una figura di donna, posta al centro di conflitti diversi, calata in situazioni eterogenee tra storia e mito, età contemporanea e sogno. La sua presenza appare compatta nella rassegna delle opere, ed anche i pochi casi che sembrano contraddire questa affermazione risultano fallaci ad una attenta lettura testuale. L'esempio classico è *Più che l'amore*, la tragedia moderna in cui D'Annunzio tenta di riportare al centro dell'opera il personaggio maschile; ma ancora una volta, come abbiamo constatato, il protagonista fallisce nel suo ruolo di eroe tragico mentre il personaggio femminile si insinua nel cuore dell'opera e grandeggia sulla scena.

Quanto all'ultimo teatro in francese, che pur rappresenta una svolta ulteriore della concezione del teatro, anche questo rimane sotto il segno di una ricerca al femminile: l'androgino protagonista del *Martyre* è un nuovo volto dell'erotismo sublimato in amore mistico, mentre la Pisanelle è la figura di una gioiosa sensualità senza erotismo.

Infine, anche nella sua ultima opera teatrale, *Il ferro*, D'Annunzio, pur abbandonando il genere tragico per il dramma, mantiene la donna al centro dell'ispirazione; Mortella è un'ultima incarnazione del soggetto femminile non più percepito in veste tragica ma colto nella casistica delle doppie verità della prospettiva moderna.

La costante scelta della donna come protagonista del genere tragico

---

[4] *La città morta* è stata completata nell'ottobre del 1896; il *Sogno* è stato scritto nell'aprile del 1897.

provoca una serie di conseguenze strutturali e tematiche.

Il personaggio femminile chiamato alla ribalta e proiettato a un livello mitico, storico o simbolico come donna/soggetto trascina inevitabilmente con sé il bagaglio atavico della donna/oggetto, della «cosa», posseduta e utilizzata nell'ambito della società patriarcale. Per la donna «l'antico destino» ha infatti un volto storico che a causa della sua durata potrebbe apparire eterno. In questa prospettiva il conflitto e il configurarsi di forze antagoniste attanziali appaiono già, in larga misura, identificati da una lunga tradizione. L'uomo, padre e marito, padrone e signore della donna/cosa, sarà inevitabilmente l'agente dell'oppressione contro cui l'eroina dovrà lottare nel tentativo eroico quanto inane di difendere la sua diversità, la sua indipendenza e la sua libera scelta. A questi poli del conflitto, facilmente prevedibili, nella sagace ottica dannunziana, si aggiunge il personaggio della madre dell'antagonista, la nemica più temibile della donna perché, pur essendo donna, è totalmente assimilata al sistema come madre e custode dei valori tradizionali[5].

Partendo da queste premesse, il ruolo di protagonista attribuito alla donna si articola su due piani complementari. Da un punto di vista strutturale il conflitto e le forze attanziali si configurano secondo i moduli tradizionali: trasgressione dell'ordine stabilito, punizione e ricostituzione dell'ordine. Ma da un punto di vista tematico il protagonismo eroico attribuito alla donna rovescia i termini dell'equazione e l'ordine ristabilito appare come un'enorme ingiustizia, un'offesa insanabile.

Questo schema strutturale, ricostruito sulla logica postulata dal protagonismo femminile, si ripete in numerose tragedie tanto da indicare qualcosa di più di una semplice coincidenza. Se un testo drammatico isolato può emettere un messaggio ambiguo, l'iterazione dello stesso messaggio nel macrotesto costituito dal teatro di D'Annunzio assume un significato inequivocabile. *Il sogno di un mattino di primavera*, *La figlia di Iorio*, *La fiaccola sotto il moggio*, *La nave*, *Francesca da Rimini*, *Fedra*, *Parisina* e *La Pisanelle* presentano una serie di conflitti che, pur nella varietà dei contesti specifici, possono essere ricondotti a una tematica di istanze femminili, se non femministe, che rivelano una forte adesione da parte dell'autore al mondo della donna.

---

[5] La donna una volta assorbita nel sistema patriarcale, con le note funzioni di riproduzione e cura dei figli, perde le sue qualità di merce di scambio per assumere uno statuto riconosciuto dalla comunità in modo rigidamente contrattuale e condizionante; la madre diviene automaticamente la custode dei valori della società patriarcale. Cfr. Maggie Günsberg, *Patriarcal Representations*, Oxford, Berg, 1994, pp. 7, 8.

Ma che cosa rappresenta la donna per D'Annunzio? L'uomo D'Annunzio ha amato ed è stato amato da donne notevoli per fascino, intelligenza e doti artistiche eccezionali, ma autobiografia e letteratura pur influenzandosi a vicenda non coincidono. «È necessario ripetere ancora che nello spazio scenico non può aver vita se non un mondo ideale? che il carro di Tespi, come la barca d'Acheronte, è così lieve da non poter sopportare se non il peso delle ombre o delle immagini umane?» (1073). Per il drammaturgo D'Annunzio il personaggio/donna è il «segno» di un anelito verso la libertà, di una protesta in cui si riconosce.

Nell'universo dannunziano la codificazione tradizionale della donna come creatura alogica e irrazionale inverte il segno che da negativo diventa positivo, in quanto sintomo di un'adesione profonda alla vita dell'istinto, di una carica vitale intatta. Schiava e non legislatrice di un sistema ipocrita ed oppressivo, la donna, che ha tesaurizzato la sua «marginalità e diversità» mantenendo intatta la sua carica protestataria e l'integrità del suo sentire, si presenta come il personaggio privilegiato per veicolare attraverso la sua vicenda la condanna di una società ipocrita e materialista in cui i valori morali sono volgarizzati e mercificati; quella appunto che D'Annunzio intende denunciare.

La lettura globale dell'opera teatrale illumina singolarmente il rapporto tra i sessi nella concezione dell'autore. D'Annunzio liquida irrevocabilmente i pregiudizi ancora dominanti alla sua epoca e restituisce alla donna la sua autonomia di soggetto[6]. Se nel suo teatro le donne si rivelano superiori all'antagonista maschile ciò significa che per D'Annunzio la relazione maschile/femminile non è un dato naturale e immutabile ma una costruzione determinata da un particolare sistema di forze sociali, un rapporto variabile ed aperto. Nel suo teatro la donna è accolta non come la vittima rassegnata di un destino eterno, non come una penitente che invoca pietà e perdono, ma come una fiera combattente sempre sconfitta, mai vinta nello spirito.

Nella celebrazione della donna elevata alla dignità trascendentale di eroina, possiamo leggere il riconoscimento implicito da parte dell'autore dell'«altra», come di una eguale.

---

[6] La costruzione dell'identità femminile è strettamente connessa al riconoscimento del desiderio erotico della donna, tradizionalmente negato o contrastato in quanto considerato una minaccia per la stabilità del sistema patriarcale. Cfr. J. Forte, *Women's Performance Art: Feminism and Postmodernism*, in *Performing Feminisms: Feminist Critical Theory and Theatre*, Baltimore, John Hopkins University Press, 1990, p. 259.

Bibliografia delle opere citate

Opere di G. D'Annunzio

1939-1940   *Tragedie, sogni e misteri*, con un avvertimento di R, Simoni, Milano, Mondadori, voll. 2.

1947   *Prose di ricerca, di lotta, di comando...*, Milano, Mondadori, vol. 1.

1950   *Prose di ricerca, di lotta, di comando...*, a cura di E. Bianchetti, Milano, Mondadori, voll. II, III.

1965   *Taccuini*, a cura di E. Bianchetti e R. Forcella, Milano, Mondadori.

1976   *Altri taccuini*, a cura di E. Bianchetti, Milano, Mondadori.

1982-1984   *Versi d'amore e di gloria*, a cura di A. Andreoli e N. Lorenzini, introduzione di L. Anceschi, Milano, Mondadori, voll. 2.

1988-1989   *Prose di romanzi*, a cura di A. Andreoli e N. Lorenzini, introduzione di E. Raimondi, Milano, Mondadori, voll. 2.

1990   *Di me a me stesso*, a cura di A. Adreoli, introduzione di A. Andreoli, Milano, Mondadori.

1992   *Tutte le novelle*, a cura di A. Andreoli e M. De Marco, introduzione di A. Andreoli, Milano, Mondadori.

1996   *Scritti giornalistici*, a cura di A. Andreoli, introduzione di A. Andreoli, Milano, Mondadori.

Bibliografia generale

1976   *D'Annunzio e il simbolismo europeo*, Atti del Convegno 14-16 settembre 1973, a cura di E. Mariano, Milano, Il Saggiatore.

1978   *Il teatro di D'Annunzio*, «Quaderni del Vittoriale», n. 11.

1980   *Il teatro di D'Annunzio oggi*, «Quaderni del Vittoriale», n. 24.

1980   *Studio sulle fonti della «Francesca da Rimini»*, «Quaderni del Vittoriale», n. 24.

1982   *D'Annunzio e Pirandello*, «Quaderni del Vittoriale», n. 36.
1986   *La figlia di Iorio, Atti del Convegno Internazionale. Pescara, 24-26 ottobre, 1985*, a cura di E. Tiboni, Pescara, Centro Nazionale Studi Dannunziani.
1987   «Annali d'Italianistica», vol. 5, fascicolo monografico *D'Annunzio*, a cura di D. Cervigni.
1988   *D'Annunzio a Yale*, «Quaderni dannunziani» a cura di P. valesio, nn. 3-4.
1989   *Fedra da Euripide a D'Annunzio. D'Annunzio a Harvard.* «Quaderni dannunziani», nn. 5-6.

Alatri, P.
1983   *D'Annunzio*, Torino, U.T.E.T.
Andreoli, A.
1985   *Gabriele D'Annunzio*, Firenze, La Nuova Italia.
Bárberi Squarotti, G.
1971   *Il gesto improbabile. Tre saggi su Gabriele D'Annunzio*, Palermo, Flaccovio.
1982   *Invito alla lettura di D'Annunzio*, Milano, Mursia.
1992   *La scrittura verso il nulla: D'Annunzio*, Torino, Genesi.
Bertazzoli, R.
1989   *Il mito raggiunto*, Milano, Franco Angeli.
Barilli, R.
1964   *La barriera del naturalismo*, Milano, Mursia.
1993   *D'Annunzio in prosa*, Milano, Mursia.
Bisicchia, A.
1991   *D'Annunzio e il teatro*, Milano, Mursia.
De Michelis, E.
1960   *Tutto D'Annunzio*, Milano, Feltrinelli.
Eco, U.
1979   *Lector in fabula*, Milano, Bompiani.
1984   *Semiotica e filosofia del linguaggio*, Torino, Einaudi.
1990   *I limiti dell'interpretazione*, Milano, Bompiani.
Getto, G.
1976   *Tre studi sul teatro*, Caltanisetta-Roma, Sciascia.
Gibellini, P.
1985   *Logos e mythos. Studi su Gabriele D'Annunzio*, Firenze, Olschki.
Granatella, L.
1989   *D'Annunzio e Pirandello tra letteratura e teatro*, Roma, Bulzoni.
Greimas, A.J.
1974   *Sul senso*, Milano, Bompiani.

Günsberg, M.
1994   *Patriarchal Representations*, Oxford, Berg.
Helbo, A. (a cura di)
1979   *Semiologia della rappresentazione*, Napoli, Liguori.
La Valva, R.
1991   *I sacrifici umani*, Napoli, Liguori.
Lorenzini, N.
1984   *Il segno del corpo*, Roma, Bulzoni.
1991   *D'Annunzio*, Palermo, Palumbo.
Mariano, E.
1962   *Sentimento del vivere: ovvero Gabriele D'Annunzio*, Milano, Mondadori.
Meda, A.
1993   *Bianche statue contro il nero abisso*, Ravenna, Longo.
Merola, N. (a cura di)
1979   *D'Annunzio e la poesia di massa*, Bari, Laterza.
Mutterle, A.M.
1980   *G. D'Annunzio. Introduzione e guida allo studio dell'opera dannunziana*, Firenze, Le Monnier.
Nietzsche, F.
1988   *La nascita della tragedia*, Milano, Adelphi.
Paratore, E.
1966   *Studi dannunziani*, Napoli, Morano.
Pavis, P.
1990   *Languages of the Stage*, a cura di M. Carlston, Indiana University Press.
Praz, M.
1966   *La carne, la morte e il diavolo nella letteratura romantica*, Firenze, Vallecchi.
Puppa, P.
1993   *La parola alta. Sul teatro di Pirandello e D'Annunzio*, Bari, Laterza.
Raimondi, E.
1980   *Il silenzio della Gorgone*, Bologna, Zanichelli.
Ravasi Bellocchio, L.
1988   *Il fanciullo e la strega. Lettura psicoanalitica della «Figlia di Iorio»*, Pescara, Veniero Luigi De Giorgi.
Roda, V.
1978   *La strategia della totalità*, Bologna, Massimiliano Boni.
Scarano, Emanuella
1976   *D'Annunzio*, Bari, Laterza.
Segre, C.
1969   *I segni e la critica*, Torino, Einaudi.
1974   *Le strutture e il tempo*, Torino, Einaudi.
1984   *Teatro e romanzo*, Torino, Einaudi.

Szondi, P.
1962   *Teoria del dramma moderno*, Torino, Einaudi.
Valesio, P.
1992   *The Dark Flame*, New Haven and London, Yale University Press.
Weaver, W.
1984   *Duse*, San Diego-New York-London, Harcourt, Brace, Jovanovich.

Indice dei nomi